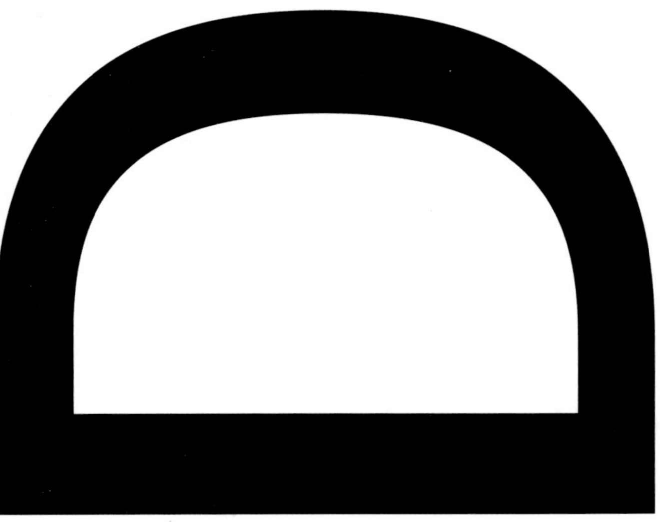

Défi 1

ÉDITION PREMIUM

INCLUT UN ACCÈS PREMIUM D'UN AN À LA PLATEFORME

espace virtuel

RESSOURCES NUMÉRIQUES DE DÉFI 1

- le manuel numérique 100 % interactif
- le livre de l'élève et le cahier d'exercices optimisés pour tablette et ordinateur
- des exercices autocorrectifs de grammaire et de lexique
- les capsules de phonétique
- les *Défis numériques*
- les audios et les vidéos
- les activités autocorrectives des vidéos
- des évaluations autocorrectives

AUTRES RESSOURCES NUMÉRIQUES

- des vidéos didactisées
- un grand nombre d'exercices autocorrectifs
- des fiches vidéoprojetables
- des articles de presse didactisés et des suggestions d'utilisation d'outils TICE

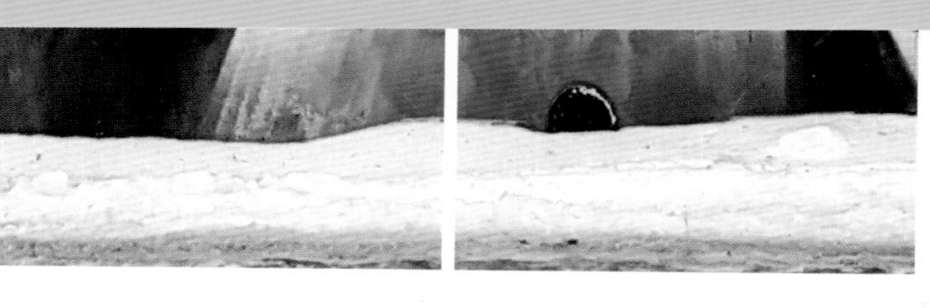

MÉTHODE DE FRANÇAIS
LIVRE DE L'ÉLÈVE + CD

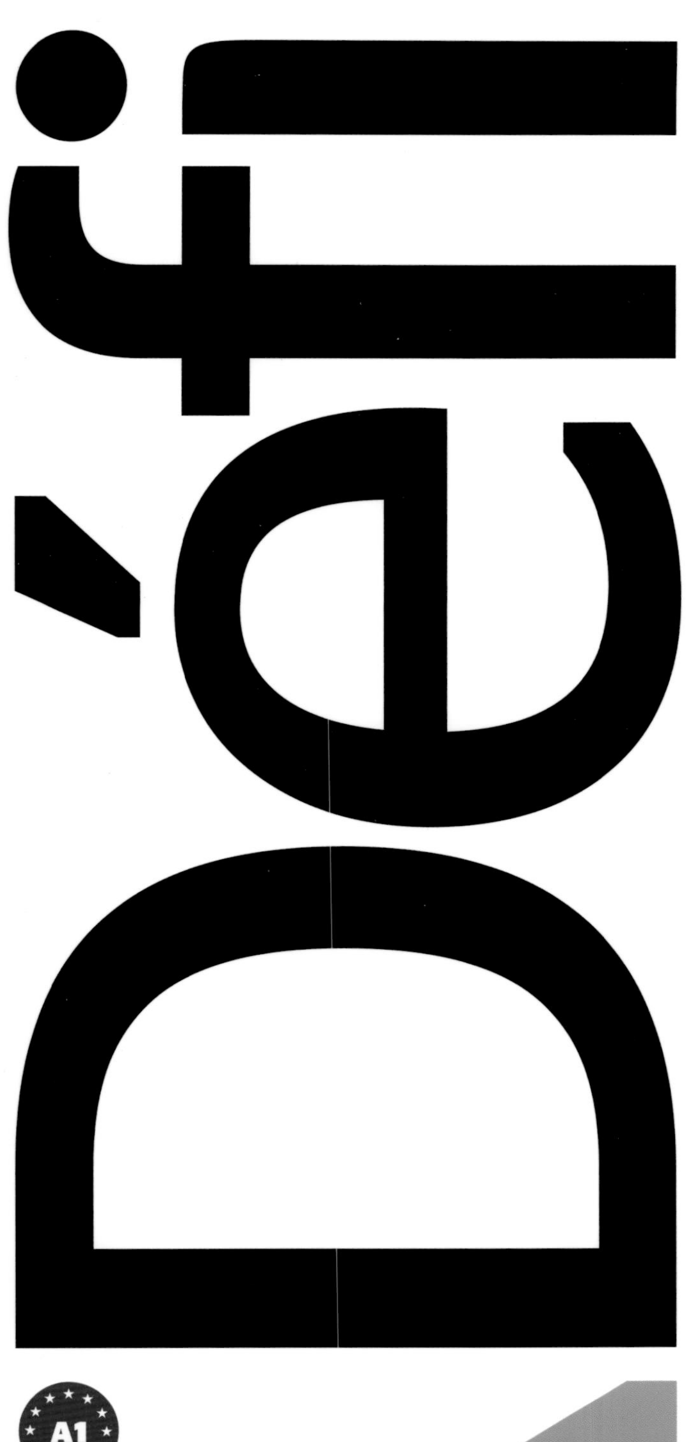

1

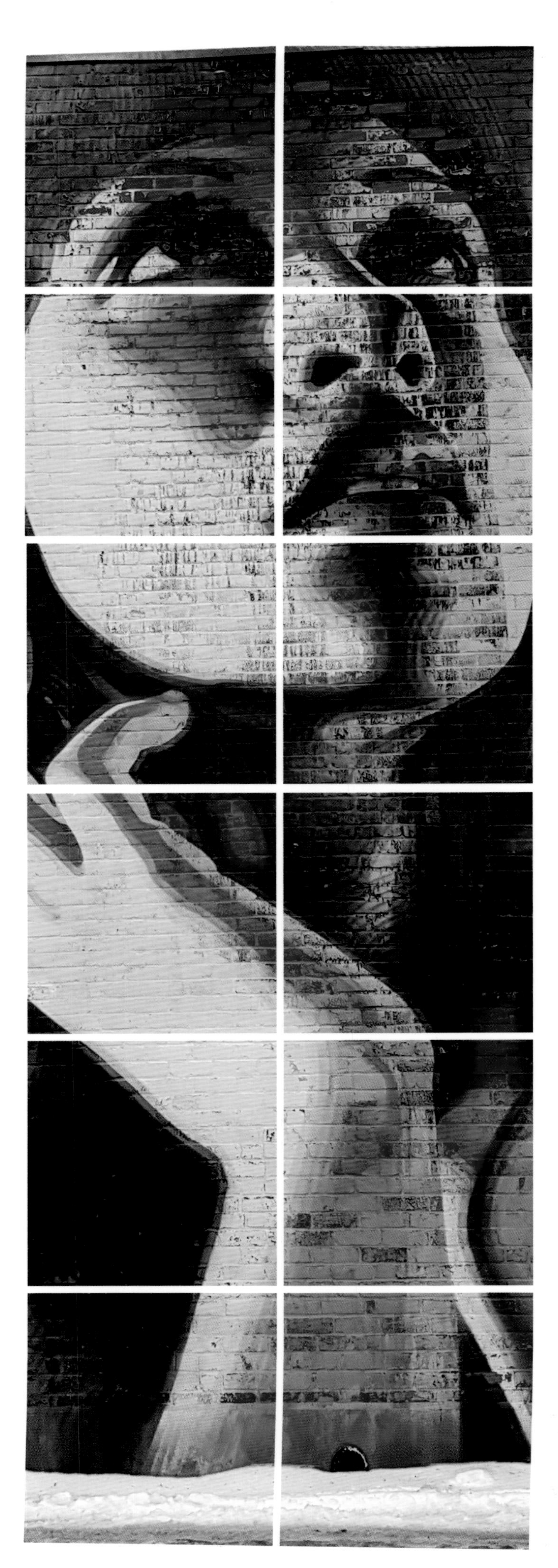

MÉTHODE DE FRANÇAIS

LIVRE DE L'ÉLÈVE + CD

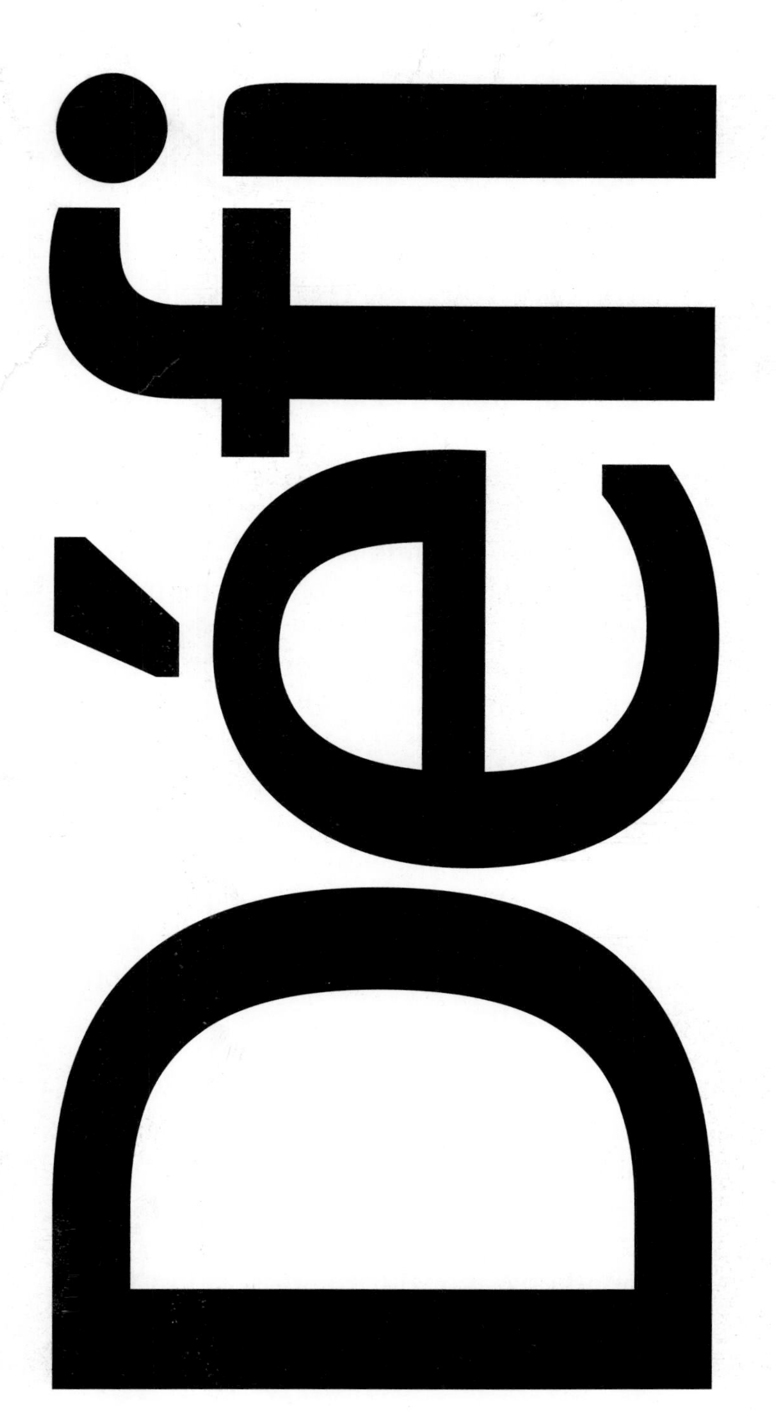

1

MÉTHODE DE FRANÇAIS
LIVRE DE L'ÉLÈVE + CD

Auteures :

Fatiha Chahi
Monique Denyer
Audrey Gloanec

Geneviève Briet
Valérie Collige-Neuenschwander
(capsules de phonétique)
Raphaële Fouillet
(précis de grammaire)

Conseil pédagogique
et révision :

Christian Ollivier
Agustín Garmendia

www.emdl.fr/fle

Défi, ou comment éveiller la curiosité de l'apprenant

Nous sommes ravis de vous présenter notre nouvelle méthode de français pour grands adolescents et adultes. Si nous avons accepté de relever ce défi, c'est surtout pour vous proposer à vous, professeurs et apprenants de FLE du monde entier, une approche originale et motivante qui place la culture comme élément fondamental dans l'apprentissage de la langue.

Dans Défi, **le fait culturel et socioculturel se met au service des acquisitions linguistiques**. C'est au travers d'éléments culturels, multiculturels et de faits de société que l'apprenant éprouve spontanément le besoin d'acquérir des outils linguistiques. C'est pour cette raison que nous nous sommes attachés à proposer **des documents qui intéressent vraiment les apprenants**, et ce, au-delà du contexte de l'apprentissage de la langue. Nous sommes effectivement convaincus que **l'apprentissage se fait plus facilement lorsque l'on fait naître un réel intérêt chez l'apprenant**, lorsque l'on éveille sa curiosité, ce qui le pousse à s'investir dans son apprentissage.
Nous avons également accordé une **place primordiale à l'interculturalité**, car réagir et interagir à partir de sa propre identité et de son vécu est, selon nous, l'un des fondamentaux de la motivation en classe de FLE. Sans aucun doute, le défi consistait à proposer **des documents intéressants où la langue est utilisée en contexte, tout en étant abordable pour des apprenants de niveau A1.** Nous avons relevé ce défi grâce aux stratégies de lecture. Dans cette méthode, l'apprenant met en place des stratégies à partir de ses connaissances préalables sur le monde, sur les genres et les typologies de textes, et à partir de ses propres connaissances linguistiques. Ces stratégies l'aident à comprendre les documents, à travailler en autonomie et, surtout, à développer son savoir-faire.
L'apprenant prend ainsi plaisir à découvrir les textes et à développer ses propres outils linguistiques. C'est pourquoi, nous avons également souhaité faciliter le processus d'acquisition de ces outils. Dans Défi, **la grammaire est traitée de manière progressive et inductive** : l'apprenant réfléchit sur les points de grammaire abordés dans les documents, puis co-construit sa compétence grammaticale. **Le lexique fait également l'objet d'un processus d'acquisition réfléchi. L'apprenant est amené à se l'approprier selon ses goûts et ses besoins** : créer ses propres cartes mentales, reconnaître les collocations les plus courantes, comparer avec sa langue maternelle... **Autant d'éléments qui assurent un apprentissage efficace et qui permettent à l'apprenant d'aborder sereinement les activités, les micro-tâches et les tâches finales (les défis) de fin de dossier**.

Enfin, conscients que les apprenants sont habitués à chercher des informations sur Internet et à utiliser les applications mobiles dans leur vie quotidienne, nous avons souhaité mettre ces **pratiques numériques** au service de l'apprentissage du français. Ainsi, nous vous proposons un environnement numérique complet sur l'Espace virtuel avec des défis supplémentaires qui mettent à profit les habitudes numériques des apprenants, des capsules vidéo de phonétique, des exercices autocorrectifs, etc.

Nous vous souhaitons, à toutes et à tous, de beaux moments en classe de FLE, riches en activités ludiques et en découvertes culturelles, avec des apprenants plus que jamais motivés par leur apprentissage.

Les auteures et l'équipe des Éditions Maison des Langues

Structure du livre de l'élève

- 1 unité d'introduction (dossier de découverte)
- 8 unités de 14 pages chacune
- 1 précis de grammaire
- des tableaux de conjugaison
- un mémento des stratégies de lecture
- la transcription des enregistrements des documents audio
- des cartes de la francophonie, de l'Europe et de la France

▸ Chaque unité est composée de deux dossiers thématiques de six pages chacun et d'une page de lexique.

La page d'ouverture de l'unité

Deux dossiers culturels construits de la même façon

Une double-page *Découvrir* très visuelle et présentée comme un magazine pour découvrir la thématique culturelle du dossier.

DES AUDIOS (31) indiqués par un pictogramme avec le numéro de la piste audio

Une colonne d'activités de compréhension globale des documents

UNITÉ 5

Le rythme de vie des **Québécois**

Au Québec, la journée de travail commence tôt et se termine tôt : les Québécois travaillent de 8 h à 17 h.

Le matin, ils se réveillent vers 6 h - 6 h 30. 60 % des Québécois ne prennent pas de petit déjeuner, mais ils prennent souvent un café sur la route ou sur leur lieu de travail.

Le midi, la pause est courte : en général, ils déjeunent entre 12 h et 13 h, souvent au travail.

Après le travail, ils dînent vers 17 h - 18 h, c'est le repas le plus important de la journée.

Le soir, les Québécois font souvent des activités : sport, cours, cinéma, sorties entre amis ou en famille.

Ils se couchent tard, vers 23 h en semaine et vers minuit le week-end. Ils ne dorment pas beaucoup : en moyenne, sept heures par nuit en semaine, et sept heures et demie le week-end.

Ah bon ?!

La langue française varie dans chaque pays francophone. Par exemple, le matin, les Français prennent le **petit déjeuner**, mais les Belges et les Québécois **déjeunent**. Le midi, les Français **déjeunent**, mais les Belges et les Québécois **dînent**. Le soir, les Français **dînent**, mais les Belges et les Québécois **soupent**.

76 soixante-seize

(31) **Témoignages**

Des Français qui habitent à Montréal comparent les rythmes de vie en France et au Québec.

Christelle

Ali

Fred

Emma

DOSSIER 1 | DÉCOUVRIR

Avant de lire

1. Lisez le titre de l'article. À votre avis, que signifie « rythme de vie » ? Échangez en classe.

Lire, comprendre et réagir

2. Sans lire l'article en détail, repérez et soulignez tous les horaires. À votre avis, que font les Québécois à ces horaires ? Devinez ce que signifient les verbes qui précèdent chaque horaire.

3. Lisez l'article. Dessinez une frise avec les horaires et les activités des Québécois.

6 h - 6 h 30
ils se réveillent

4. Complétez avec vos horaires.

Je me réveille à ... h ... .
Je prends mon petit déjeuner à ... h ... .
Je travaille de ... h ... à ... h ... .
Je déjeune à ... h ... .
Je dîne à ... h ... .
Je me couche à ... h ... .

5. Comparez votre rythme de vie à celui des Québécois.

• *Moi aussi, je me couche tard.*

Écouter, comprendre et réagir

6. (31) Écoutez les témoignages. De quel moment de la journée parlent ces personnes ? Complétez avec les étiquettes. C'est pareil (=) ou différent (≠) au Québec et en France ? Cochez la bonne réponse.

petit déjeuner | déjeuner | dîner | journée de travail

1. Christelle parle du ...
C'est ☐ pareil (=) ☐ différent (≠) au Québec et en France.
2. Ali parle de la ...
C'est ☐ pareil (=) ☐ différent (≠) au Québec et en France.
3. Fred parle du ...
C'est ☐ pareil (=) ☐ différent (≠) au Québec et en France.
4. Emma parle du ...
C'est ☐ pareil (=) ☐ différent (≠) au Québec et en France.

Mon panier de lexique

Quels mots de ces pages voulez-vous retenir ?

soixante-dix-sept 77

DES ENCADRÉS AH BON ?! proposant des informations culturelles complémentaires sur la thématique

DES TÉMOIGNAGES ORAUX en réaction au(x) document(s) proposé(s)

UN PANIER DE LEXIQUE une collecte des acquis lexicaux des apprenants

Deux doubles-pages *Construire et (inter)agir* et *Construire et créer*, construites à partir de documents culturels authentiques qui amènent l'apprenant à découvrir la langue en contexte.

AVANT DE LIRE : des activités pour préparer à la lecture

LIRE, COMPRENDRE ET RÉAGIR : des activités de compréhension du document

DES CAPSULES DE PHONÉTIQUE à retrouver sur espacevirtuel.emdl.fr

TRAVAILLER LA LANGUE pour découvrir des points de grammaire et de lexique de manière inductive

PRODUIRE ET INTERAGIR pour co-construire ses apprentissages

REGARDER, COMPRENDRE ET RÉAGIR des vidéos à retrouver avec les exploitations pédagogiques sur espacevirtuel.emdl.fr

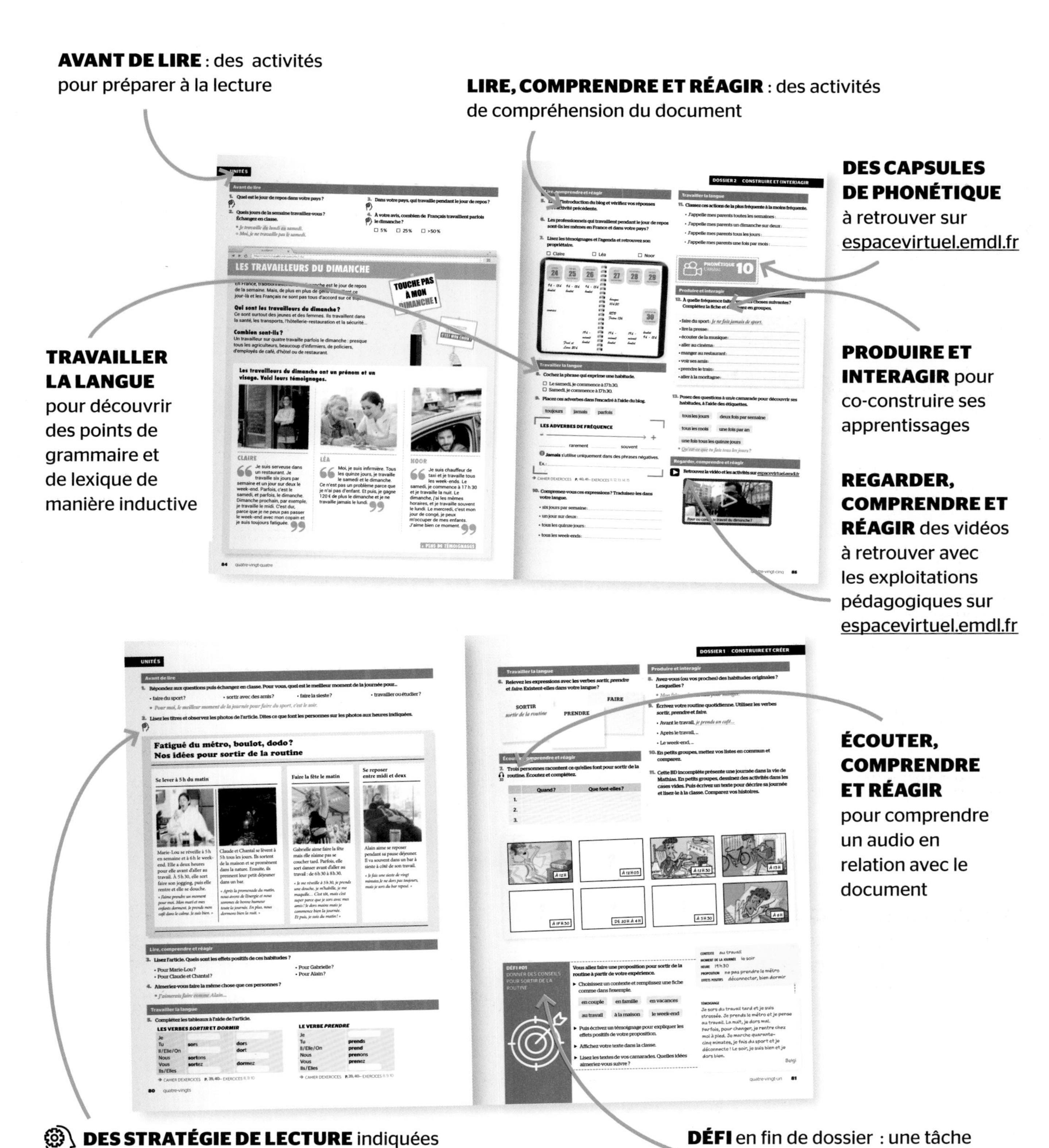

ÉCOUTER, COMPRENDRE ET RÉAGIR pour comprendre un audio en relation avec le document

DES STRATÉGIE DE LECTURE indiquées par un pictogramme et développées dans un mémento en fin d'ouvrage.

DÉFI en fin de dossier : une tâche mobilisant l'ensemble des acquis linguistiques et culturels du dossier

Une page par unité consacrée au lexique

LES MOTS ASSORTIS
des exercices sur les collocations, les co-occurences...

LA GRAMMAIRE DES MOTS
l'usage des mots et des verbes en contexte

MES MOTS
des activités d'acquisition, de collecte ou des cartes mentales pour s'approprier le lexique de l'unité

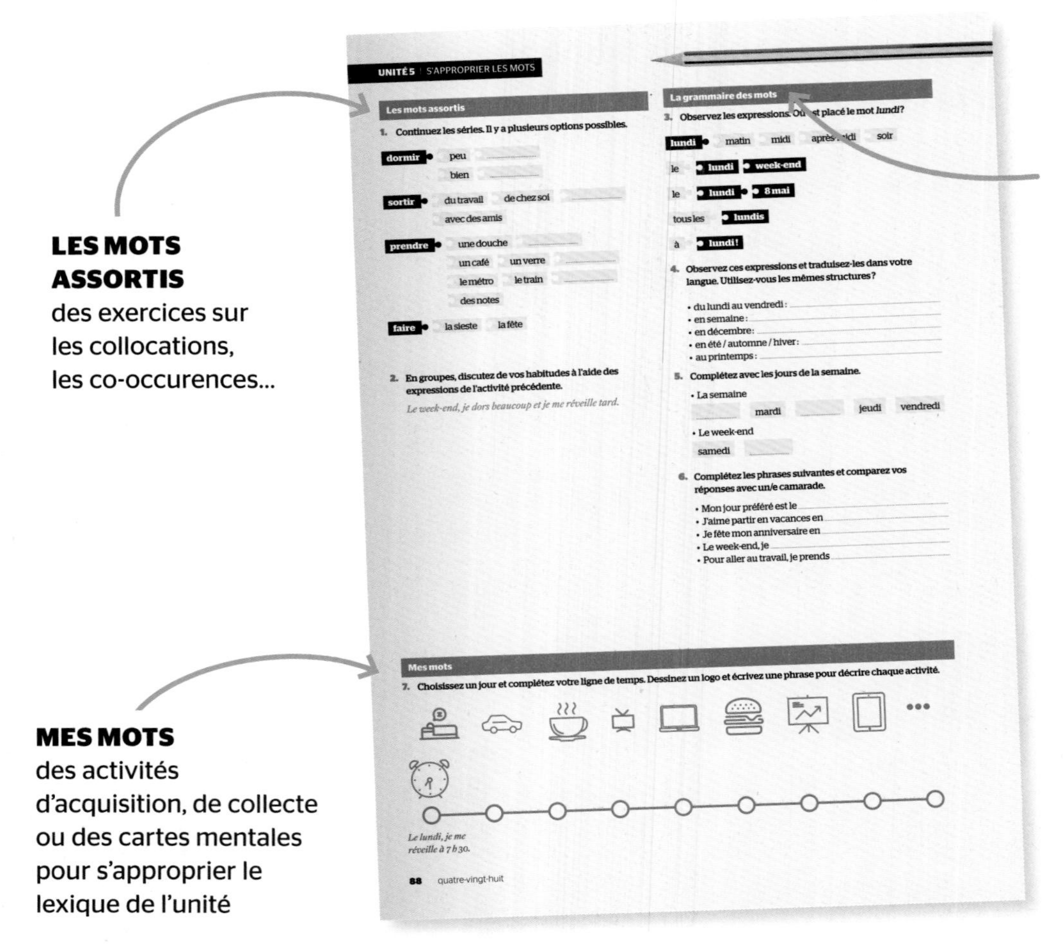

UNITÉ 5 | S'APPROPRIER LES MOTS

Les mots assortis

1. Continuez les séries. Il y a plusieurs options possibles.

- **dormir** : peu / bien
- **sortir** : du travail / de chez soi / avec des amis
- **prendre** : une douche / un café / un verre / le métro / le train / des notes
- **faire** : la sieste / la fête

2. En groupes, discutez de vos habitudes à l'aide des expressions de l'activité précédente.

Le week-end, je dors beaucoup et je me réveille tard.

La grammaire des mots

3. Observez les expressions. Où est placé le mot *lundi* ?

- **lundi** : matin / midi / après-midi / soir
- le **lundi** **week-end**
- le **lundi** **8 mai**
- tous les **lundis**
- à **lundi !**

4. Observez ces expressions et traduisez-les dans votre langue. Utilisez-vous les mêmes structures ?

- du lundi au vendredi :
- en semaine :
- en décembre :
- en été / automne / hiver :
- au printemps :

5. Complétez avec les jours de la semaine.

- La semaine : ... mardi ... jeudi vendredi
- Le week-end : samedi ...

6. Complétez les phrases suivantes et comparez vos réponses avec un/e camarade.

- Mon jour préféré est le
- J'aime partir en vacances en
- Je fête mon anniversaire en
- Le week-end, je
- Pour aller au travail, je prends

Mes mots

7. Choisissez un jour et complétez votre ligne de temps. Dessinez un logo et écrivez une phrase pour décrire chaque activité.

Le lundi, je me réveille à 7 h 30.

88 quatre-vingt-huit

Un mémento des stratégies de lecture utilisées dans le livre

Un précis de grammaire et des tableaux de conjugaison

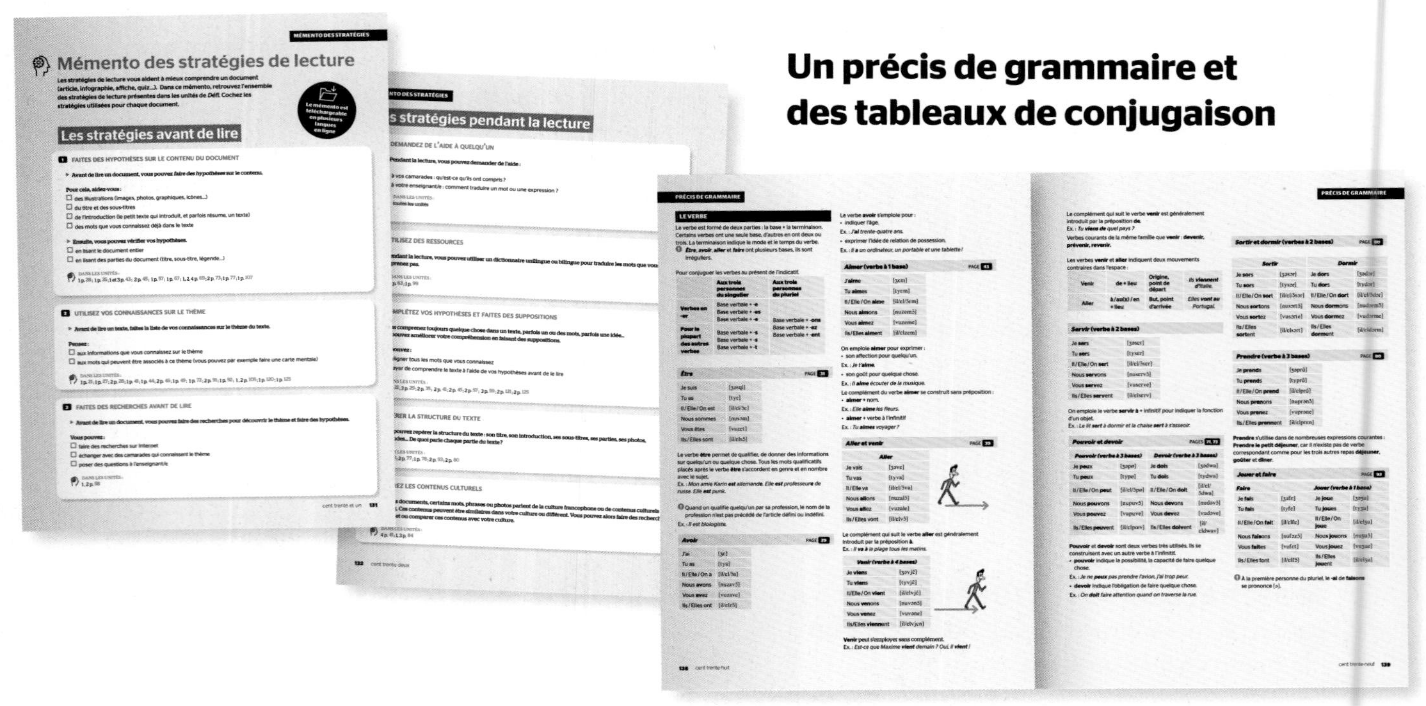

MÉMENTO DES STRATÉGIES

Mémento des stratégies de lecture

Les stratégies avant de lire

1. FAITES DES HYPOTHÈSES SUR LE CONTENU DU DOCUMENT
2. UTILISEZ VOS CONNAISSANCES SUR LE THÈME
3. FAITES DES RECHERCHES AVANT DE LIRE

Les stratégies pendant la lecture

DEMANDEZ DE L'AIDE À QUELQU'UN

UTILISEZ DES RESSOURCES

COMPLÉTEZ VOS HYPOTHÈSES ET FAITES DES SUPPOSITIONS

REPÉREZ LA STRUCTURE DU TEXTE

UTILISEZ LES CONTENUS CULTURELS

PRÉCIS DE GRAMMAIRE

LE VERBE

Être

Avoir

Aimer (verbe à 1 base)

Aller et venir

Sortir et dormir (verbes à 2 bases)

Servir (verbe à 2 bases)

Prendre (verbe à 3 bases)

Pouvoir et devoir

Jouer et faire

Défi

L'OFFRE NUMÉRIQUE DE *DÉFI*
UNE CONTINUITÉ COMPLÈTE ET MOTIVANTE DE VOTRE MANUEL

- Travaillez où que vous soyez
- En toute autonomie
- Avec des contenus actuels, en images et adaptés à votre niveau

Parcourez l'ensemble des ressources en ligne de *Défi*

vidéos authentiques

avec des exercices autocorrectifs

capsules phonétique

des vidéos pour améliorer votre prononciation du français

exercices autocorrectifs

pour mettre en pratique la grammaire et le lexique

défi numérique

des tâches complémentaires à réaliser en ligne

autoévaluations autocorrectives

des examens clés en main par compétence

livre et cahier numérique

avec les activités 100% interactives

Toutes les ressources numériques de *Défi* sont sur

espace virtuel

La plateforme pédagogique en ligne qui vous facilite la vie !

Activez votre compte sur espacevirtuel.emdl.fr

Livre de l'élève et cahier d'exercices en version optimisée pour tablette et ordinateur

Accessible hors connexion grâce à l'application

DOSSIER DE DÉCOUVERTE

p. 14 - 18

DOSSIERS

DÉFIS

CULTURE(S) ET SOCIÉTÉ(S)

- quelques pays de la francophonie (spécialités, monuments, artistes)
- les manières de saluer
- les formules de politesse
- *tu / vous*

01 PORTRAIT-ROBOT

p. 19 - 32

DOSSIERS

DOSSIER 01
L'alphabet de Paris

DOSSIER 02
Le portrait de la France

DÉFIS

DÉFI #01
Faire son autoportrait en chiffres

DÉFI #02
Faire le portrait d'un pays

CULTURE(S) ET SOCIÉTÉ(S)

- Paris et ses lieux célèbres
- le métro parisien
- les rues et les arrondissements de Paris
- la France et les Français : quelques données
- la pyramide des âges en France
- les métiers traditionnellement masculins et féminins en France

02 D'ICI ET D'AILLEURS

p. 33 - 46

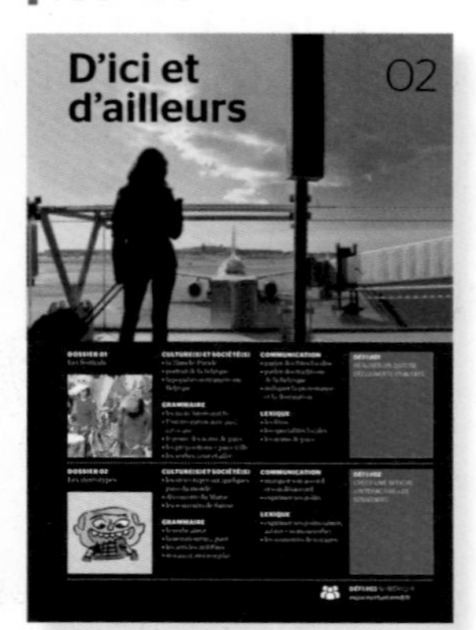

DOSSIERS

DOSSIER 01
Les festivals

DOSSIER 02
Les stéréotypes

DÉFIS

DÉFI #01
Réaliser un quiz de découverte d'un pays

DÉFI #02
Créer une affiche « interactive » de souvenirs

CULTURE(S) ET SOCIÉTÉ(S)

- la Zinneke Parade
- portrait de la Belgique
- la population étrangère en Belgique
- les stéréotypes sur quelques pays du monde
- découverte du Maroc
- les souvenirs de Suisse

COMMUNICATION

- dire son prénom
- utiliser *tu* ou *vous*
- saluer
- demander de l'aide en classe
- les pronoms toniques

GRAMMAIRE

- le verbe *s'appeler*
- les pronoms personnels sujets

LEXIQUE

- les formules de politesse
- les mots d'encouragement

COMMUNICATION

- dire son identité
- épeler
- donner une information avec des chiffres
- présenter un pays
- dire son âge
- dire son métier

GRAMMAIRE

- les articles définis
- les adjectifs ordinaux
- les verbes *avoir* et *être*
- le féminin des noms de métier

LEXIQUE

- l'alphabet
- les lieux de la ville
- les chiffres et les nombres de 0 à 20
- l'adresse e-mail
- les nombres à partir de 20
- les métiers

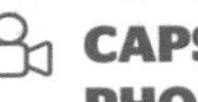

CAPSULES DE PHONÉTIQUE

- 1. L'accentuation de la dernière syllabe du mot phonétique
- 2. Les liaisons obligatoires et interdites

VIDÉO

Disponible sur espacevirtuel.emdl.fr

COMMUNICATION

- parler des fêtes locales
- parler des traditions de la Belgique
- indiquer la provenance et la destination
- marquer son accord et son désaccord
- exprimer ses goûts

GRAMMAIRE

- les mots interrogatifs,
- l'interrogation avec *quel, est-ce que*
- le genre des noms de pays
- les prépositions + pays / ville
- les verbes *venir* et *aller*
- le verbe *aimer*
- la négation (*ne... pas*)
- les articles indéfinis
- *moi aussi / moi non plus*

LEXIQUE

- les fêtes
- les spécialités locales
- les noms de pays
- exprimer ses goûts (*aimer, adorer* + nom ou verbe)
- les souvenirs de voyages

CAPSULES DE PHONÉTIQUE

- 3. L'intonation montante
- 4. L'intonation descendante

VIDÉO

Disponible sur espacevirtuel.emdl.fr

03 UN AIR DE FAMILLE

04 ENTRE QUATRE MURS

05 MÉTRO, BOULOT, DODO

COMMUNICATION

- parler de la famille
- préciser un lien familial
- dire son état civil
- indiquer sa ou ses nationalité(s)

GRAMMAIRE

- les déterminants possessifs
- l'accord de l'adjectif
- *c'est / il est*
- le féminin des nationalités

LEXIQUE

- les types de famille
- les liens de famille
- les unions
- les connecteurs logiques *et, ou, mais*
- les états civils
- les nationalités

CAPSULES DE PHONÉTIQUE

- 5. La liaison obligatoire en [n]
- 6. L'intonation montante (2)

VIDÉO

Un dîner en famille : Rapsodie pour un pot-au-feu

Disponible sur espacevirtuel.emdl.fr

COMMUNICATION

- qualifier un logement
- parler des pièces de la maison
- indiquer un loyer
- parler de l'aménagement intérieur
- parler de l'espace
- décrire des meubles
- indiquer la couleur

GRAMMAIRE

- *il y a / il n'y a pas de*
- *c'est* + adjectif
- les adjectifs de couleurs
- le verbe *pouvoir*
- *il faut* + infinitif
- le verbe *devoir*

LEXIQUE

- les types de logement
- les pièces de la maison
- les prépositions de localisation
- les meubles et les objets
- les couleurs et les matières

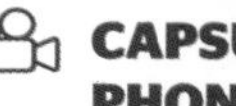

CAPSULES DE PHONÉTIQUE

- 7. Le *e* muet
- 8. L'accentuation de la dernière syllabe du mot phonétique (2)

VIDÉO

Les chambres de bonne à Paris

Disponible sur espacevirtuel.emdl.fr

COMMUNICATION

- parler des rythmes de vie
- parler de ses habitudes
- donner l'heure
- indiquer la fréquence
- donner la date
- situer dans le temps et exprimer la durée

GRAMMAIRE

- les verbes pronominaux
- les verbes *sortir* et *dormir*
- le verbe *prendre*
- les adverbes et les locutions de fréquence

LEXIQUE

- les actions quotidiennes
- les repas
- l'heure
- *tôt / tard*
- les moments de la journée
- le temps de travail
- les jours de la semaine
- les mois et les saisons
- les vacances et jours fériés
- situer dans le temps et exprimer la durée

CAPSULES DE PHONÉTIQUE

- 9. L'enchaînement consonantique
- 10. L'élision

VIDÉO

Pour ou contre le travail du dimanche ?

Disponible sur espacevirtuel.emdl.fr

TABLEAU DES CONTENUS

COMMUNICATION

- parler de ses loisirs
- parler d'Internet et des réseaux sociaux
- identifier son profil de voyageur
- se décrire et décrire ses amis
- inviter quelqu'un ou faire une proposition
- accepter ou refuser une invitation

GRAMMAIRE

- les articles contractés
- le verbe *faire*
- le verbe *jouer*
- le pronom *on*
- *pour* et *parce que*
- l'accord de l'adjectif qualificatif

LEXIQUE

- les loisirs
- Internet et les réseaux sociaux
- l'amitié
- les traits de caractère

CAPSULES DE PHONÉTIQUE

- 11. La liaison obligatoire en [z]
- 12. Le [ʀ] final

VIDÉO

Disponible sur espacevirtuel.emdl.fr

COMMUNICATION

- nommer les lieux d'une ville ou d'un pays
- indiquer un itinéraire
- qualifier un moyen de transport
- faire des achats
- décrire une tenue vestimentaire
- inciter à agir

GRAMMAIRE

- le futur proche (*aller* + infinitif)
- le pronom *y*
- les pronoms personnels COD
- l'impératif
- les déterminants démonstratifs

LEXIQUE

- les lieux de la ville
- les connecteurs temporels
- s'orienter
- les moyens de transport
- les types de commerces
- les vêtements et les accessoires

CAPSULES DE PHONÉTIQUE

- 13. Discriminer [œ] et [ᴇ]
- 14. L'intonation injonctive

VIDÉO

Disponible sur espacevirtuel.emdl.fr

COMMUNICATION

- dire ses goûts et ses préférences alimentaires
- exprimer la quantité
- présenter une recette de cuisine
- raconter une expérience culinaire
- raconter son parcours de vie

GRAMMAIRE

- les articles partitifs
- les adverbes de quantité
- le verbe *manger*
- le passé composé avec *avoir* et *être*
- les participes passés irréguliers
- l'accord et la négation au passé composé

LEXIQUE

- les repas
- les aliments et les familles d'aliments
- les poids et les mesures
- les continents
- les marqueurs temporels du passé
- le parcours de vie

CAPSULES DE PHONÉTIQUE

- 15. Discriminer [i], [u] et [y]
- 16. Discriminer [ʃ] et [ʒ]

VIDÉO

Disponible sur espacevirtuel.emdl.fr

Dossier de découverte

SALUT !

▶ Dans les langues que vous connaissez, quels sont les mots pour saluer ?

▶ Observez les photos et écoutez les dialogues. À quel dialogue correspond chaque photo ? (piste 1)

A

dialogue n°..........

B

dialogue n°..........

C

dialogue n°..........

▶ Réécoutez. Quels mots pour saluer vous entendez ? (piste 1)

COMMENT TU T'APPELLES ?

▶ Observez les images et écoutez. Quelle situation est formelle ? Quelle situation est familière ? Repérez les différences. (piste 2)

▶ **Complétez le tableau à l'aide des images précédentes.**

LE VERBE *S'APPELER*

Je ______ Tu ______ Il / Elle / On **s'appelle**	Nous **nous appelons** Vous **vous appelez** Ils / Elles **s'appellent**
❗ Les pronoms personnels sujets (je, tu, il / elle / on, nous, vous, ils / elles) sont obligatoires devant les verbes.	

▶ **Marchez dans la salle de classe et présentez-vous à vos camarades.**

- *Salut ! Je m'appelle Marcela. Et toi ?*
- *Moi, je m'appelle Max.*

LES PRONOMS SUJETS	LES PRONOMS TONIQUES
je	moi
tu	toi
il / elle / on	lui / elle
nous	nous
vous	vous
ils / elles	eux / elles

▶ **Associez les phrases aux photos.**

1. Toi, tu t'appelles...
2. Lui, il s'appelle...
3. Moi, je m'appelle...

GUIDE DE SURVIE EN CLASSE DE FLE

▶ **Écoutez et lisez. Quelles phrases disent les élèves ? Quelles phrases disent les enseignants ?**

3

1 Vous pouvez parler moins vite ?

2 Vous pouvez répéter ?

3 Ouvrez votre livre page ....

4 Comment on dit ...... ?

5 Je n'ai pas compris. Qu'est-ce que ça veut dire ...... ?

6 Ça se prononce ....

LES FORMULES DE POLITESSE

S'il te plaît / S'il vous plaît
Pardon
Excuse-moi / Excusez-moi
Merci
Merci beaucoup
De rien

BIENVENUE DANS LA FRANCOPHONIE !

▸ Associez les photos aux pays. Faites des recherches si nécessaire.

UNE SPÉCIALITÉ...

1

la gaufre

2
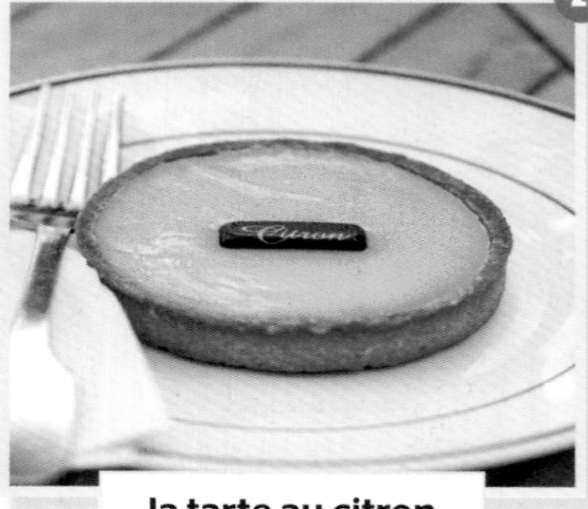

la tarte au citron

3

la fondue

[3] suisse   [ ] française   [ ] belge

UN MONUMENT MODERNE...

1

la Bibliothèque nationale de France

2

l'Atomium

3

la Biosphère

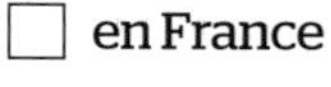

[ ] au Canada (Québec)   [ ] en France   [ ] en Belgique

UN PETIT DÉJEUNER...

1

un croissant, du pain, de la confiture et un café

2

un msemen, du yaourt et un café

3

des œufs, du bacon, des crêpes et un café

[ ] au Maroc   [ ] en France   [ ] au Canada (Québec)

UN MONUMENT HISTORIQUE...

1 

le Mont-Saint-Michel

2 
le Palais royal

3 
le château Frontenac

☐ au Canada (Québec)

☐ en France

☐ en Belgique

UN/E ARTISTE...

1 
Yannick Noah

2 
Ousmane Sow

3 
Kim Thúy

☐ sénégalais ☐ français ☐ canadienne (québécoise)

▶ **Entourez ce que vous voulez goûter, visiter ou découvrir.**

▶ **Observez la carte de la francophonie page 162-163. En petits groupes, repérez la Belgique, le Bénin, la Côte d'Ivoire, la France, le Maroc, le Canada (Québec), le Sénégal et la Suisse.**

MES MOTS

▶ Choisissez cinq mots importants pour vous. Cherchez la traduction en français et écrivez-les.

— *cinéma, pain, montagne, ordinateur, heureux*

MON PANIER DE LEXIQUE

▶ Quels mots ou quelles phrases de ces pages voulez-vous retenir ? Écrivez-les et partagez-les en classe.

Mon panier de lexique

Quels mots voulez-vous retenir ? Écrivez-les.

LE CHEMIN D'ENCOURAGEMENT

▶ Écoutez et répétez ces mots d'encouragement avec la même intonation.

4

▶ Présentez-vous comme sur la photo. Vos camarades vous encouragent.

Portrait-robot

01

DOSSIER 01
L'alphabet de Paris

CULTURE(S) ET SOCIÉTÉ(S)
- Paris et ses lieux célèbres
- le métro parisien
- les rues et les arrondissements de Paris

GRAMMAIRE
- les articles définis
- les adjectifs ordinaux

COMMUNICATION
- dire son identité
- épeler

LEXIQUE
- l'alphabet
- les lieux de la ville
- les chiffres et les nombres de 0 à 20
- l'adresse e-mail

DÉFI #01
FAIRE SON AUTOPORTRAIT EN CHIFFRES

DOSSIER 02
Le portrait de la France

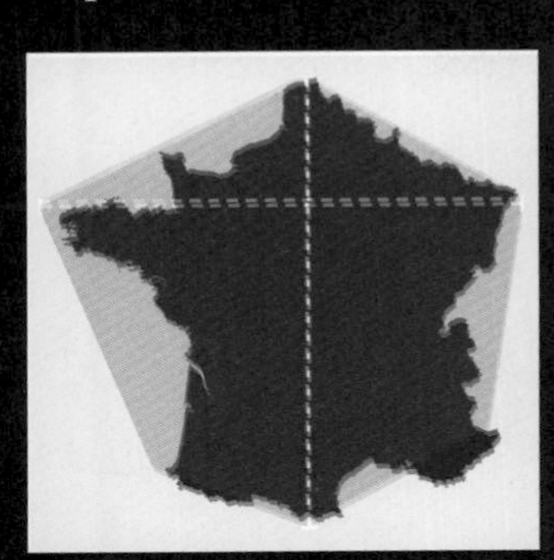

CULTURE(S) ET SOCIÉTÉ(S)
- la France et les Français : quelques données
- la pyramide des âges en France
- les métiers traditionnellement masculins et féminins en France

GRAMMAIRE
- les verbes *avoir* et *être*
- le féminin des métiers

COMMUNICATION
- présenter un pays
- donner une information avec des chiffres
- dire son âge
- dire son métier

LEXIQUE
- les nombres à partir de 20
- les métiers

DÉFI #02
FAIRE LE PORTRAIT D'UN PAYS

L'alphabet de Paris

L'**A**RC DE TRIOMPHE

UNE **B**OUCHE DE MÉTRO

LE **C**ANAL SAINT-MARTIN

LA **D**ÉFENSE

L' **E**URO

LE **F**AUBOURG-SAINT-HONORÉ

LA **G**ARE DU NORD

LES **H**ALLES

L' **Î**LE DE LA CITÉ

LA **J**OCONDE

UN **K**IOSQUE

LE JARDIN DU **L**UXEMBOURG

MONTMARTRE

NOTRE-DAME

L' **O**PÉRA GARNIER

LE **P**ANTHÉON

LES **Q**UAIS DE SEINE

LA RUE DE **R**IVOLI

LE **S**ACRÉ-CŒUR

LA **T**OUR EIFFEL

L'**U**NIVERSITÉ DE LA SORBONNE

VERSAILLES

UN **W**AGON DE MÉTRO

L'ÉCOLE **X** (ÉCOLE POLYTECHNIQUE)

YVES SAINT-LAURENT

LE **Z**OO DE VINCENNES

Avant de lire

1. **Paris, c'est... ? Quels mots associez-vous à Paris ?**

- *Paris, c'est le Louvre, c'est une baguette...*

Lire, comprendre et réagir

2. **Observez le document. Entourez les mots cités dans l'activité précédente. Complétez l'alphabet de Paris avec vos mots.**

3. **Choisissez quatre lieux que vous voulez découvrir.**

- *Le zoo de Vincennes, le Sacré-Cœur, Montmartre et le canal Saint-Martin.*

Écouter, comprendre et réagir

4. **Écoutez la prononciation des lettres de l'alphabet et répétez.** 5

A	comme	Arc
B	comme	Bouche
C	comme	Canal
D	comme	Défense
E	comme	Euro
F	comme	Faubourg
G	comme	Gare
H	comme	Halles
I	comme	Île
J	comme	Joconde
K	comme	Kiosque
L	comme	Luxembourg
M	comme	Montmartre
N	comme	Notre-Dame
O	comme	Opéra
P	comme	Panthéon
Q	comme	Quai
R	comme	Rivoli
S	comme	Sacré-Cœur
T	comme	Tour
U	comme	Université
V	comme	Versailles
W	comme	Wagon
X	comme	École X
Y	comme	Yves
Z	comme	Zoo

5. **Entourez les lettres qui se prononcent différemment (≠) dans votre langue.**

6. **Écoutez les cartes postales sonores et associez-les aux images.** 6

1. ....
2. ....
3. ....
4. ....

Mon panier de lexique

Quels mots de ces pages voulez-vous retenir ? Écrivez-les.

....

....

PHONÉTIQUE 1
L'accentuation de la dernière syllabe

PARIS, C'EST LE MÉTRO

1 Ligne un(e) 16 km
La Défense — Château de Vincennes

2 Ligne deux 12 km
Porte Dauphine — Nation

3 Ligne trois 11 km
Pont de Levallois — Gallieni

3bis Ligne trois bis 1 km
Gambetta — Porte des Lilas

4 Ligne quatre 12 km
Porte de Clignancourt — Mairie de Montrouge

5 Ligne cinq 14 km
Bobigny Pablo Picasso — Place d'Italie

6 Ligne six 14 km
Charles de Gaulle Étoile — Nation

7 Ligne sept 22 km
La Courneuve — Villejuif - Louis Aragon / Mairie d'Ivry

7bis Ligne sept bis 3 km
Louis Blanc — Pré Saint-Gervais

8 Ligne huit 23 km
Balard — Pointe du Lac

9 Ligne neuf 20 km
Pont de Sèvres — Mairie de Montreuil

10 Ligne dix 12 km
Boulogne - Pont de Saint-Cloud — Gare d'Austerlitz

11 Ligne onze 6 km
Châtelet — Mairie des Lilas

12 Ligne douze 15 km
Front populaire — Mairie d'Issy

13 Ligne treize 24 km
Asnières Gennevilliers Les Courtilles / Saint-Denis Université — Châtillon - Montrouge

14 Ligne quatorze 9 km
Gare Saint-Lazare — Olympiades

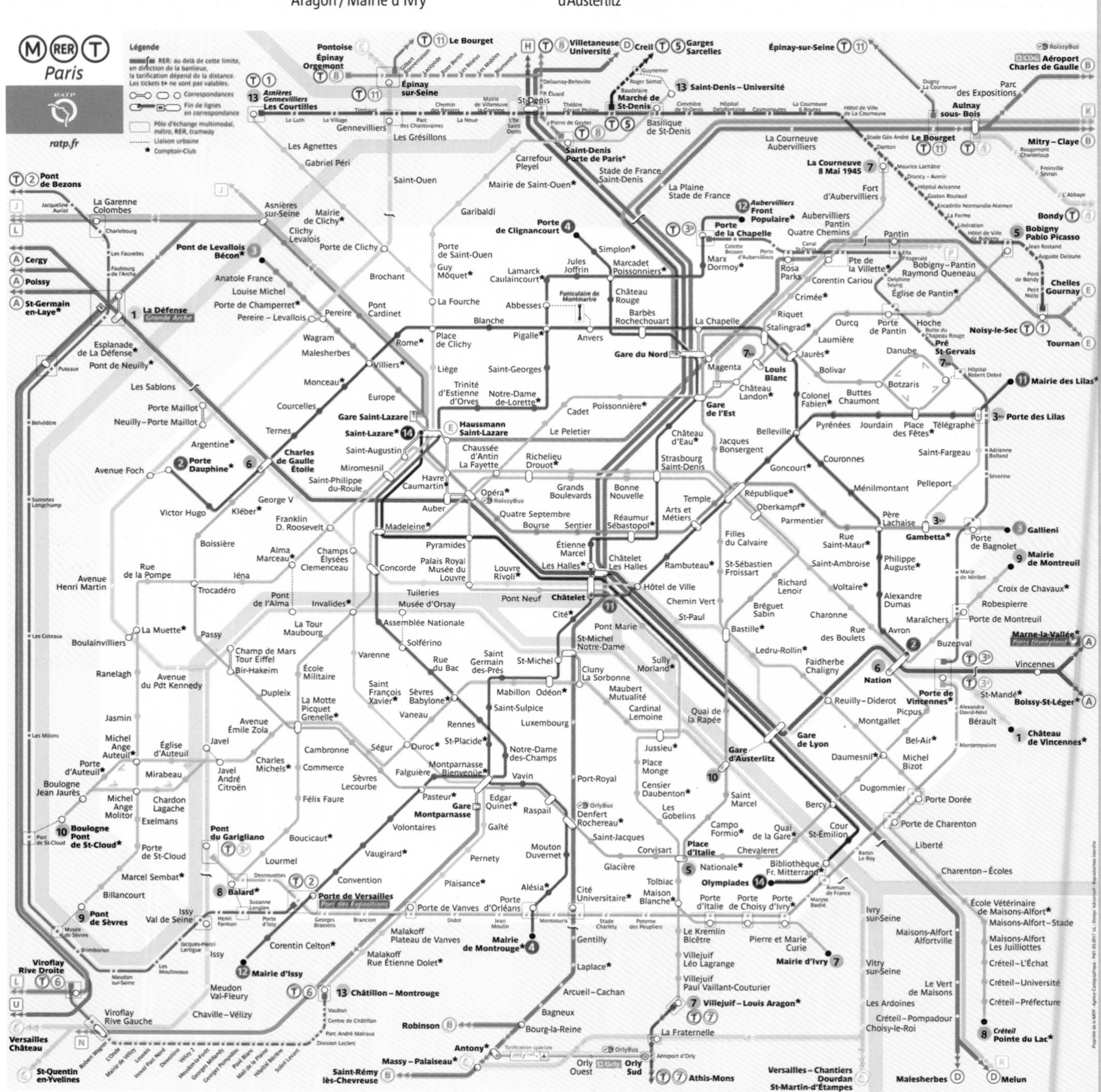

Source : www.ratp.fr, juillet 2017

Ah bon ?!

À Marseille, il y a 2 lignes de métro.
À Bruxelles, il y a 4 lignes. À Montréal, il y a aussi 4 lignes. À Genève, il n'y a pas de métro. Et dans votre ville ?

Lire, comprendre et réagir

1. Observez le plan du métro de Paris. Combien y a-t-il de lignes ?

2. Répondez aux questions.

- Quelle est la ligne de métro la plus longue ?
  La ligne .... : .... km.
- Quelle est la ligne de métro la plus courte ?
  La ligne .... : .... km.

3. Quelle ligne prenez-vous pour visiter…

- la gare du Nord : ....
- les Champs-Élysées : ....
- Pigalle : ....
- la Défense : ....
- Bastille : ....

Travailler la langue

4. Complétez le tableau à l'aide du document.

LES ARTICLES DÉFINIS

	MASCULIN	FÉMININ
SINGULIER	____ métro	*la* ligne
PLURIEL	*les* mots	____ lignes

➔ CAHIER D'EXERCICES **P. 6** EXERCICES 7, 8

Écouter, comprendre et réagir

5. Écoutez et répétez les chiffres et les nombres.

7

LES CHIFFRES ET LES NOMBRES DE 0 À 20

0 zéro	**7** sept	**14** quatorze
1 un	**8** huit	**15** quinze
2 deux	**9** neuf	**16** seize
3 trois	**10** dix	**17** dix-sept
4 quatre	**11** onze	**18** dix-huit
5 cinq	**12** douze	**19** dix-neuf
6 six	**13** treize	**20** vingt

➔ CAHIER D'EXERCICES **P. 7** EXERCICES 9, 10, 11, 12

6. Écoutez et répétez les séries de nombres.

8

7. Écoutez. De quelle ligne s'agit-il ?

9

A. .... **D.** ....
B. .... **E.** ....
C. .... **F.** ....

Produire et interagir

8. Dites un nombre entre 1 et 20. Un/e camarade dit le nombre d'avant. Un/e autre camarade dit le nombre d'après.

9. Observez les gestes pour dire les numéros en France. Écrivez les numéros en lettres.

....

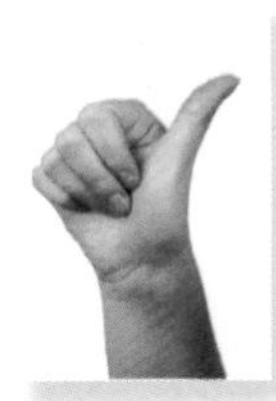
....

deux

....

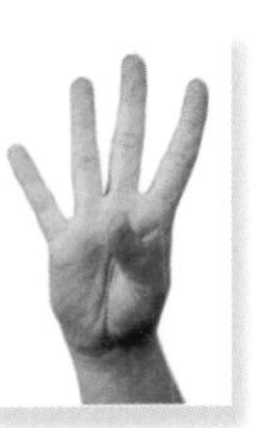
....

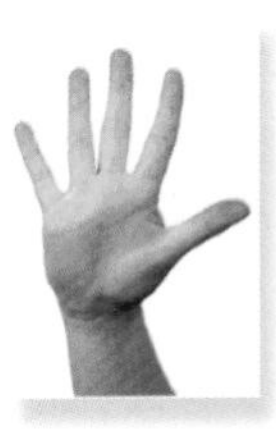
....

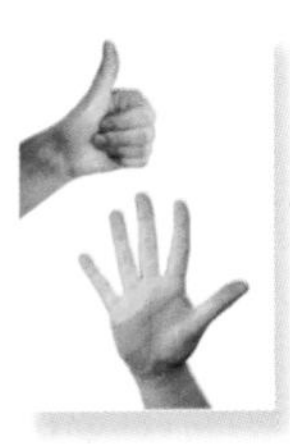
....

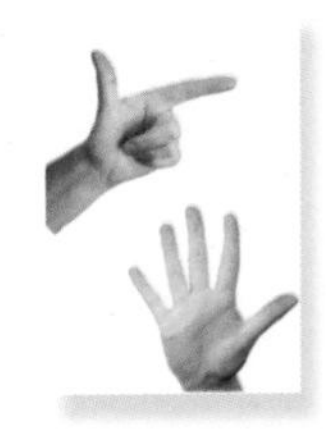
....

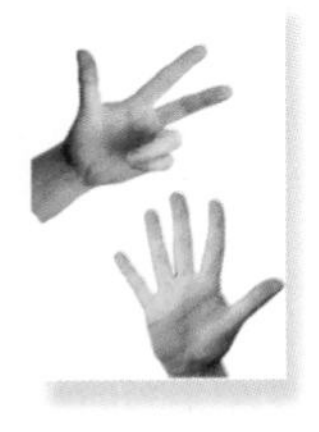
....

....

....

10. En petits groupes, chacun/e écrit un code secret de quatre chiffres. Utilisez les gestes de l'activité précédente pour faire deviner votre code à vos camarades.

11. À deux, complétez les deux carrés magiques. Le total de chaque ligne est égal à 10. Vérifiez vos résultats en petits groupes.

- *Carré A : 4 - 3 - 1 - 3*
- *Non ! 4 - 2 - 1 - 3*

A

4		1	3
1		2	
2	4	3	1
3			2

B

2	3	4	
1		3	2
4	1		3
	2	1	4

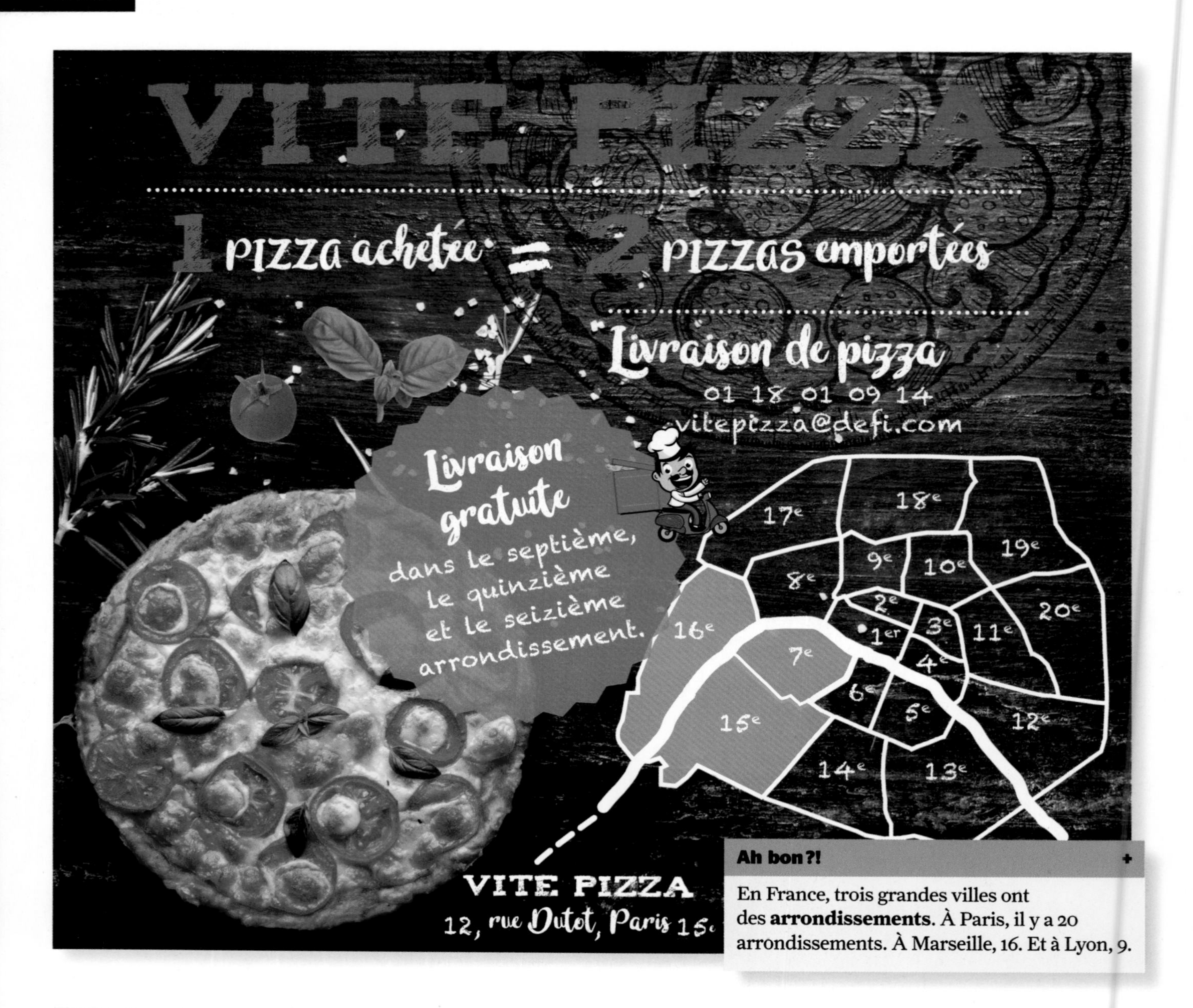

Ah bon ?! +

En France, trois grandes villes ont des **arrondissements**. À Paris, il y a 20 arrondissements. À Marseille, 16. Et à Lyon, 9.

Lire, comprendre et réagir

1. Observez ce document. De quoi s'agit-il ? Quelles informations donne ce document ?

2. À votre avis, que signifie : 1 pizza achetée = 2 pizzas emportées ?

Écouter, comprendre et réagir

3. Écoutez les deux appels téléphoniques et remplissez les bons de commande.
10

BON DE COMMANDE

DATE : *14/04* ....
PIZZA COMMANDÉE : ....
NOM : ....
ADRESSE : ....
ARRONDISSEMENT : ....

BON DE COMMANDE

DATE : *14/04* ....
PIZZA COMMANDÉE : ....
NOM : ....
ADRESSE : ....
ARRONDISSEMENT : ....

4. Dessinez les deux trajets de livraison sur le plan. Est-ce que ces livraisons sont gratuites ?

Travailler la langue

5. Choisissez un mot dans le document et épelez-le à un/e camarade à l'aide du tableau.

ÉPELER

- Pour indiquer la présence d'une lettre, on dit **avec un** (+lettre)
  Ex. : *Dinon* ***avec un*** n
- Pour indiquer l'absence d'une lettre, on dit **sans** (+lettre)
  Ex. : *Dinon* ***sans*** t
- Pour indiquer la présence d'une lettre double, on dit **deux** ou **avec deux** (+lettres)
  Ex. : *Perri* ***avec deux*** r

Le **e** peut s'écrire :
- **e** : sans accent
- **é** : **e** accent aigu
- **è** : **e** accent grave
- **ê** : **e** accent circonflexe

Pour donner une adresse e-mail :

.com	point com
-	tiret
_	tiret (du) bas
@	arobase

→ CAHIER D'EXERCICES **P. 6** – EXERCICES 1, 2, 3, 4, 5, 6

6. Complétez le tableau à l'aide du document.

LES ADJECTIFS ORDINAUX

Les adjectifs ordinaux servent à classer. Ils se forment en ajoutant **-ième** aux nombres.
Ex. : *cinqu**ième**, six**ième**,* ....

- ! L'ordinal de **un** est **premier**.
- ! On écrit cinq**u**ième, neu**v**ième.
- ! Le **e** final des chiffres disparaît dans les ordinaux.
  Ex. : *quatr**e*** → *quatr**ième***
  Ex. : *seize* → ....

→ CAHIER D'EXERCICES **P. 7** – EXERCICES 13, 14, 15

Écouter, comprendre et réagir

7. Écoutez ces trois dialogues et écrivez les adresses e-mail. 🎧 11

- E-mail 1 : ....
- E-mail 2 : ....
- E-mail 3 : ....

Produire et interagir

8. Faites la liste des élèves de la classe : dites votre nom, votre prénom, puis épelez-les.

9. Dites vos adresses e-mail, épelez-les si nécessaire, et ajoutez-les à la liste des élèves de la classe.

10. Dans votre langue, y a-t-il des lettres qui n'existent pas en français ? Y a-t-il des spécificités (des lettres doubles, des accents…) ?

• *En néerlandais, il y a souvent deux e.*

11. Observez ce plan de Paris et le plan des arrondissements du document. Dites les lieux célèbres de chaque arrondissement, à l'aide d'Internet si nécessaire.

• *Dans le 7ᵉ arrondissement, il y a la tour Eiffel.*

DÉFI #01
FAIRE SON AUTOPORTRAIT EN CHIFFRES

Vous allez faire une affiche de présentation avec des chiffres surprenants ou intéressants sur vous.

- ▶ Choisissez des chiffres surprenants ou intéressants sur vous. Écrivez-les à l'aide d'un dictionnaire.
  — *12 cousins, 5 chats…*
- ▶ Illustrez les chiffres de votre autoportrait avec des dessins ou des photos.
- ▶ Présentez votre affiche.
  • *J'ai 12 cousins, j'ai 5 chats…*

LA FRANCE ET LES FRANÇAIS

1 SURNOM

L'Hexagone (six côtés)

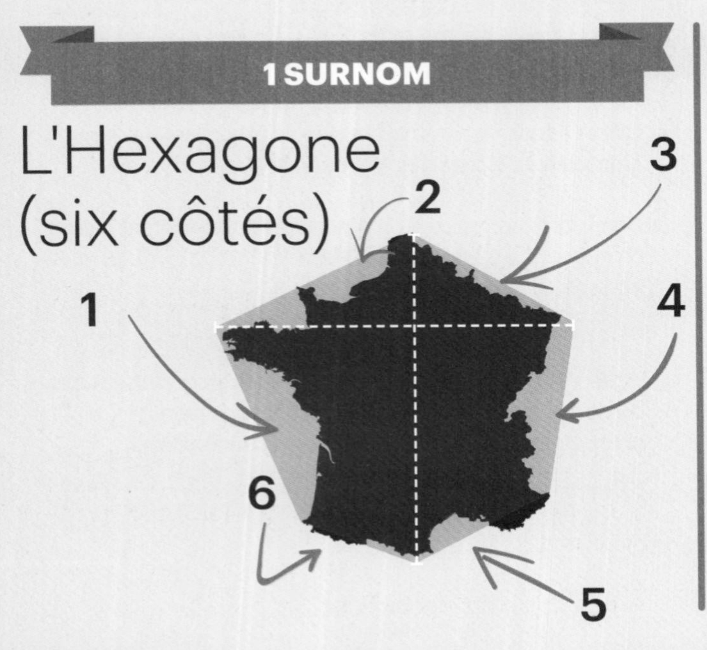

8 VOISINS

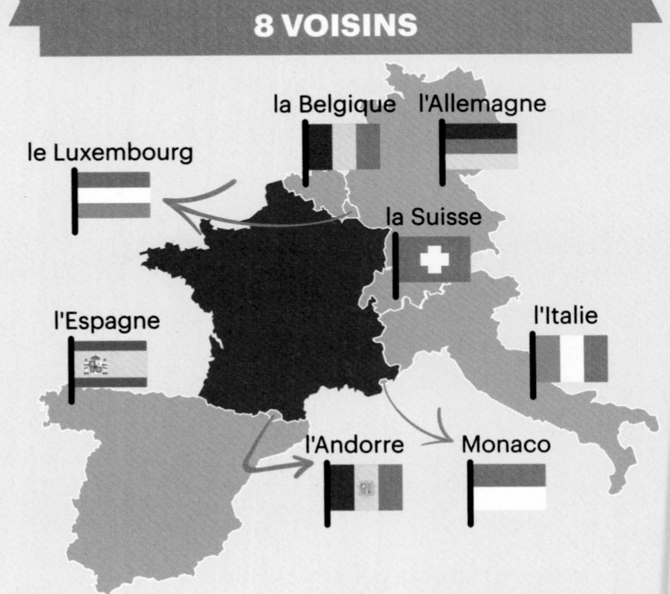

3 MERS + 1 OCÉAN

La mer du Nord

La Manche

L'océan Atlantique

La mer Méditerranée

2 CHAÎNES DE HAUTE MONTAGNE

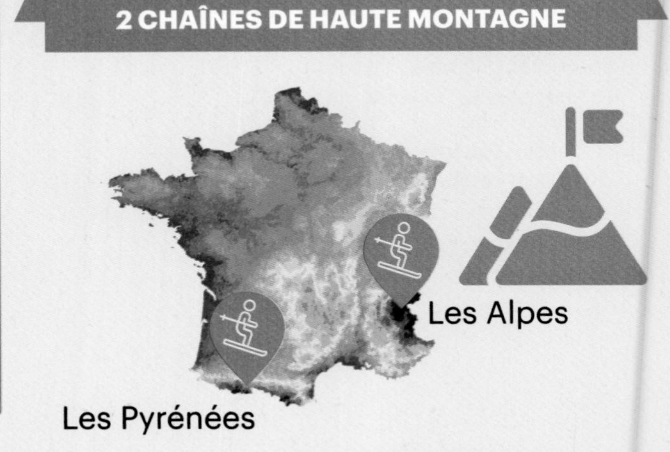

13 RÉGIONS + 12 DROM-COM* (OUTRE-MER)

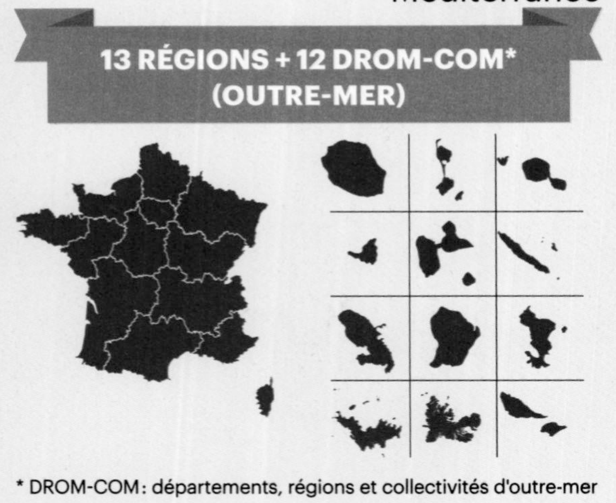

* DROM-COM : départements, régions et collectivités d'outre-mer

1 LANGUE OFFICIELLE

Le français

1 MONNAIE

L'euro

POPULATION

67 millions d'habitants

32,5 millions d'hommes

34,5 millions de femmes

Âge moyen **41 ans**

75 % en ville

103 habitants/km²

21000 habitants/km²

28,8 millions de travailleurs

52% d'hommes

48% de femmes

Source : www.insee.fr, janvier 2017

Avant de lire

1. **Complétez la fiche sans lire le document.**

La France

1. La France a .... pays voisins.
2. La France a la forme d'un : ☐ ▲ ☐ ▬ ☐ ⬢
3. En France, il y a : ☐ deux ☐ trois ☐ quatre mers et océans.
4. La France a : ☐ 13 ☐ 18 ☐ 25 régions.
5. La France a .... langue/s officielle/s.
6. La France a : ☐ 46 ☐ 67 ☐ 83 millions d'habitants.
7. Il y a plus : ☐ d'hommes ☐ de femmes.
8. L'âge moyen est : ☐ 21 ans ☐ 41 ans ☐ 61 ans

Lire, comprendre et réagir

2. **Lisez l'infographie et vérifiez vos réponses de l'activité précédente.**

3. **Associez les mots aux schémas.**

million • ●●●

mille ●●●

cent ● ●●● ●●●

4. **Quelles informations connaissez-vous sur votre pays ?**

— *L'Autriche a sept voisins et une langue officielle.*

Écouter, comprendre et réagir

5. **Quatre étudiants parlent de leur pays. Écoutez-les et complétez le tableau.** 12

	Pays	Nombre d'habitants (en millions)	Nombre de langue/s	Monnaie
1				
2				
3				
4				

Mon panier de lexique

Quels sont les mots utiles pour présenter un pays ? Écrivez-les.

....

....

Avant de lire

1. **Observez les illustrations. À votre avis, de quoi parle l'article ?**

2. **À votre avis, la France est-elle un pays de jeunes ou de personnes âgées ?**

 • *Pour moi, c'est un pays de...*

DÉMOGRAPHIE

L'âge des Français

Un pays de jeunes ou de personnes âgées ?

Après la guerre de 1939-1945, c'est le baby-boom : les Français ont beaucoup d'enfants. Les hommes et les femmes nés pendant le baby-boom ont aujourd'hui entre quarante-huit ans et soixante-treize ans.

Quel âge ont les Français ?

Pyramide des âges en 2016

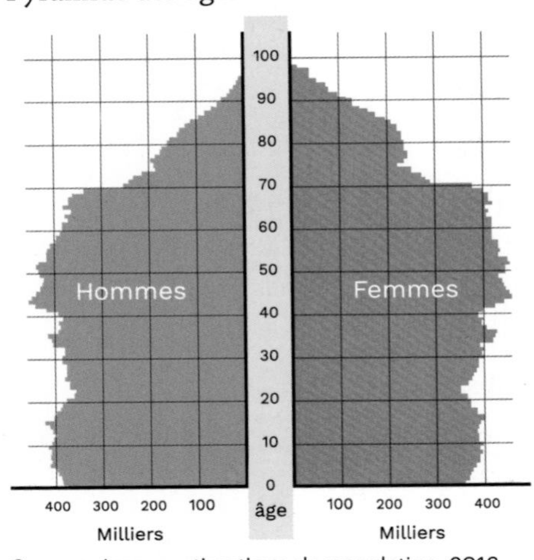

Source : Insee, estimations de population, 2016

La ligne de vie des Français

Aujourd'hui, les femmes françaises se marient en moyenne à trente-quatre ou trente-cinq ans, et les hommes, à trente-sept ou trente-huit ans. Les femmes françaises ont en moyenne deux enfants, et un premier bébé entre vingt-huit et vingt-neuf ans. Les femmes vivent jusqu'à quatre-vingt-cinq ans et les hommes jusqu'à soixante-dix-neuf ans.

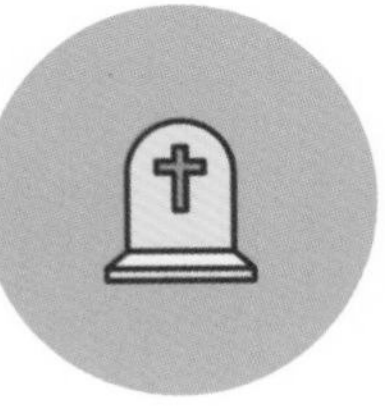

PREMIER ENFANT	MARIAGE	DÉCÈS
♀ 28/29 ans ♂ 37/38 ans	♀ 34/35 ans ♂ 37/38 ans	♀ 85 ans ♂ 79 ans

Ah bon ?!

Population de moins de 16 ans :

En Angleterre : 17,6 %
Au Cameroun : 42,9 %
À Chypre : 17,9 %
Au Congo : 43,1 %
Au Gabon : 42,1 %
Au Luxembourg : 18,3 %
Et chez vous ?

Lire, comprendre et réagir

3. **Observez la pyramide des âges et lisez le premier paragraphe de l'article. Puis, vérifiez votre réponse de la question précédente.**

4. **Et votre pays ? C'est un pays de jeunes ou de personnes âgées ?**

5. **Regardez l'infographie *La ligne de vie des Français*. Cherchez dans le texte les phrases qui correspondent aux trois étapes (premier enfant, mariage, décès).**

Travailler la langue

6. **Complétez les nombres manquants en lettres à l'aide du document et du tableau de la page 23.**

LES NOMBRES À PARTIR DE 20

20	**40** quarante	**60** soixante	**80** quatre-vingts	**100** ....
21 vingt et un	**41**	**61**	**81** quatre-vingt-un	**102** cent-deux
22 vingt-deux	**42**	**62**	**82** quatre-vingt-deux	**122** cent-vingt-deux
23 vingt-trois	**43**	**63**	**83**	**200** deux cents
24 vingt-quatre	**44**	**64**	**84**	**320** ....
25 vingt-cinq	**45**	**65**	**85** quatre-vingt-cinq	**345** ....
26 vingt-six	**49**	**69**	**89**	**1000** ....
30	**50** cinquante	**70** soixante-dix	**90** quatre-vingt-dix	**1 200** mille deux-cents
31	**51**	**71** soixante et onze	**91** quatre-vingt-onze	**1 710** mille sept-cent-dix
32	**52**	**72**	**92**	**1900** ....
33 trente-trois	**53**	**73**	**93**	**4 000** quatre mille
34	**54**	**74**	**94**	**1 000 000** un milion
35	**55**	**75** soixante-quinze	**95**	**3 000 000** ....
39 trente-neuf	**59**	**79** soixante-dix-neuf	**99**	**5 000 000** cinq milions

→ CAHIER D'EXERCICES **P. 8** EXERCICES 16, 17, 18, 19, 20, 21, 22, 23

7. **En petits groupes, demandez vos âges.**

- *Tu as quel âge ?*
- *J'ai 21 ans !*

8. **Un/e camarade du groupe présente vos âges à l'aide du tableau.**

LE VERBE *AVOIR*

J'	**ai**
Tu	**as**
Il/Elle/On	**a**
Nous	**avons**
Vous	**avez**
Ils/Elles	**ont**

→ CAHIER D'EXERCICES **P. 10** – EXERCICES 27, 28

- *Nous avons entre 21 et 46 ans : j'ai 21 ans, Ingrid a 38 ans et Ahmed a 46 ans.*

Produire et interagir

9. **À votre avis, quel âge a une personne jeune ? Et une personne âgée ?**

10. **Choisissez une célébrité. À deux, devinez son âge, puis vérifiez sur Internet.**

- *Quel âge a Marion Cotillard ?*
- *Elle a 32 ans.*
- *Non, elle a mon âge !*

11. **Dessinez votre ligne de vie (réelle ou idéale).**

12. **Quelles informations voulez-vous connaître sur votre voisin/e ? Cochez-les, puis votre voisin/e complète la fiche.**

☐ Surnom	☐ Âge
☐ Prénom	☐ Ville
☐ Nom	☐ Nombre de langues
☐ Numéro de téléphone	☐ Nombre d'enfants
☐ Adresse e-mail	☐ Autre : ....

Avant de lire

1. Dans votre pays, ces métiers sont-ils traditionnellement masculins ou féminins ?

secrétaire

enseignant
enseignante

agriculteur
agricultrice

infirmier
infirmière

ouvrier du bâtiment
ouvrière du bâtiment

Métiers d'hommes ou de femmes ?

En France, les femmes ♀ ont de plus en plus des métiers traditionnellement masculins, et les hommes, ♂ des métiers traditionnellement féminins.

Claire est ouvrière du bâtiment.

Nabil et Lino sont infirmiers.

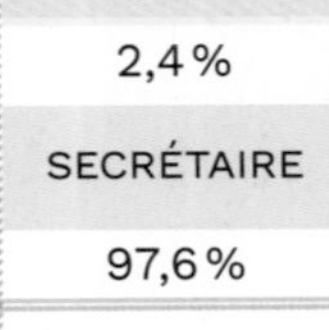

♂	ASSISTANT MATERNEL	SECRÉTAIRE	EMPLOYÉ DE MAISON	INFIRMIER	VENDEUR	TECHNICIEN DE SURFACE	ENSEIGNANT
	2,3 %	2,4 %	5,7 %	12,3 %	26,5 %	29,5 %	33,3 %
♀	ASSISTANTE MATERNELLE	SECRÉTAIRE	EMPLOYÉE DE MAISON	INFIRMIÈRE	VENDEUSE	TECHNICIENNE DE SURFACE	ENSEIGNANTE
	97,7 %	97,6 %	94,3 %	87,7 %	73,5 %	70,5 %	66,7 %

♂	PHARMACIEN	AGRICULTEUR	INGÉNIEUR INFORMATICIEN	POLICIER	CONDUCTEUR	OUVRIER
	51,6 %	72,9 %	79,7 %	85,2 %	89,4 %	95,8 %
♀	PHARMACIENNE	AGRICULTRICE	INGÉNIEUR INFORMATICIENNE	POLICIÈRE	CONDUCTRICE	OUVRIÈRE
	48,4 %	27,1 %	20,3 %	14,8 %	10,6 %	4,2 %

Source : adapté de www.top-metiers.fr et www.la-croix.com, septembre 2017

Lire, comprendre et réagir

2. **Lisez l'article. En France, quels métiers sont surtout féminins ? et surtout masculins ?**

— *Métiers surtout féminins : ...*

3. **Quel est votre métier ? Dans votre pays, c'est un métier d'homme ou de femme ?**

• *Je suis caissier. En Espagne, c'est surtout un métier de femme.*

Travailler la langue

4. **Complétez le tableau à l'aide de l'article.**

LE FÉMININ DES NOMS DE MÉTIERS

• En général, le féminin se forme avec le masculin + **e**.
Ex. : *Il est enseignant* → *Elle est* ....

• Quand le masculin se termine par un **-e**, le féminin a la même forme.
Ex. : *Il est secrétair**e*** → *Elle est* ....

! Certains féminins ont une formation particulière.
(i)er → (i)ère
Ex. : *Il est infirm**ier*** → *Elle est* ....
ien → ienne
Ex. : *Il est pharmac**ien*** → *Elle est* ....
eur → euse
Ex. : *Il est vend**eur*** → *Elle est* ....
teur → trice
Ex. : *Il est conduc**teur*** → *Elle est* ....

→ CAHIER D'EXERCICES **P. 9** – EXERCICES 24, 25, 26

5. **Complétez le tableau à l'aide des légendes des photos.**

LE VERBE *ÊTRE*

Je	**suis**
Tu	**es**
Il/Elle/On	
Nous	**sommes**
Vous	**êtes**
Ils/Elles	

→ CAHIER D'EXERCICES **P. 10** – EXERCICES 27, 28

Écouter, comprendre et réagir

6. **Six personnes disent leur âge et leur métier. Écoutez et écrivez-les.** 13

1. .... **2.** .... **3.** ....
4. .... **5.** .... **6.** ....

Produire et interagir

7. **Faites deux équipes. Une personne de votre équipe mime un métier. L'autre équipe devine le métier.**

8. **Écrivez le métier de chaque personne de la classe au tableau. Quels sont les métiers les plus représentés ?**

• *Dans la classe, il y a trois vendeuses, deux assistantes maternelles et deux pharmaciens.*

9. **En petits groupes, présentez-vous à l'aide des étiquettes. Puis, une autre personne se présente et répète vos informations.**

prénom | métier | âge

• *Je m'appelle Helga, j'ai vingt-cinq ans et je suis journaliste.*
○ *Je m'appelle Hassan, j'ai trente ans et je suis informaticien. Helga a vingt-cinq ans et elle est journaliste.*

Regarder, comprendre et réagir

Retrouvez la vidéo et les activités sur espacevirtuel.emdl.fr

Portrait d'une femme dans un métier d'homme

DÉFI #02
FAIRE LE PORTRAIT D'UN PAYS

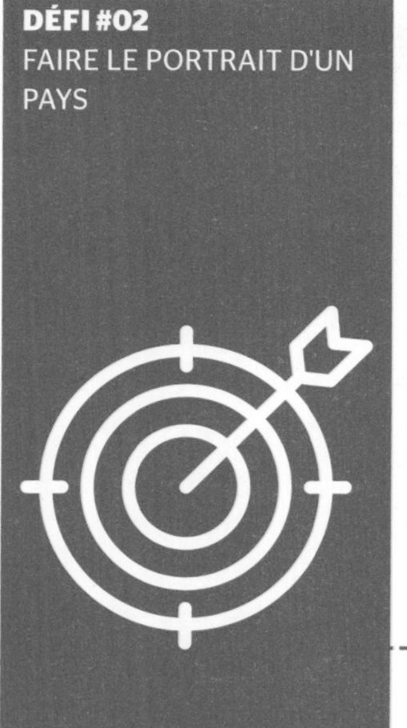

Vous allez faire le portrait de votre pays ou d'un autre pays.

▶ En petits groupes, faites un remue-méninges à l'aide des étiquettes.

population | monuments | âge moyen | pays voisins | monnaie | langue(s) | ...

▶ Cherchez des illustrations ou dessinez.

▶ Présentez votre portrait à la classe.

• *Le Mexique a 127 millions d'habitants, une monnaie...*

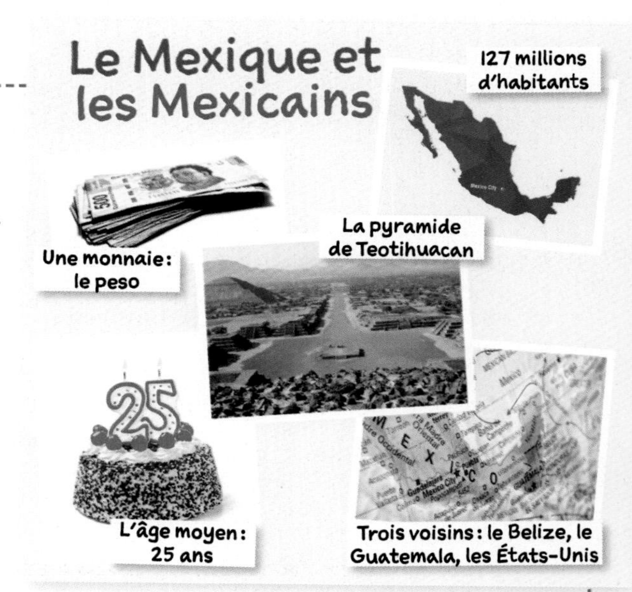

Mes mots

1. Écrivez dans l'alphabet tous les mots français que vous avez appris.

A ....

B ....

C ....

D ....

E ....

F ....

G ....

H ....

I ....

J ....

K ....

L ....

M ....

N ....

O ....

P ....

Q ....

R ....

S ....

T ....

U ....

V ....

W ....

X ....

Y ....

Z ....

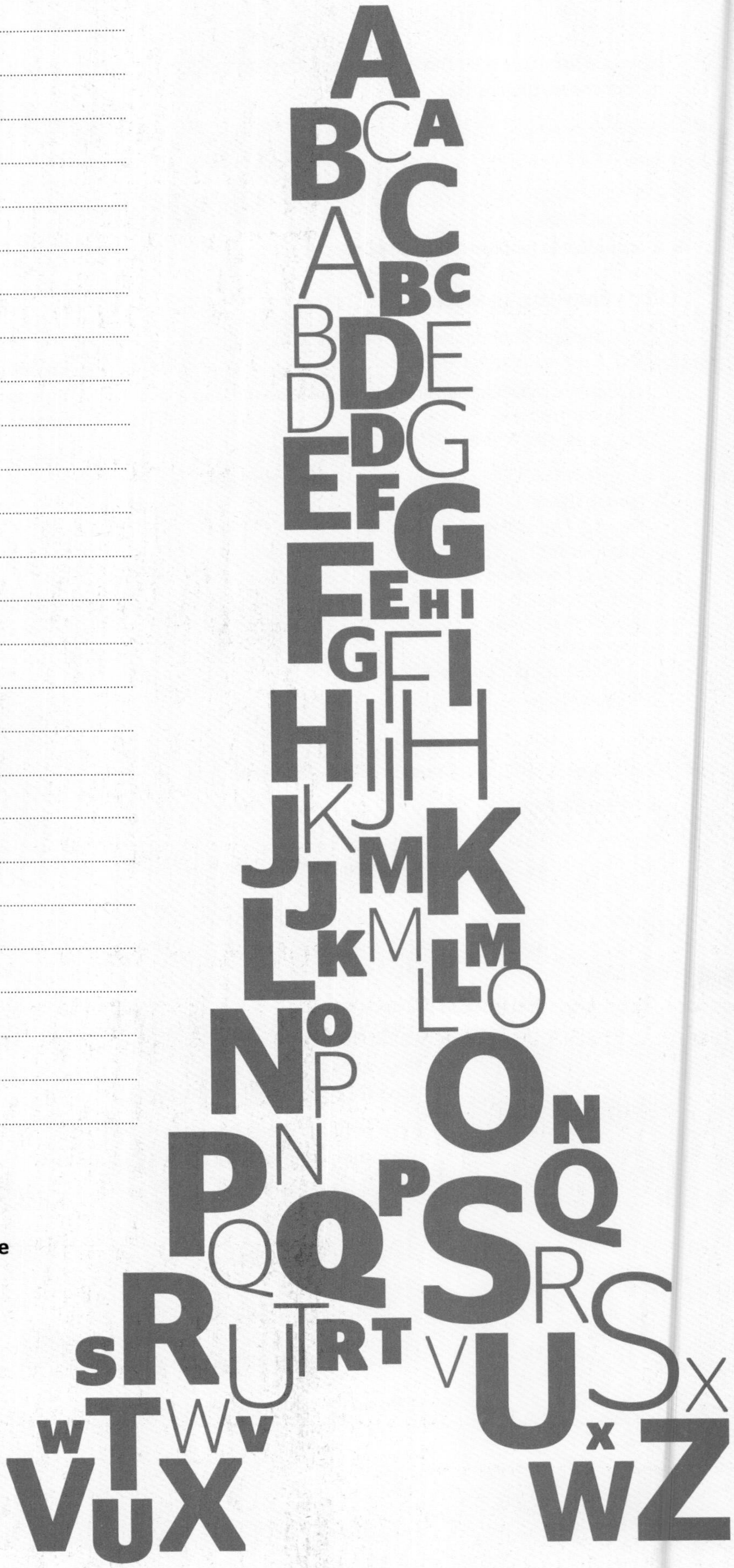

2. Il manque une lettre dans le dessin, laquelle ?

3. Y a-t-il beaucoup de mots contenant cette lettre dans votre langue ?

D'ici et d'ailleurs

02

DOSSIER 01
Les festivals

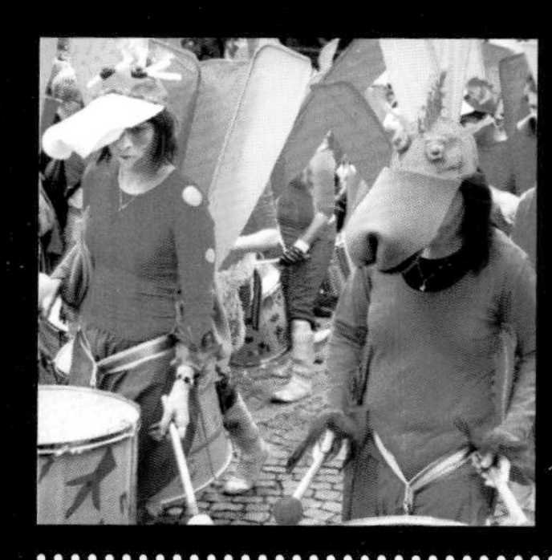

CULTURE(S) ET SOCIÉTÉ(S)
- la Zinneke Parade
- portrait de la Belgique
- la population étrangère en Belgique

GRAMMAIRE
- les mots interrogatifs
- l'interrogation avec *quel, est-ce que*
- le genre des noms de pays
- les prépositions + pays/ville
- les verbes *venir* et *aller*

COMMUNICATION
- parler des fêtes locales
- parler des traditions de la Belgique
- indiquer la provenance et la destination

LEXIQUE
- les fêtes
- les spécialités locales
- les noms de pays

DÉFI #01
RÉALISER UN QUIZ DE DÉCOUVERTE D'UN PAYS

DOSSIER 02
Les stéréotypes

CULTURE(S) ET SOCIÉTÉ(S)
- les stéréotypes sur quelques pays du monde
- découverte du Maroc
- les souvenirs de Suisse

GRAMMAIRE
- le verbe *aimer*
- la négation (*ne... pas*)
- les articles indéfinis
- *moi aussi, moi non plus*

COMMUNICATION
- marquer son accord et son désaccord
- exprimer ses goûts

LEXIQUE
- exprimer ses goûts (*aimer, adorer* + nom ou verbe)
- les souvenirs de voyages

DÉFI #02
CRÉER UNE AFFICHE « INTERACTIVE » DE SOUVENIRS

LA ZINNEKE PARADE
À nouveau dans les rues de Bruxelles

La Zinneke Parade, c'est quoi ? Un grand défilé multiculturel : des gens chantent et dansent dans les rues de la capitale.

Qui participe ? Vingt-quatre groupes d'habitants de Bruxelles. Chaque groupe crée des costumes pour le défilé.

Où ? Dans le centre-ville.

Quand ? En mai.

Combien ça coûte ? C'est gratuit.

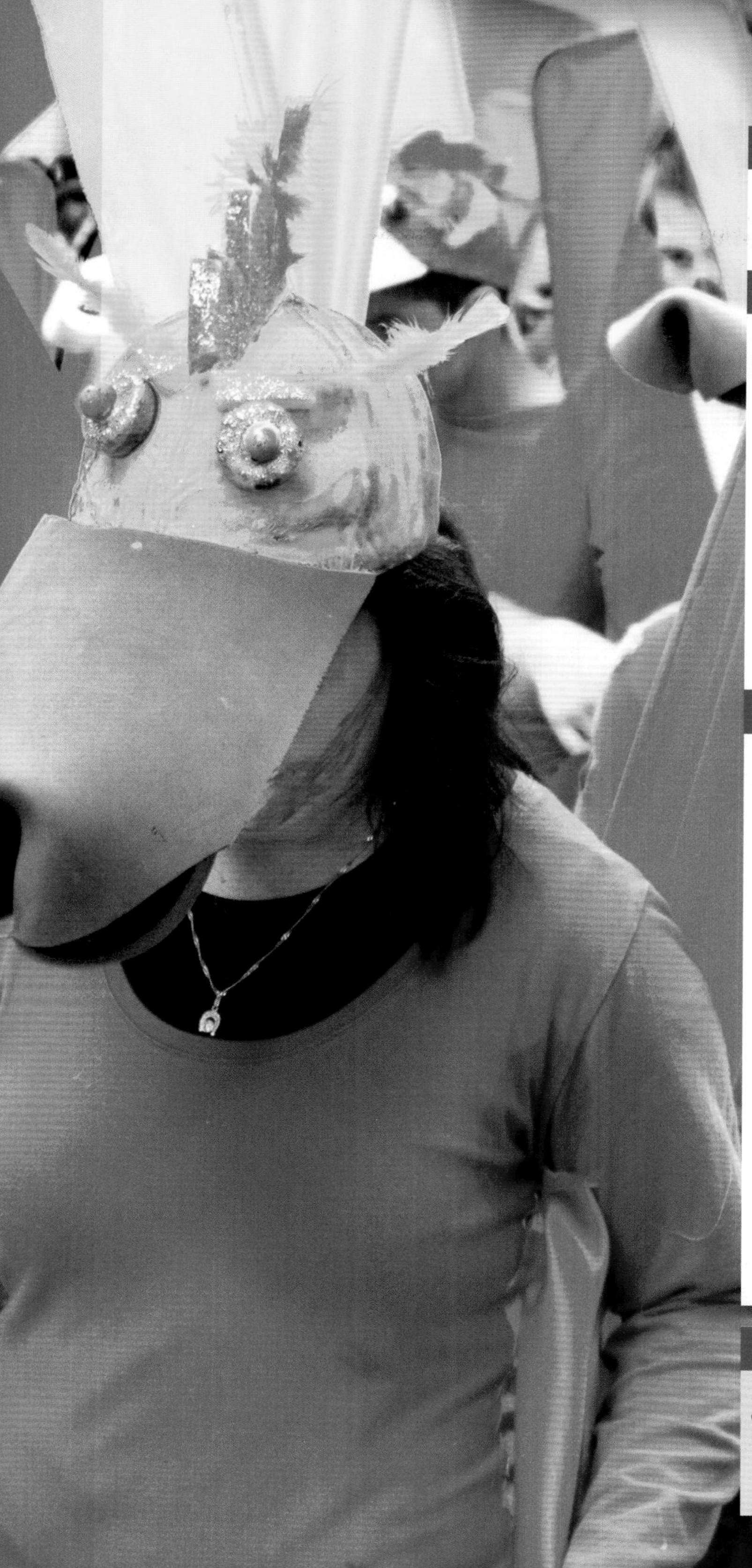

Avant de lire

1. Observez les photos. À votre avis, c'est quoi ? C'est où ?

• *C'est...*

Lire, comprendre et réagir

2. Lisez le document et vérifiez vos réponses de l'activité précédente.

3. Répondez aux questions.

- Quand a lieu la Zinneke Parade ? ....
- Qui participe ? ....
- Que font les participants ? ....
- Combien coûte l'événement ? ....

4. Cherchez des mots pour décrire la Zinneke Parade.

• *coloré, heureux...*

Écouter, comprendre et réagir

5. Écoutez les témoignages de trois participants à la Zinneke Parade et complétez leur fiche d'identité. 14

1 **FICHE D'IDENTITÉ**
PRÉNOM : ....
PAYS D'ORIGINE : ....
LIEU DE RÉSIDENCE : ....

2 **FICHE D'IDENTITÉ**
PRÉNOM : ....
PAYS D'ORIGINE : ....
LIEU DE RÉSIDENCE : ....

3 **FICHE D'IDENTITÉ**
PRÉNOM : ....
PAYS D'ORIGINE : ....
LIEU DE RÉSIDENCE : ....

Mon panier de lexique

Quels mots sur les fêtes voulez-vous retenir ? Écrivez-les.

....

....

14

Témoignages

Des participants à la Zinneke Parade

1

2

3

Lire, comprendre et réagir

1. **En petits groupes, répondez aux questions du quiz.**

QUIZ

CONNAISSEZ-VOUS LA BELGIQUE ?

GÉOGRAPHIE

1. Combien de km² fait la Belgique ?
- ☐ Environ 30 000
- ☐ Environ 500 000
- ☐ Environ 1 million

2. Quelle est la mer de la Belgique ?
- ☐ La mer Méditerranée
- ☐ La Manche
- ☐ La mer du Nord

SOCIÉTÉ

3. Quelles sont les trois langues officielles de la Belgique ?
- ☐ Le français, l'anglais et l'allemand
- ☐ L'anglais, le néerlandais et l'allemand
- ☐ Le français, l'allemand et le néerlandais

4. Quand est la fête nationale belge ?
- ☐ Le 1er juillet
- ☐ Le 14 juillet
- ☐ Le 21 juillet

Une plage au Coq-sur-Mer

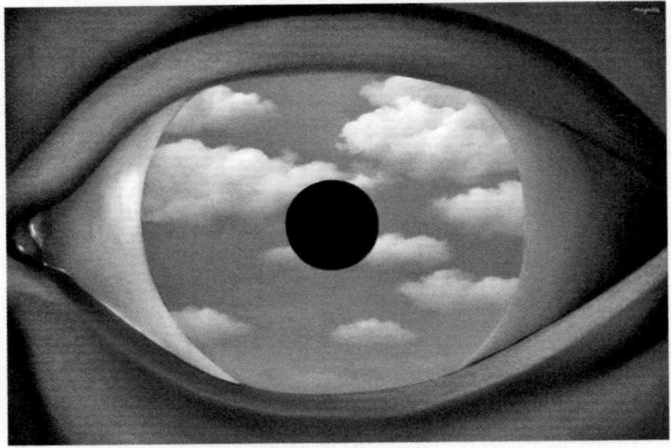

Le Faux Miroir, René Magritte, 1928

ART ET CULTURE

5. Où est le musée Magritte ?
- ☐ À Gand
- ☐ À Bruxelles
- ☐ À Liège

6. Qui est l'auteur de Tintin ?
- ☐ Peyo
- ☐ Hergé
- ☐ Philippe Geluck

7. Comment dit-on « 90 » en Wallonie, la Belgique francophone ?
- ☐ Nonante
- ☐ Quatre-vingt-dix
- ☐ Huitante-dix

GASTRONOMIE

8. Quels produits sont typiquement belges ?
- ☐ Le fromage et le chocolat
- ☐ Les moules-frites et le chocolat
- ☐ La baguette et le fromage

9. Un spéculoos, c'est quoi ?
- ☐ Un chocolat
- ☐ Un café au lait
- ☐ Un biscuit

10. Que produit la Belgique ?
- ☐ Du cidre
- ☐ De la bière
- ☐ Du champagne

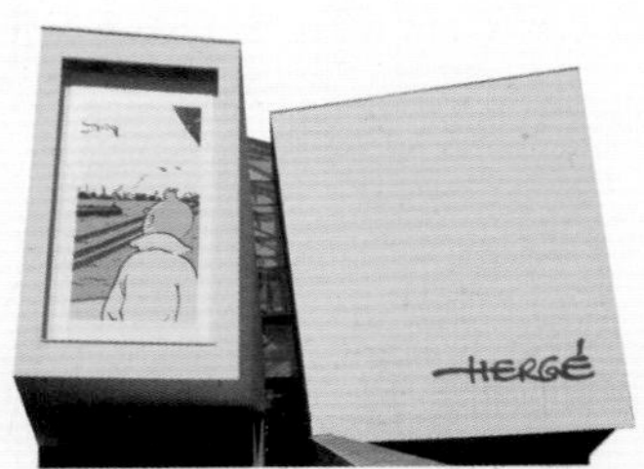

Le musée Hergé, l'auteur de Tintin

45

Écouter, comprendre et réagir

2. **Martine, Française, et Christian, Belge, répondent aux quatre premières questions du quiz. En groupes, écoutez et vérifiez vos réponses. Puis, faites des recherches sur Internet pour les autres questions.**

15

Travailler la langue

3. Lisez le quiz et reliez le mot interrogatif à sa signification.

qui O	O lieu	
que / quoi O	O moment / temps	
combien O	O quantité	
où O	O manière	
quand O	O personne	
comment O	O objet	

4. Complétez le tableau à l'aide du quiz.

LES MOTS INTERROGATIFS

Les mots interrogatifs **qui**, **que / quoi**, **combien**, **où**, **quand**, **comment** servent à poser une question.

MOT INTERROGATIF + VERBE + SUJET

Ex. : ***Qui*** *est l'auteur de Tintin ?*

....

....

Quoi se place en fin de phrase interrogative.

Ex. : ....

À l'oral, on utilise souvent la structure :

MOT INTERROGATIF + SUJET + VERBE

Ex. : ***Où*** *il est ?*

Pour poser une question à laquelle on répond « oui » ou « non », on utilise souvent la structure :

EST-CE QUE + PHRASE

Ex. : ***Est-ce que*** *tu aimes Tintin ?*

→ CAHIER D'EXERCICES **P. 14** – EXERCICES 1, 2, 3

5. Complétez les tableaux à l'aide du quiz.

QUEL

Quel sert à poser une question sur l'identité de quelqu'un ou quelque chose.

QUEL + NOM + VERBE

Ex. : ***Quels*** *produits sont typiquement belges ?*

QUEL + ÊTRE + NOM

Ex. : ....

....

→ CAHIER D'EXERCICES **P. 15** – EXERCICES 4, 5

L'ACCORD DE *QUEL*

On accorde l'adjectif **quel** en genre et en nombre avec le nom qui suit.

	MASCULIN	**FÉMININ**
SINGULIER	***quel*** produit est belge ?	____ est la mer de la Belgique ?
PLURIEL	____ produits sont belges ?	____ sont les trois langues ?

Produire et interagir

6. Rédigez un questionnaire pour connaître votre voisin/e.

— *Quel âge tu as ? Quelle(s) langue(s) tu parles ?*

Ton âge : ....

Ta ville de naissance : ....

Ton métier : ....

Tes aliments préférés : ....

Ta ville préférée : ....

Autre : ....

7. Montrez à un/e camarade la photo de quelque chose ou quelqu'un que vous aimez. Il/Elle vous pose des questions.

- *Qui est la personne sur la photo ?*
- *C'est mon ami Peter.*
- *Où il est ?*
- *Il est dans une forêt au Canada.*

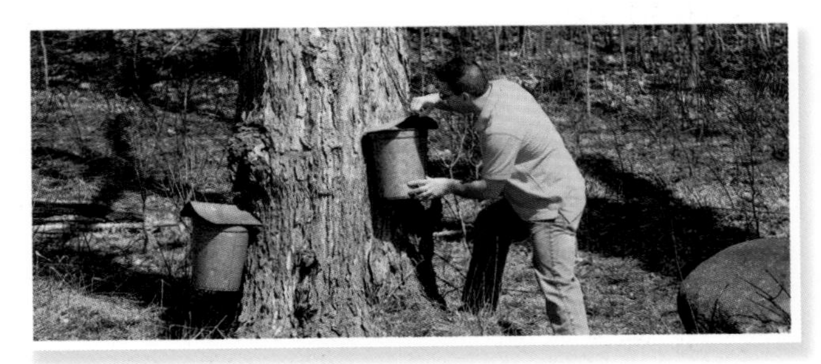

8. Choisissez la photo d'un événement que vous connaissez bien et faites des recherches si nécessaire. Un/e camarade vous pose des questions à l'aide des étiquettes pour découvrir l'événement.

type d'événement | lieu | date | participants

- *C'est quoi ?*
- *C'est la fête du printemps.*

Écouter, comprendre et réagir

9. Écoutez les réponses et écrivez les questions.

16

1. ....
2. ....
3. ....
4. ....
5. ....
6. ....

Info

Une Belgique multiculturelle dans une Europe multiculturelle

En Belgique, 10 % de la population vient de l'étranger.
Il y a environ 140 nationalités différentes.

TOP 10 des pays d'origine des étrangers

LA FRANCE : 13 %
L'ITALIE : 13 %
LES PAYS-BAS : 12 %
LE MAROC : 7 %
L'ESPAGNE : 5 %
LA ROUMANIE : 5 %
LA POLOGNE : 5 %
L'ALLEMAGNE : 3 %
LA TURQUIE : 3 %
LE PORTUGAL : 3 %

LÉGENDE

Principales villes d'arrivée des étrangers

Où vont les Belges qui quittent la Belgique?
Ils vont surtout en France, au Luxembourg, aux Pays-Bas, en Allemagne et aux États-Unis.

Dans les autres pays francophones d'Europe

En Suisse, il y a 25 % d'étrangers

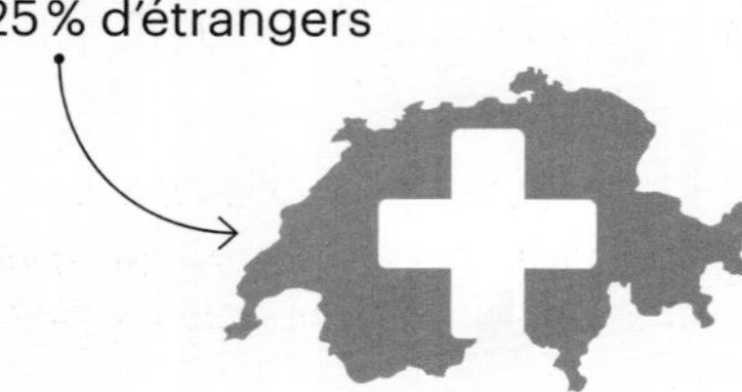

Ils viennent...
- d'Italie
- d'Allemagne
- du Portugal
- de France

En France, il y a 11 % d'étrangers

Ils viennent...
- du Portugal
- d'Algérie
- du Maroc

Au Luxembourg, il y a 47 % d'étrangers

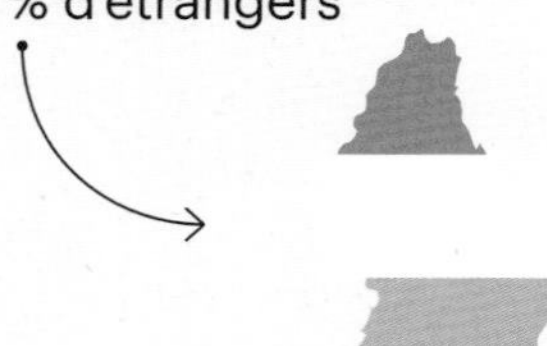

Ils viennent...
- du Portugal
- de France
- de Belgique
- d'Italie
- d'Allemagne

23

Source : adapté de www.lavenir.net, 2015 ; www.swissinfo.ch, 2016

Lire, comprendre et réagir

1. **Lisez le titre et l'introduction de l'article. Pourquoi la Belgique est-elle « multiculturelle » ?**
   - *La Belgique est multiculturelle parce que...*
2. **Lisez l'article. Certaines informations vous étonnent-elles ? Lesquelles ? Soulignez-les.**

Travailler la langue

3. Complétez le tableau à l'aide de l'article.

LE GENRE DES NOMS DE PAYS

- Les noms de pays qui se terminent par un ______ sont féminins.

Ex. : *la France,* ......

- Les autres sont masculins.

Ex. : *le Portugal,* ......

! ***le** Mexique, **le** Mozambique, **le** Cambodge, **le** Zimbabwe*
! ***les** États-Unis, **les** Pays-Bas*

Produire et interagir

4. Faites la liste d'un maximum de noms de pays dans chaque catégorie. À deux, comparez vos propositions.

- pour bien manger : *l'Italie* ......
- pour faire la fête : ......
- pour acheter des souvenirs : ......
- pour voir des monuments : ......

Travailler la langue

5. Complétez le tableau à l'aide de l'article.

LES PRÉPOSITIONS + PAYS / VILLE

	Nom de pays féminin	Nom de pays masculin	Nom de ville
Aller	______ Wallonie	______ Luxembourg	______ Bruxelles
Venir	______ Belgique	______ Maroc	***de*** Paris

ALLER A / À

- Devant un nom de pays au pluriel, on utilise **aux**.

Ex. : *Il va* ______ *Pays-Bas.*

- Devant un nom de pays féminin ou commençant par une voyelle, on utilise **en**.

Ex. : *Nous allons* ______ *France et* ______ *Allemagne.*

- Devant un nom de ville, on utilise **à**.

Ex. : *Ils vont* ______ *Anvers.*

VENIR DE

- Devant un nom de pays ou de ville commençant par une voyelle : **de → d'**.

Ex. : *Elle vient* ______ *Espagne.*

→ CAHIER D'EXERCICES **P. 15, 16** – EXERCICES 6, 7, 8, 9, 10

Travailler la langue

6. Complétez les tableaux à l'aide de l'article.

LE VERBE *VENIR*

Je	**viens**
Tu	**viens**
Il / Elle / On	______
Nous	**venons**
Vous	**venez**
Ils / Elles	______

LE VERBE *ALLER*

Je	**vais**
Tu	**vas**
Il / Elle / On	**va**
Nous	**allons**
Vous	**allez**
Ils / Elles	______

→ CAHIER D'EXERCICES **P. 17** – EXERCICES 11, 12, 13

Produire et interagir

7. Dites le nom d'un monument connu à un/e camarade. Il / Elle devine où se trouve ce monument.

- *L'Atomium ?*
- *À Bruxelles, en Belgique !*

8. Voici les souvenirs du tour du monde de Billie. À votre avis, d'où viennent-ils ?

Un kimono *du Japon*

Une guitare ......

Un poncho ......

Un chapeau ......

Une casquette ......

Du café ......

9. Dans votre pays, d'où viennent les étrangers ? Où vont les personnes qui quittent votre pays ? En petits groupes, faites des recherches et présentez vos résultats à la classe.

DÉFI #01
RÉALISER UN QUIZ DE DÉCOUVERTE D'UN PAYS

Vous allez réaliser un quiz pour faire découvrir votre pays ou un pays que vous connaissez.

- En petits groupes, choisissez les aspects intéressants ou étonnants de votre pays ou d'un autre.
- Choisissez des catégories pour rassembler vos idées.

géographie | culture | gastronomie | ...

- Rédigez des questions dans chaque catégorie, avec trois réponses possibles.
- Échangez vos questionnaires et répondez.
- Vérifiez vos réponses avec le groupe qui a créé le questionnaire.

CULTURE

1. Quels sont les animaux sur le blason du Chili ?

☐ Un lama et un cochon d'Inde
☐ Un puma et un tatou
☐ Un *huemul* et un condor

LES STÉRÉOTYPES

AU CANADA (QUÉBEC)
- On aime le sirop d'érable.
- On aime faire du chien de traîneau.

À TAHITI
- On aime le surf.
- On aime les colliers de fleurs.

AU SÉNÉGAL
- On aime le riz et les piments.
- On aime discuter et raconter des histoires.

17

Témoignages

Des étrangers parlent de leurs clichés sur les Français.

Mona

Kalidou

Olivia

Théo et Léa

Rania

EN SUISSE
- On aime skier.
- On aime le fromage et le chocolat.

AU VIETNAM
- On se déplace à vélo et en scooter.
- On aime le karaoké.

Mon panier de lexique

Que désigne *on* dans ces pages ? Quels autres mots voulez-vous retenir ? Écrivez-les.

....

....

Avant de lire

1. À votre avis, quels sont les stéréotypes sur ces pays ? Complétez ces phrases à l'aide des dessins.

- En Suisse, on aime ....
- Au Vietnam, on aime ....

- Au Québec, on aime ....
- À Tahiti, on aime ....

- Au Sénégal, on aime ....

Lire, comprendre et réagir

2. Lisez le document en vous aidant des images. Comparez avec les stéréotypes de l'activité précédente.

3. Quel pays de cette carte voulez-vous connaître ? Pourquoi ?

- *Je veux connaître le Kenya parce que j'aime les animaux.*

4. Vos réponses à l'activité précédente sont-elles des stéréotypes ? Échangez en classe.

Écouter, comprendre et réagir

5. Écoutez les témoignages. Quels sont les stéréotypes de ces personnes sur les Français ? Reliez. (17)

Mona ○	○ Ils aiment les croissants, le beurre et la confiture
Kalidou ○	○ Napoléon
Olivia ○	○ Ils aiment le pain, le vin et le fromage
Théo et Léa ○	○ Ils n'aiment pas les langues étrangères
Rania ○	○ Ils aiment discuter

6. Quels sont vos clichés sur la France ? Échangez en classe.

- *Les Français aiment le pain.*

Regarder, comprendre et réagir

Retrouvez la vidéo et les activités sur espacevirtuel.emdl.fr

Avant de lire

1. Observez les photos de cette publicité. Quels lieux ou objets reconnaissez-vous ? Échangez en classe.

- *Sur la photo 1, c'est un marché à Marrakech.*

Lire, comprendre et réagir

2. Lisez la publicité et rêvez... Qu'aimeriez-vous faire, visiter, manger ou acheter ?

• *J'aimerais voyager dans le désert.*

Écouter, comprendre et réagir

3. Des voyageurs disent ce qu'ils aiment et n'aiment pas au Maroc. Écoutez et complétez les témoignages. 18

	J'aime	Je n'aime pas
Patrick	*la musique traditionnelle*	*les musées*
Hans		
Jurgen et Sonia		
Élodie		

Travailler la langue

4. Complétez le tableau à l'aide de la publicité et de l'activité précédente.

LE VERBE *AIMER*

J'	
Tu	**aim**es
Il/Elle/On	
Nous	
Vous	**aim**ez
Ils/Elles	**aim**ent

La forme négative se construit en ajoutant **ne/n'** avant le verbe et **pas** après le verbe.
Ex. : *Je **n'**aime **pas** le couscous.*

→ CAHIER D'EXERCICES P. 17 EXERCICES 14, 15

Travailler la langue

5. Complétez le tableau à l'aide de la publicité.

AIMER

AIMER + NOM COMMUN OU NOM PROPRE
Ex. : *J'aime le couscous,*
Ex. : *J'aime Marrakech,*

AIMER + INFINITIF
Ex. : *J'aime voyager,*

→ CAHIER D'EXERCICES P. 17 – EXERCICES 14, 15

6. Comment traduisez-vous les exemples du tableau dans votre langue ou dans les langues que vous connaissez ?

• *En portugais, on dit « Eu gosto de Marrakech » et « Eu gosto de viajar ».*

Produire et interagir

7. Échangez sur ce que les touristes aiment dans votre ville, région ou pays.

• *Au Pérou, les touristes aiment visiter le Machu Picchu...*

8. En petits groupes, à l'aide de l'encadré de lexique, échangez sur ce que vous aimez ou n'aimez pas dans la ville ou la région où vous habitez.

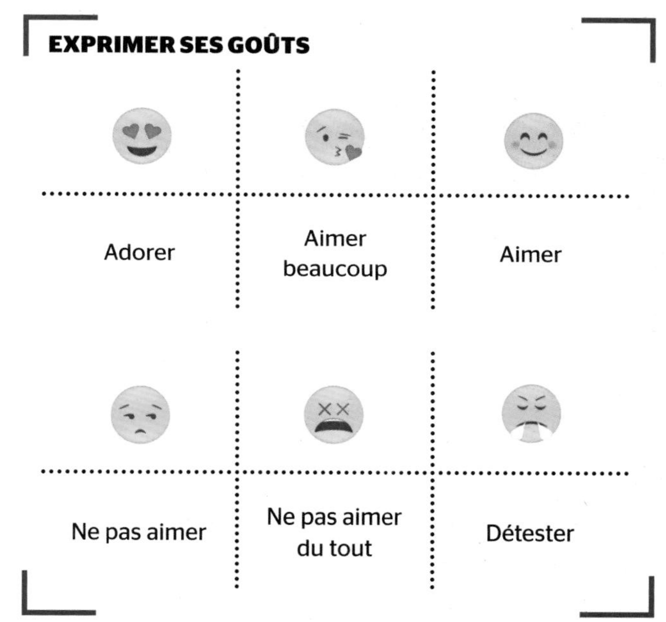

• *À Hambourg, je déteste la pluie.*

9. Quels sont vos goûts ? Complétez la fiche.

- Vous adorez : *J'adore le chocolat.*
- Vous aimez beaucoup : ....
- Vous aimez : ....
- Vous n'aimez pas : ....
- Vous n'aimez pas du tout : ....
- Vous détestez : *Je déteste le métro.*

Avant de lire

1. Quels souvenirs aimez-vous acheter en vacances ou en voyage? Échangez en classe avec des exemples.

 Des boissons

 Des spécialités locales

 Des objets utiles ou de l'artisanat

 Des livres et des BD

 Des bibelots

Des vêtements et accessoires

• *Moi, j'achète des boissons typiques pour mes amis. Par exemple, un vin d'Argentine.*

Souvenirs de voyage ×

http://www.souvenirsdevoyages.def

Belgique | Burkina Faso | Canada | Sénégal | Suisse | Madagascar | Mauritanie

Souvenirs de voyages

Des idées de souvenirs de votre voyage en Suisse

Samedi 17 janvier 2018, 12:12, par Geneve-en-live

DES BOISSONS

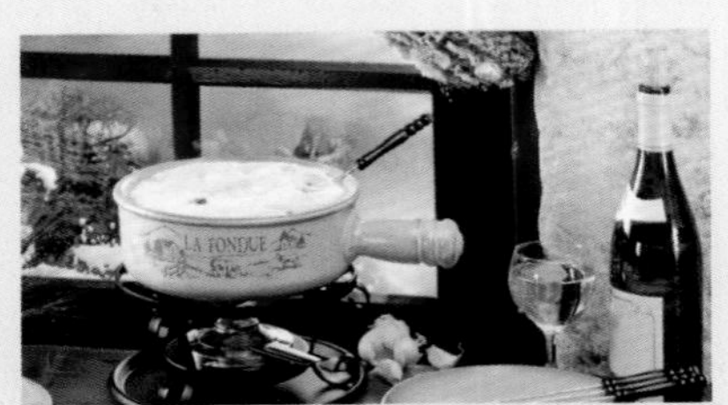

Une bouteille de vin blanc pour la fondue au fromage

CHLOÉ J'adore ce vin avec la fondue!

ZIG Moi aussi!

MEMPHIS Moi aussi, je suis d'accord avec vous!

DES SPÉCIALITÉS LOCALES

Des tablettes de chocolat

CARLA Oui!!! J'adore le chocolat, surtout le chocolat suisse!

JO Pas moi, je n'aime pas le sucré.

DES OBJETS UTILES OU DE L'ARTISANAT

Une montre de luxe

JUAN Moi, je n'aime pas du tout, c'est très cher...

PIERROT Moi non plus, je n'aime pas du tout! C'est trop luxueux.

DES LIVRES ET DES BD

Des BD de Titeuf

ANA89 Ah oui, génial! J'adore Titeuf!

VINZ Moi aussi, j'adore les bandes dessinées et j'aime beaucoup Titeuf!

VALS Moi non. Je n'aime pas les BD et je n'aime pas du tout Titeuf.

DES BIBELOTS

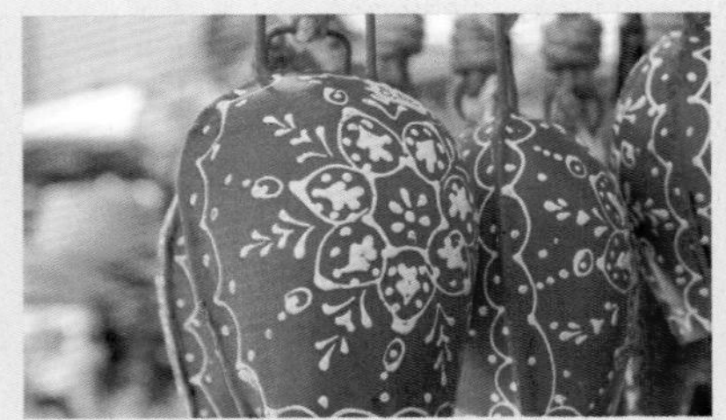

Une cloche de vache

CORALIE Bof! Je n'aime pas! C'est kitsch!

MILO Moi si, j'aime bien. C'est drôle!

DES VÊTEMENTS ET ACCESSOIRES

Un sac de la marque Freitag

KARO Moi, je n'aime pas du tout ce style.

JU14 Moi non plus, je n'aime pas, c'est laid.

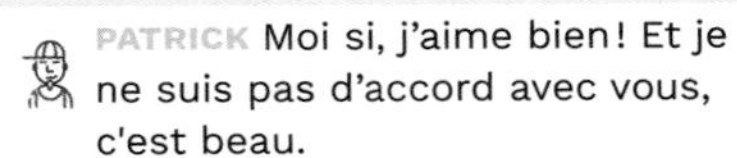

PATRICK Moi si, j'aime bien! Et je ne suis pas d'accord avec vous, c'est beau.

Lire, comprendre et réagir

2. **Lisez les titres des rubriques et observez les images. Comprenez-vous ce que les titres veulent dire ?**

3. **Lisez le document. Indiquez pour chaque souvenir qui aime et qui n'aime pas.**

- *Carla aime le chocolat. Jo n'aime pas.*

Travailler la langue

4. **Complétez le tableau à l'aide du document.**

LES ARTICLES INDÉFINIS

	MASCULIN	FÉMININ
SINGULIER	... sac	... bouteille
PLURIEL	***des*** objets	... tablettes

➔ CAHIER D'EXERCICES **P. 18** EXERCICES 16, 17

5. **Écrivez l'article indéfini correspondant. Faites des recherches dans l'unité si nécessaire.**

1. ......chien
2. ......souvenir
3. ......fromage
4. ......musées
5. ......touristes
6. ......bouteille
7. ......documents
8. ......sac
9. ......tapis
10. ......photos
11. ......montre
12. ......date
13. ......BD
14. ......langue

Travailler la langue

6. **Quels objets du document aimez-vous ? En petits groupes, échangez sur vos goûts à l'aide du tableau.**

MOI AUSSI / MOI NON PLUS

	ACCORD	DÉSACCORD
Phrase affirmative Ex. : *J'aime/J'adore.*	moi aussi	moi non pas moi
Phrase négative Ex. : *Je n'aime pas.*	moi non plus	moi, si

➔ CAHIER D'EXERCICES **P. 18** EXERCICES 18, 19

- *J'aime le sac Freitag.*
- *Moi aussi, j'aime les sacs !*

Produire et interagir

7. **Complétez les phrases en fonction de vos goûts, puis comparez avec deux camarades.**

- J'adore ......
- J'aime le / l' ......
- J'aime la ......
- J'aime les ......

- Je n'aime pas la ......
- Je n'aime pas le / l' ......
- Je n'aime pas les ......
- Je déteste ......

- *J'adore les BD. Et toi ?*
- *Non, je n'aime pas les BD !*

Écouter, comprendre et réagir

8. **Écoutez ces deux personnes qui expriment leurs goûts et réagissez en classe en utilisant *moi aussi, moi non plus, moi non, moi si.*** 19

DÉFI #02
CRÉER UNE AFFICHE « INTERACTIVE » DE SOUVENIRS

Vous allez réaliser une affiche de souvenirs de votre ville ou de votre pays et commenter les affiches des autres groupes.

- En petits groupes, échangez sur des idées de souvenirs. Faites une liste.
- Cherchez des photos de ces souvenirs. Écrivez des légendes et créez votre affiche. Laissez de la place pour les commentaires écrits de vos camarades.
- Accrochez vos affiches et commentez les affiches de vos camarades.

Mes mots

1. Comment fonctionne la machine à phrases ? Créez des phrases pour parler de vous, d'un/e camarade, puis de la classe.

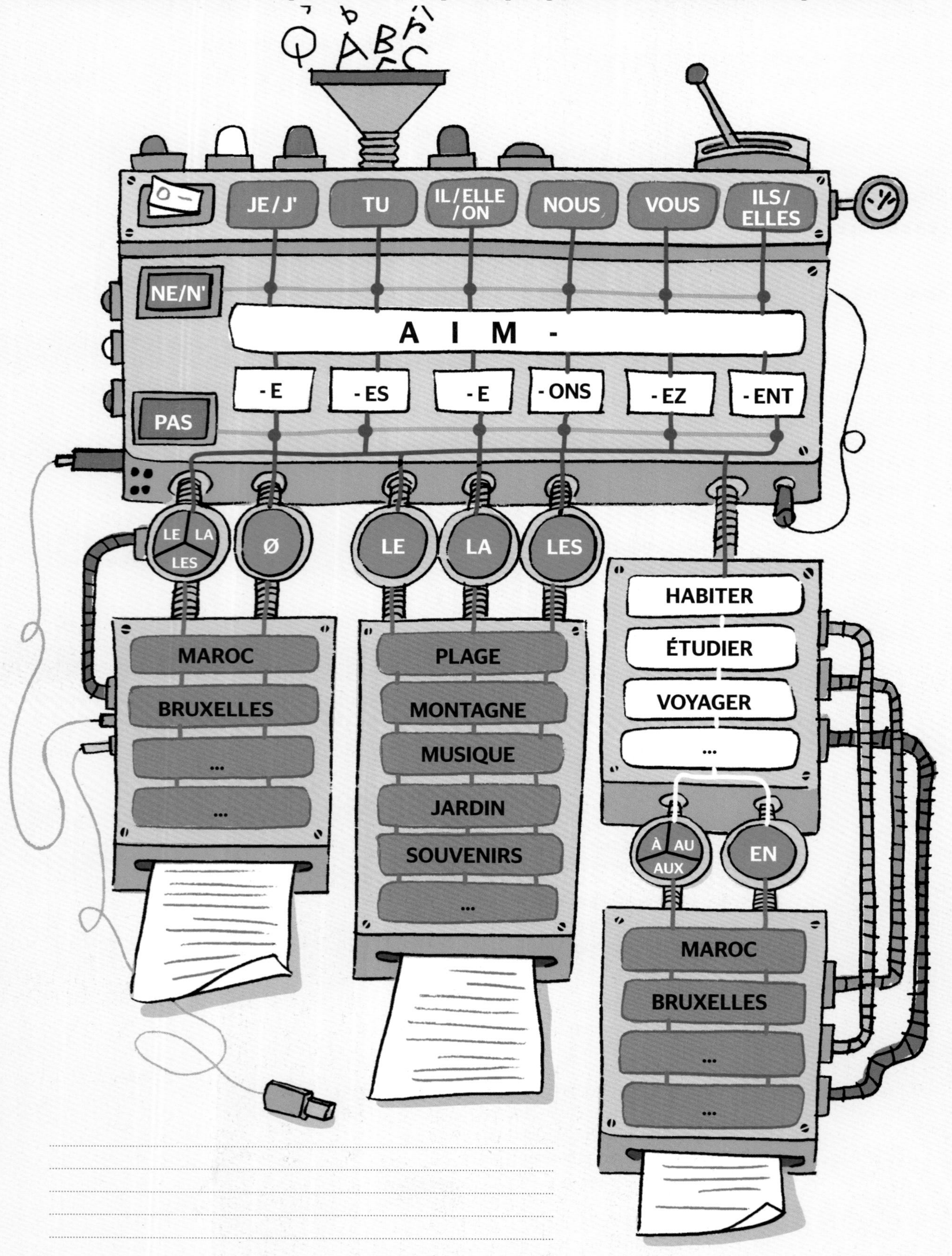

Un air de famille

03

DOSSIER 01
Les liens de famille

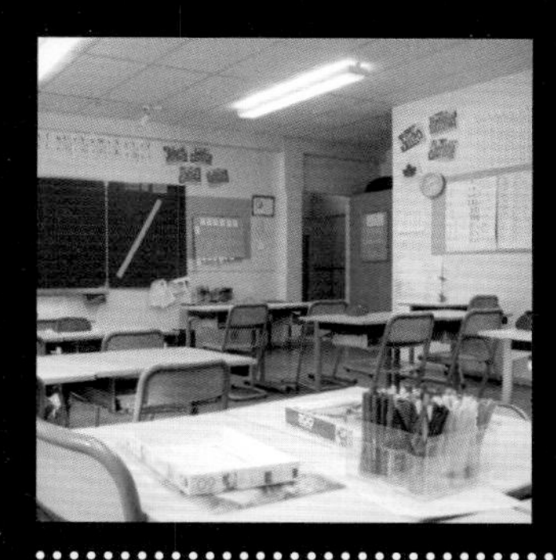

CULTURE(S) ET SOCIÉTÉ(S)
- les types de famille en France
- la série *Parents mode d'emploi*

GRAMMAIRE
- les déterminants possessifs

COMMUNICATION
- parler de la famille
- préciser un lien familial

LEXIQUE
- les types de famille
- les liens de famille

DÉFI #01
DESSINER UN ARBRE GÉNÉALOGIQUE

DOSSIER 02
(R)évolutions dans les couples

CULTURE(S) ET SOCIÉTÉ(S)
- les types d'unions en France
- l'évolution du couple et les chefs d'État français
- les mariages mixtes

GRAMMAIRE
- l'accord de l'adjectif
- *c'est / il est*
- le féminin des nationalités

COMMUNICATION
- dire son état civil
- indiquer sa ou ses nationalité(s)

LEXIQUE
- les unions
- les connecteurs *et, ou, mais*
- les états civils
- les nationalités

DÉFI #02
RÉALISER DES STATISTIQUES SUR LES FAMILLES DE LA CLASSE

LES FAMILLES D'AUJOURD'HUI

TROIS ENFANTS D'UNE ÉCOLE PRIMAIRE PRÉSENTENT LEUR FAMILLE

1

Ma famille

J'ai 8 ans et demi.
Mon papa s'appelle Paul
et ma maman s'appelle Leila.
J'ai une grande sœur,
Charlotte. Elle a 13 ans.

Lucie

2

J'ai 7 ans et demi. Mon papa s'appelle Frédéric et ma maman s'appelle Virginie. J'ai un petit frère, David. Mon papa a une nouvelle femme, Magalie. J'ai deux demi-sœurs, Margot et Hélène.

Amandine

Avant de lire

1. Quels mots associez-vous à la famille ?

Lire, comprendre et réagir

2. Lisez le document. Entourez les mots cités dans l'activité précédente.

3. Observez les photos. Où sont Lucie, Amandine et Victor ? Entourez-les.

4. Relisez les textes et remplissez le tableau avec les prénoms des membres de la famille.

	Lucie	Amandine	Victor
papa (père)			
maman (mère)			
sœur(s)			
frère(s)			
demi-sœur(s)			
demi-frère(s)			

Écouter, comprendre et réagir

5. Écoutez les descriptions des types de familles et associez-les aux photos. 20

- Famille traditionnelle : ……
- Famille monoparentale : ……
- Famille recomposée : ……

1  2  3 

6. Comment est votre famille ?

- *Ma famille est monoparentale : j'habite avec mon père.*

Mon panier de lexique

Quels mots sur la famille avez-vous appris ? Écrivez-les.

……

……

3

VICTOR

J'ai 7 ans. Ma maman s'appelle Myriam. Mon papa s'appelle Bruno. Mes parents sont divorcés et j'habite avec mon papa et ma sœur Louise qui a 10 ans.

Victor

LA FAMILLE MARTINET

Parents mode d'emploi

La série télévisée française « Parents mode d'emploi »

Isa

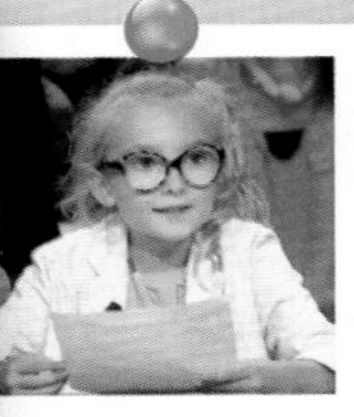

Gaby	mari d'Isa
Isa	femme de Gaby
Paul	fils aîné de Gaby et Isa
Laetitia	fille d'Isa et Gaby
Jules	fils cadet d'Isa et Gaby
Monique	mère de Gaby et belle-mère d'Isa
Jean-Pierre	père de Gaby et beau-père d'Isa
Patricia	mère d'Isa, divorcée d'André
André	père d'Isa, divorcé de Patricia
Stéphanie	sœur de Gaby
Thomas	mari de Stéphanie
Clara	fille de Stéphanie et Thomas
Léo	fils de Stéphanie et Thomas

Ah bon ?! +

Pour parler de la famille par alliance (par mariage), on utilise **beau-** ou **belle-**. Par exemple, la mère de mon mari, c'est ma **belle-mère**. Et dans votre langue ?

Lire, comprendre et réagir

1. Observez le document. Écrivez les noms des membres de la famille Martinet sous les photos. Puis, dessinez les lignes de l'arbre généalogique.

2. En petits groupes, posez une des questions suivantes à vos camarades. Le premier qui répond gagne un point.

- Qui est le père d'Isa ?
  — *André est le père d'Isa.*
- Qui est la mère de Gaby ?
- Qui sont les parents de Paul, Laetitia et Jules ?
- Qui est la fille de Patricia et André ?
- Qui est le fils de Monique et Jean-Pierre ?
- Qui est la fille de Gaby ?
- Qui est le frère de Jules ?
- Qui est la sœur de Paul et Jules ?
- Qui est la femme de Gaby ?

3. En petits groupes, posez chacun/e une nouvelle question sur la famille Martinet.

- *Qui sont les parents de Léo ?*
- ○ *Les parents de Léo sont Stéphanie et Thomas.*

Travailler la langue

4. Voulez-vous connaître d'autres mots de la famille en français ?

- *Comment on dit « uncle » en français ?*

5. Dans votre langue, les mots de la famille fonctionnent-ils de manière différente (≠) ?

- *En italien, il y a un seul mot pour dire « nièce », « neveu », « petite-fille » et « petit-fils » : « nipote ».*

Travailler la langue

6. À deux, essayez de définir les mots de la famille suivants, à l'aide d'un dictionnaire si nécessaire.

— *la tante : c'est la sœur du père ou de la mère, c'est aussi la femme de l'oncle*

- oncle
- grand-mère
- grand-père
- nièce
- neveu
- cousine
- cousin

7. Créez trois devinettes. Puis, faites-les deviner à un/e camarade.

- *C'est la mère du mari.*
- ○ *C'est la belle-mère ?*
- *Oui !*

Écouter, comprendre et réagir

8. Observez le document. Puis écoutez et répondez aux questions sur les liens de famille des Martinet.

21

1. ....
2. ....
3. ....
4. ....
5. ....
6. ....

Regarder, comprendre et réagir

Retrouvez la vidéo et les activités sur espacevirtuel.emdl.fr

Un dîner en famille : Rapsodie pour un pot-au-feu

Produire et interagir

9. Connaissez-vous d'autres séries télévisées ? Dites les noms des personnages et leurs liens de famille. Échangez en classe.

- *Dans « Modern Family », Joe est le fils de Gloria et Jay.*

10. Combien de liens de famille avez-vous ? Comparez avec un/e camarade.

- *Moi, j'ai quatre liens de famille : je suis le fils de Cathy et John, je suis le frère de Douglas, le neveu de Mike et le cousin de Kriss, Luc et Olivia.*

11. L'enseignant/e dit le nom d'une personne de l'arbre généalogique. En petits groupes, écrivez tous les liens de famille de cette personne. L'équipe qui trouve le plus de liens gagne.

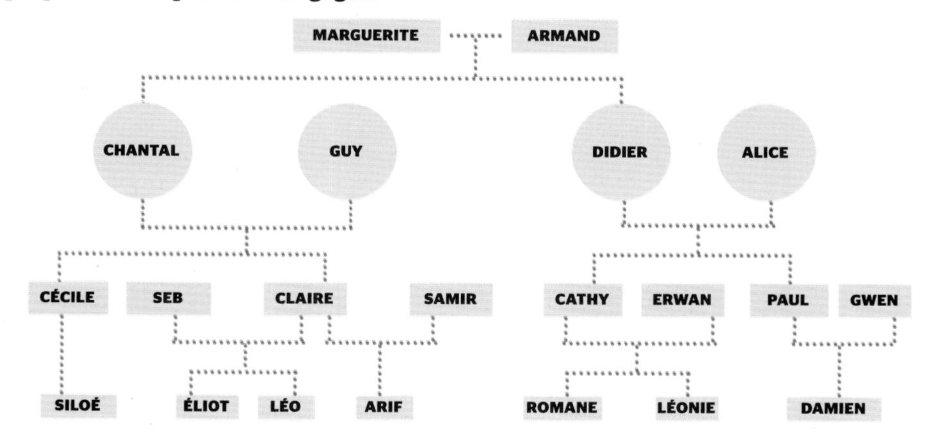

COURRIER DES LECTEURS • RUBRIQUE ENFANTS

PIERRE ROY
PSYCHOLOGUE

VOS QUESTIONS

EST-CE QUE MA MAMAN M'AIME ENCORE ?

Ma maman a un amoureux et elle est enceinte. Encore un nouveau frère ! J'ai déjà mon frère Théo. Chez mon papa et son amoureuse, il y a mon demi-frère Tom et ma demi-sœur Lucie. Je n'aime pas Lucie et je suis contente quand elle est chez son père. Avec le bébé, nous sommes cinq enfants dans notre famille. Est-ce que ma maman m'aime encore ? **Laure, 8 ans**

Chère Laure,
Oui, tes demi-frères et sœurs, ton frère et le bébé, vous êtes beaucoup d'enfants ! Mais ta maman vous aime tous et elle t'aime très fort.

29

Ah bon ?! +

Un **demi-frère** ou une **demi-sœur,** c'est l'enfant d'un de vos parents avec un autre partenaire. Et dans votre langue ?

Lire, comprendre et réagir

1. **Lisez le document. Repérez la rubrique. Combien de personnes s'expriment ? Qui sont-elles ?**

2. **Observez le dessin. Qui sont Isabelle et David ?**

3. **Qui Laure n'aime-t-elle pas dans sa famille ?**

4. **Dans quel type de famille vit Laure ?**

- ☐ traditionnelle
- ☐ monoparentale
- ☐ recomposée

Travailler la langue

5. **Complétez le tableau à l'aide du document.**

LES DÉTERMINANTS POSSESSIFS

	SINGULIER				PLURIEL	
	masculin		féminin		masculin et féminin	
moi		frère		mère	***mes***	demi-frères
toi		frère		mère		demi-frères
lui / elle		père	***sa***	mère	***ses***	demi-frères
nous				famille	***nos***	parents
vous	***votre***			famille	***vos***	parents
eux / elles	***leur***			famille	***leurs***	parents

❗ On emploie ***mon***, ***ton***, ***son*** devant un mot féminin commençant par une voyelle ou un *h* muet.
Ex. : ....

→ CAHIER D'EXERCICES **P. 22, 23, 24** – EXERCICES 1, 2, 3, 4

6. **Faites un tableau semblable dans une langue que vous connaissez. Quelles sont les ressemblances (=) et les différences (≠) avec le français ?**

Produire et interagir

7. **Choisissez des prénoms, des noms, des mots ou des chiffres en lien avec vous. Puis, complétez l'étoile. Vos camarades vous posent des questions pour deviner ce que c'est. Vous répondez par oui ou non.**

- *Klaus, c'est ton frère ?*
- ○ *Non.*
- *C'est ton père ?*

Écouter, comprendre et réagir

8. **Laetitia parle de sa famille. Écoutez et complétez la fiche.** 🎧 22

Les personnes de ma famille

- Une personne drôle : ....
- Une personne bavarde : ....
- Une personne optimiste : ....
- Une personne pessimiste : ....
- Une personne rêveuse : ....
- Une personne timide : ....
- Une personne colérique : ....
- Une personne gentille : ....

9. **À votre tour, complétez la fiche de l'activité précédente.**

10. **Et vous, vous êtes comment en famille ?**

- *Dans ma famille, je suis bavard !*

DÉFI #01
DESSINER UN ARBRE GÉNÉALOGIQUE

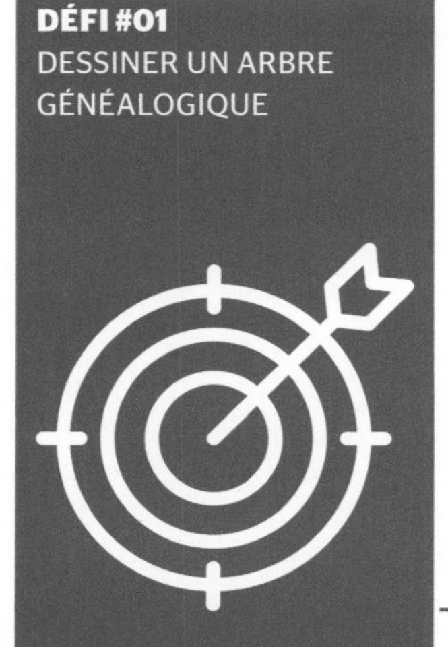

Vous allez dessiner l'arbre généalogique d'un/e camarade.

- ▶ Un/e camarade écrit sur un papier les prénoms de trois personnes de sa famille et vous le donne.
- ▶ À partir de ces trois prénoms, vous lui posez des questions et vous dessinez son arbre généalogique.
  - *Qui est Lars ?*
  - ○ *C'est mon frère.*
- ▶ Posez d'autres questions pour compléter son arbre généalogique.
  - *Tu as d'autres frères et sœurs ?*
  - ○ *Oui, j'ai une autre sœur, Noémie.*

(R)Évolutions dans les couples

En France, en 1970, former un couple, c'est se marier. Et aujourd'hui, former un couple, c'est quoi ?

L'HISTOIRE DES UNIONS EN FRANCE

1970

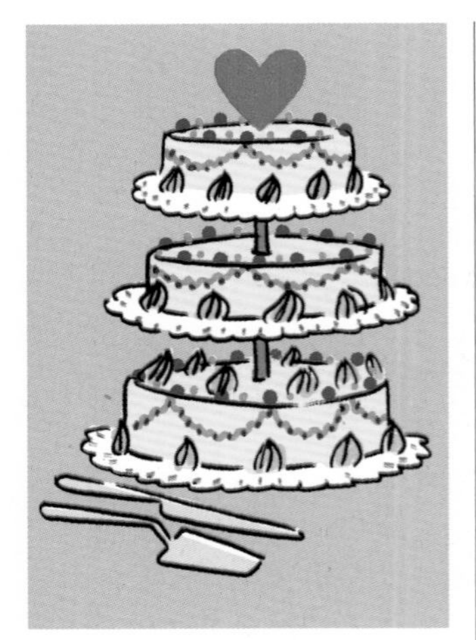

393 700 mariage

ÂGE MOYEN DES MARIÉS

26 ans 24 ans

0 PACS[1]

2005

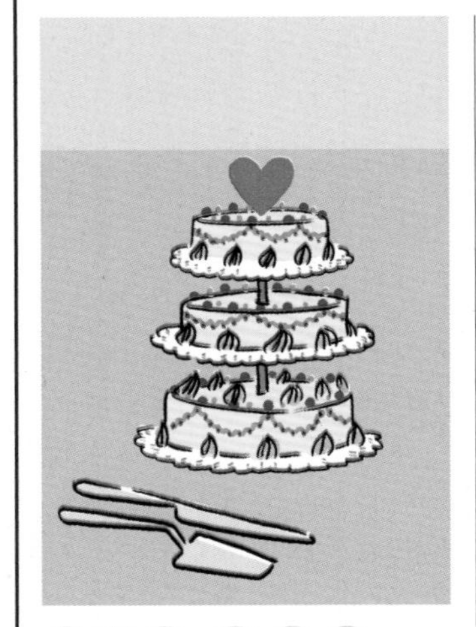

276 303 mariages

ÂGE MOYEN DES MARIÉS

35 ans 33 ans

60 080 PACS

4 865 entre personnes du même sexe

LES TYPES D'UNIONS EN FRANCE EN 2017

LE MARIAGE

LE DIVORCE

LE PACS[1]

LA DISSOLUTION[3]

2015

222 664 mariages

7700 mariages entre personnes du même sexe[2]

ÂGE MOYEN DES MARIÉS

38 ans 35 ans

188 947 PACS

7017 entre personnes du même sexe

Avant de lire

1. À votre avis, en France, est-ce que le nombre de mariages augmente ↗ ou diminue ↘ ?

Lire, comprendre et réagir

2. Observez les illustrations et les chiffres entre 1970 et 2015. Ces chiffres augmentent-ils ou diminuent-ils? Entourez la flèche qui convient.

1970 - 2015		
les mariages	↘	↗
les PACS	↘	↗
l'âge des mariés	↘	↗
le mariage entre personnes du même sexe	↘	↗

3. Qu'est-ce que le PACS ? Observez l'illustration et lisez l'explication en bas de la page. Que comprenez-vous ?

4. Lisez le document et complétez le tableau.

Année	Types d'unions officielles
1970	....
2015	....

5. Quels types d'unions officielles existent dans votre pays aujourd'hui ? Et en 1970 ? Complétez le tableau. Faites des recherches si nécessaire.

Année	Types d'unions officielles
1970	....
aujourd'hui	....

Mon panier de lexique

Quels mots de ces pages voulez-vous retenir ? Écrivez-les.

....

....

1 Le PACS (pacte civil de solidarité) est une union civile entre deux personnes.
2 Le mariage entre personnes du même sexe existe depuis 2013.
3 Par lettre ou déclaration au tribunal.
4 Les unions libres représentent environ un quart des unions en France. Elles ne sont pas officielles.

Source : Insee, statistiques de l'état civil

Actu People

L'évolution du couple et les chefs d'État

MARIÉS, REMARIÉS OU DIVORCÉS ? SÉPARÉS OU EN COUPLE ?

Nicolas

En 1982, Nicolas se marie avec Marie-Dominique. Ils ont deux enfants, Pierre et Jean.

Nicolas rencontre Cécilia, mais elle est mariée et elle a deux filles, Judith et Jeanne-Marie. Lui aussi, il est marié. En 1989, Cécilia divorce et, en 1996, Nicolas divorce aussi. Nicolas et Cécilia se marient et ont un fils, Louis. En 2007, ils divorcent.

En 2008, Nicolas se remarie avec Carla, séparée de Raphaël, et maman d'Aurélien. Ils ont une fille, Giulia.

François

En 1978, François rencontre Ségolène. Ils sont jeunes (24 et 25 ans), étudiants et célibataires. Ils s'aiment. Ils ne se marient pas, mais ils vivent ensemble en union libre et ont quatre enfants.

En 2007, ils se séparent: François a une nouvelle compagne. Qui est-ce? C'est Valérie. Elle est journaliste, divorcée et elle a trois fils. Mais en 2014, François se sépare de Valérie.

Julie, actrice, divorcée et mère de deux fils est la nouvelle compagne de François.

Ah bon ?! +

En français, quand un couple n'est pas marié, on dit : c'est mon **copain** / ma **copine**, mon **compagnon** /ma **compagne** ou mon **amoureux** / mon **amoureuse**.
Et dans votre langue ?

Lire, comprendre et réagir

1. Observez les photos de l'article. Connaissez-vous ces personnes ? Lisez le titre pour vous aider.

2. Lisez l'article. Surlignez tous les mots que vous connaissez.

3. Combien y a-t-il d'unions et de séparations dans les vies de Nicolas et François ? Complétez le tableau. Est-ce que c'est beaucoup (+) ou peu (-) selon vous ?

	Nicolas	François
mariages		
divorces		
unions libres		
séparations		

4. Quelle est la situation de chaque femme quand elle rencontre François ou Nicolas ?

mariée — divorcée — séparée — célibataire

- Marie-Dominique est ....
- Cécilia est ....
- Carla est ....
- Ségolène est ....
- Valérie est ....
- Julie est ....

5. Combien d'enfants ont les couples ?

- Marie-Dominique et Nicolas : ....
- Cécilia et Nicolas : ....
- Carla et Nicolas : ....
- Ségolène et François : ....
- Valérie et François : ....
- Julie et François : ....

Travailler la langue

6. Complétez l'encadré à l'aide de l'article.

LES CONNECTEURS LOGIQUES *ET, OU, MAIS*

et permet d'ajouter. Ex. : ....

ou permet de choisir. Ex. : ....

mais indique l'opposition. Ex. : ....

→ CAHIER D'EXERCICES P. 25 – EXERCICES 14, 15

7. Complétez l'encadré à l'aide de l'article.

Travailler la langue

8. Complétez le tableau à l'aide de l'article.

L'ACCORD DE L'ADJECTIF

	SINGULIER		PLURIEL	
masculin		**féminin**	**masculin**	**féminin**
marié				
divorcé				*divorcées*
célibataire			*célibataires*	*célibataires*
veuf		*veuve*	*veufs*	*veuves*

- En général, le féminin se forme avec le masculin + ..., sauf quand l'adjectif au masculin se termine par un .... .
  Ex. : ....
- Le pluriel se forme en ajoutant un .... au singulier.

→ CAHIER D'EXERCICES P. 24 – EXERCICES 6, 8, 9, 10

9. Complétez le tableau à l'aide de l'article et de l'encadré *Ah bon ?!*

C'EST / IL EST

C'est permet d'identifier ou de présenter une personne ou quelque chose.

C'EST + NOM PROPRE / C'EST + ARTICLE + NOM COMMUN

Ex. : ***C'est*** *François /* ***C'est*** *mon mari*

Il est / Elle est permet de caractériser une personne ou quelque chose.

IL EST / ELLE EST + ADJECTIF

Ex. : ....

IL EST / ELLE EST + PROFESSION

Ex. : ....

→ CAHIER D'EXERCICES P. 24 – EXERCICE 5

Écouter, comprendre et réagir

10. Écoutez les quatre dialogues. Repérez le lien de famille, l'âge et le métier de chaque personne. 23

1. ....
2. ....
3. ....
4. ....

Produire et Interagir

11. Et vous ? Quel est votre état civil ?

- ☐ célibataire
- ☐ marié/e
- ☐ veuf(ve)
- ☐ en union libre
- ☐ séparé/e

12. Choisissez une personnalité. Montrez sa photo à la classe. Vos camarades disent qui c'est, son état civil et sa profession.

- *C'est Madonna, elle est divorcée et elle est chanteuse.*

Avant de lire

1. À votre avis, que signifie « mariage mixte » ?

2. À votre avis, dans quels pays d'Europe y a-t-il le plus de mariages mixtes ? Échangez en classe.

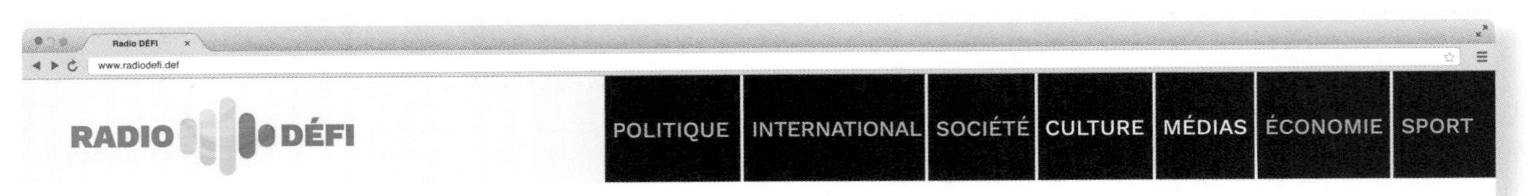

Les mariages mixtes en Europe

Un mariage mixte unit deux personnes de nationalités différentes. Dans quels pays d'Europe ce phénomène est-il le plus fréquent ?

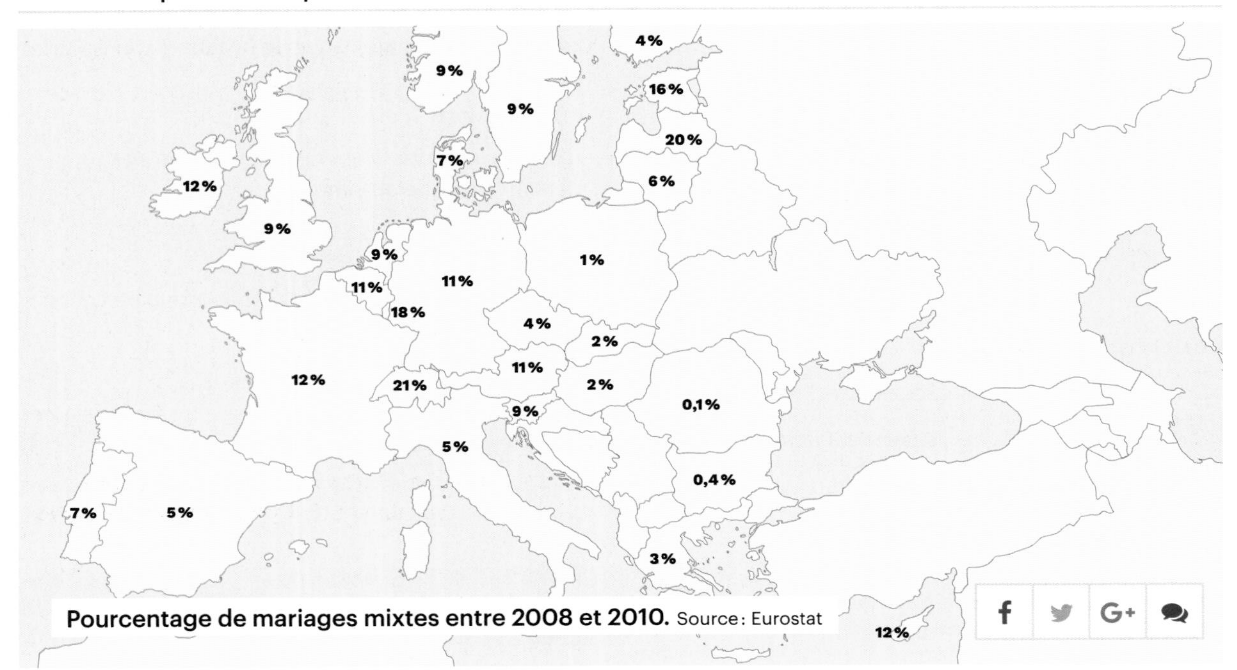

Pourcentage de mariages mixtes entre 2008 et 2010. Source : Eurostat

La Suisse est le pays où il y a le plus de mariages mixtes en Europe : 21% entre 2008 et 2010 et 43% en 2014 ! Ce pourcentage inclut les mariages entre un ou une Suisse et une personne d'une autre nationalité, et les mariages entre deux étrangers de nationalités différentes (entre un Allemand et une Italienne par exemple).

Nationalités les plus représentées dans les mariages mixtes en Suisse en 2014	
allemande	16,5%
italienne	10,5%
kosovare	7%
française	6,5%
serbe	4,5%

La Belgique, un pays de mariages mixtes depuis les années 1940

- Dans les années 1940, des Italiens vont en Belgique pour travailler dans les mines.
- Dans les années 1950, des Espagnols et des Portugais travaillent dans la construction.
- Dans les années 1960, des Marocains et des Turcs travaillent, par exemple, dans la construction du métro de Bruxelles.

NOS AUDITRICES TÉMOIGNENT

Podcast

Jocelyne

Cristina

Madeleine

Lire, comprendre et réagir

3. **Lisez l'article et vérifiez vos hypothèses de la question précédente.**

4. **De quelles nationalités sont les étrangers qui se marient le plus avec les Suisses ?**

Écouter, comprendre et réagir

5. **Écoutez les trois témoignages et complétez le tableau.** 24

	Jocelyne	Cristina	Madeleine
nationalité de la femme			
nationalité du mari			
nationalité des enfants			

Travailler la langue

6. **Complétez le tableau à l'aide de l'article.**

LE FÉMININ DES NATIONALITÉS

- En général, le féminin des nationalités se forme avec le masculin + ______.
  Ex. : ......
- Quand le masculin se termine par un **-e**, ______, le féminin a la même forme.
  Ex. : ......
- Quand le masculin se termine en **-ien**, le féminin se termine en ______.
  Ex. : ......

→ CAHIER D'EXERCICES **P. 25** – EXERCICES 11, 12, 13

Produire et interagir

7. **Êtes-vous en couple mixte ? Si oui, quelles sont vos nationalités ?**

- *Je suis soudanais et ma compagne est hongroise.*

8. **Y a-t-il des couples mixtes dans votre famille ? Qui ? De quelles nationalités sont-ils ?**

- *Oui, ma famille est italienne et allemande. Mon père est allemand et ma mère est italienne.*

9. **Combien y a-t-il de nationalités dans la classe ? Lesquelles ?**

- *Il y a trois nationalités : dix Allemands, cinq Turcs...*

10. **Quelles sont les nationalités étrangères les plus présentes dans votre pays ? Faites des recherches sur Internet.**

11. **Connaissez-vous des couples mixtes célèbres ? À deux, faites une liste. Faites des recherches si nécessaire.**

— *George Clooney est américain, et Amal Alamuddin est libanaise.*

Écouter, comprendre et réagir

12. **Écoutez l'entretien entre monsieur Touron et une employée de l'administration, puis complétez la fiche.** 25

- Âge : ......
- Nationalité(s) : ......
- État civil : ......
- Nombre d'enfants : ......
- Nationalité des enfants et de la compagne : ......
- Profession : ......

DÉFI #02
RÉALISER DES STATISTIQUES SUR LES FAMILLES DE LA CLASSE

Vous allez réaliser des statistiques sur les familles de la classe.

- Divisez la classe en deux groupes.
- Dans chaque groupe, renseignez-vous sur les informations personnelles de chacun/e (état civil, nationalité...).
- En classe, faites des pourcentages avec ces données.
- Présentez vos résultats sous forme d'affiche ou de diaporama.

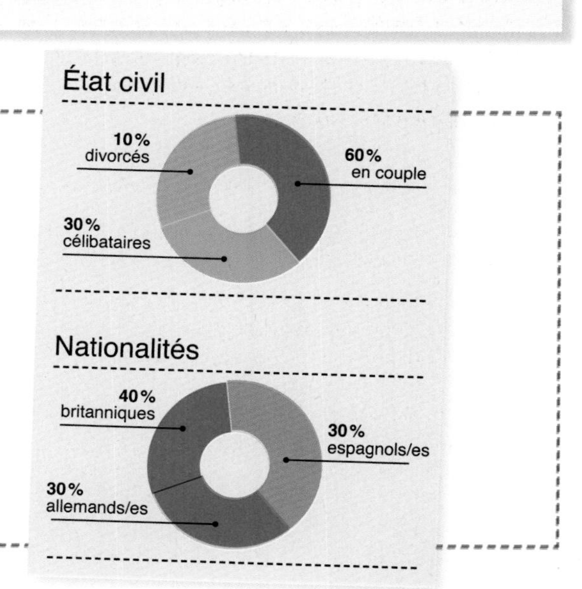

Les mots assortis

1. Formez le plus de liens de parenté possible à partir des mots en gras.

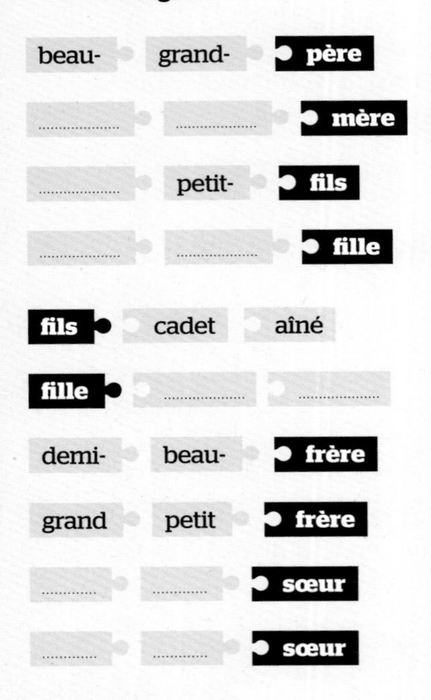

2. Complétez.

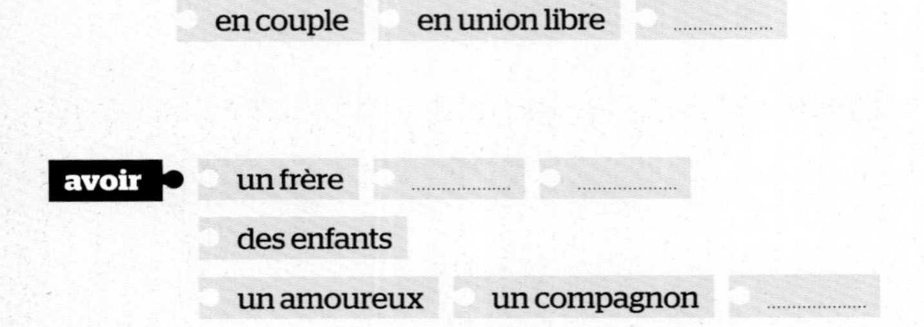

3. Comment se traduisent les mots de l'activité précédente dans les langues que vous parlez ?

— *En anglais, beau-père se traduit « step father ».*

Mes mots

4. En petits groupes, complétez cet abécédaire des nationalités. Avez-vous les mêmes propositions ?

A *Algérien(ne)*

B

C

D

E

F

G *Géorgien(ne)*

H

I

J

K

L

M *Malgache*

N *Néozélandais/e*

O

P

Q *Qatari/e*

R

S

T

U

V *Vietnamien(ne)*

W *Wallisien et Futunien*

X (contient la lettre X)

Y (contient la lettre Y)

Z (contient la lettre Z)

5. Listez le plus de personnes de nationalités différentes que vous connaissez et présentez une ou deux personnes à la classe.

6. Choisissez l'un de ces trois modèles et présentez les membres d'une famille de votre entourage.

famille traditionnelle | famille monoparentale | famille recomposée

Entre quatre murs

04

DOSSIER 01
Les types de logement

CULTURE(S) ET SOCIÉTÉ(S)
- le prix des loyers dans cinq villes francophones
- les petites annonces en France
- la maison-type bruxelloise
- la décoration d'intérieur

GRAMMAIRE
- *il y a / il n'y a pas de*
- *c'est* + adjectif

COMMUNICATION
- qualifier un logement
- parler des pièces de la maison
- indiquer un loyer

LEXIQUE
- les types de logement
- les pièces de la maison
- les prépositions de localisation (1)

DÉFI #01
ÉLABORER UNE CARTE DES LOGEMENTS DE VOTRE PAYS

DOSSIER 02
L'aménagement

CULTURE(S) ET SOCIÉTÉ(S)
- les chambres de bonne
- l'aménagement des petits espaces
- les règles du feng shui

GRAMMAIRE
- les adjectifs de couleur
- le verbe *pouvoir*
- *il faut* + infinitif
- le verbe *devoir*

COMMUNICATION
- parler de l'aménagement intérieur
- parler de l'espace
- décrire des meubles
- indiquer la couleur

LEXIQUE
- les meubles et les objets
- les couleurs et les matières
- les prépositions de localisation (2)

DÉFI #02
DESSINER LE PLAN D'UN APPARTEMENT IDÉAL EN COLOCATION

DÉFI #03 NUMÉRIQUE
espacevirtuel.emdl.fr

Locasmus

Locations pour étudiants en Erasmus

Enquête : Que peut-on louer pour 500 € par mois ?

Vous voulez étudier dans un pays francophone européen, mais vous ne savez pas où ? Voici les logements que vous pouvez louer pour 500 euros par mois.

1

Lille, en France
Un appartement de 28 à 44 m², à 3 km du centre-ville.

2

Pontivy, en France
Une maison de 100 m² de deux étages, avec un garage et un jardin.

Ah bon ?! +

Joli F2 de 43 m².
1 salon, 1 ch. et 1 sdb.
500€/mois CC.

En France, dans les petites annonces, un F2 (ou T2) est un appartement avec une cuisine et une salle de bains + deux pièces (généralement une chambre et un salon).

CC = charges comprises (entretien, eau, électricité...)
ch. = chambre
sdb = salle de bains

3

Bruxelles, en Belgique
Un appartement de 30 à 45 m² dans le centre-ville.

4

Paris, en France
Un studio de 9 à 16 m² dans la banlieue parisienne.

5

Genève, en Suisse
Seule possibilité : une chambre de 25 m² à 15 km de Genève, pour 600 € par mois.

Avant de lire

1. **Quels types de logement connaissez-vous ? Cherchez dans un dictionnaire si nécessaire.**
2. **Dans votre ville, quel est le prix moyen d'un loyer pour les logements suivants ?**
   - Un studio : ....
   - Un appartement de 60 m² : ....
   - Une maison : ....

Lire, comprendre et réagir

3. **Lisez le document. Quelle est la ville la plus chère ?**
4. **Dans quelle ville peut-on louer le plus grand logement pour 500 € ? Quel type de logement ?**
5. **Est-ce que quelque chose vous étonne ?**
   - *À Bruxelles, ce n'est pas cher !*
6. **Dans quelle ville aimeriez-vous habiter ?**
   - *J'aimerais habiter à Pontivy parce que la maison est grande.*
7. **Lisez l'encadré *Ah bon ?!* puis écrivez une petite annonce pour votre logement.**

   — Joli F2 de 50 m². 2 ch...

Écouter, comprendre et réagir

8. **Écoutez les témoignages. Repérez la ville, le type de logement et le nombre de m².** 26
   - Cheng : ....
   - Igor : ....
   - Yasmina : ....
   - Salif : ....

Mon panier de lexique

Quels mots du document voulez-vous retenir ? Écrivez-les.

....

....

26

Témoignages

Des étudiants en Erasmus parlent de leur logement.

Cheng

Yasmina

Igor

Salif

www.loca-bruxelles.def.be

1

Rez-de-chaussée

Premier étage

- Maison bruxelloise de 85 m² et de deux étages avec vue sur le jardin.
- Au rez-de-chaussée, il y a un salon, une salle à manger, une véranda et une cuisine. La véranda donne sur un jardin.
- À l'étage, il y a trois chambres, un dressing et une salle de bains.

♥ J'aime + Plus d'images

2

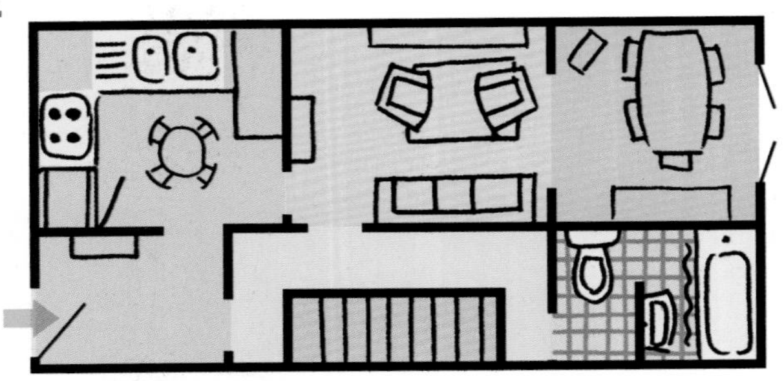

Rez-de-chaussée

Premier étage

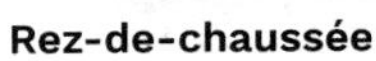

- Maison bruxelloise de 85 m² et de deux étages.
- Au rez-de-chaussée, il y a un salon, une salle à manger, une cuisine et une petite salle de bains.
- À l'étage, il y a trois chambres, un bureau et une grande salle de bains.

♥ J'aime + Plus d'images

Lire, comprendre et réagir

1. **Observez les plans et lisez les annonces. Identifiez les noms des pièces sur les plans et écrivez-les.**

Écouter, comprendre et réagir

2. **Un couple visite une des deux maisons. Écoutez le dialogue et identifiez la maison.** 27

3. **Écoutez les cinq cartes postales sonores. Où est-on ?** 28

Travailler la langue

4. **Complétez le tableau à l'aide du document.**

IL Y A / IL N'Y A PAS DE

On utilise **il y a** pour indiquer la présence de quelqu'un ou de quelque chose.

IL Y A + ARTICLE OU CHIFFRE + NOM

Ex. : ....

Dans les phrases négatives :

IL N'Y A PAS DE + NOM

Ex. : ***Il n'y a pas de*** *véranda dans la deuxième maison.*

→ CAHIER D'EXERCICES **P. 31** – EXERCICE 8

5. **Choisissez un plan du document. Faites un maximum de phrases à l'aide de l'encadré.**

• *La chambre est à côté du bureau...*

LES PRÉPOSITIONS DE LOCALISATION (1)

à gauche (de) à droite (de)

à côté (de)

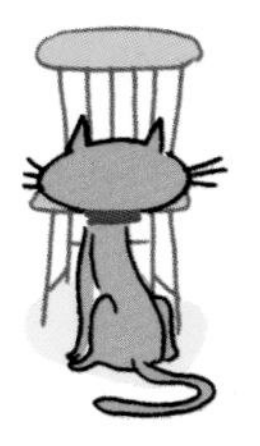

devant

derrière

au fond (de)

sous

sur

→ CAHIER D'EXERCICES **P. 30, 31** – EXERCICES 5, 6, 7

Produire et interagir

6. **Voici quelques spécificités de logements dans plusieurs pays. Est-ce la même chose dans votre pays ? Échangez en classe.**

- En France et au Japon, les toilettes et la salle de bains sont deux pièces différentes.
- En Espagne, dans certaines régions, il n'y a pas de chauffage dans les appartements.
- Au Cambodge, devant les maisons, il y a un bassin d'eau.

7. **Séparez la classe en deux groupes pour faire un concours de photos. À l'aide de l'encadré *Les prépositions de localisation*, une personne donne des indications au groupe pour composer une photo.**

• *Katrin, au fond de la salle. Klaus, devant Katrin...*

8. **Voulez-vous connaître d'autres mots du logement en français ?**

• *Comment on dit « Korridor » en français ?*

9. **Décrivez votre logement à un/e camarade (nombre de pièces, disposition, nombre de m²...). Il / Elle dessine un plan et vous le vérifiez.**

• *C'est un appartement de 75 m². Dans l'entrée, à droite, il y a la cuisine...*

10. **Échangez en classe sur votre logement. Dans quelle pièce...**

- vous passez beaucoup de temps : ....
- vous passez peu de temps : ....
- vous aimez être : ....
- vous n'aimez pas être : ....

• *Je passe beaucoup de temps dans la cuisine parce que j'adore cuisiner.*

11. **Présentez la maison de vos rêves à votre voisin/e.**

• *Dans la maison de mes rêves, il y a un salon, six chambres de luxe avec six salles de bains. Il y a aussi une grande piscine. Il y a une salle de cinéma pour regarder des films.*

MA DECO

http://www.madeco.def

MA DÉCO

PARTAGE D'IDÉES DÉCO

ET CHEZ VOUS, C'EST COMMENT ?

PARTAGEZ LA DÉCORATION DE VOTRE APPARTEMENT AVEC NOUS !

Martine : Pour moi, il y a trop de couleurs. Dans une chambre d'enfant, d'accord, mais pas dans une chambre d'adulte !

👍 5 👎 2

Adèle : Moi, j'aime beaucoup. C'est coloré et joyeux.

👍 1 👎 3

Manu : Il n'y a pas de lumière naturelle dans cette salle de bains ! C'est sombre. Désolé, je n'aime pas :-(

 3  8

Rémi : Je ne suis pas d'accord. C'est beau !

👍 9 👎 2

Clothilde : Ton salon est très zen et spacieux. C'est génial, c'est grand et calme ! Bravo, j'adore :-)

 5  2

Bouchra : Ah, cette lumière, j'adore ! Pour moi, un salon lumineux, c'est super !

👍 6  1

Lire, comprendre et réagir

1. **Observez les photos. Quelle est votre pièce préférée ?**

2. **Lisez chaque commentaire et dites s'il est positif ou négatif.**

3. **Avec quels commentaires êtes-vous d'accord ?**

• *Je suis d'accord avec Bouchra, le salon est lumineux !*

Travailler la langue

4. **Complétez le tableau à l'aide des commentaires.**

C'EST + ADJECTIF

C'EST + ADJECTIF
au masculin s'utilise pour exprimer un jugement, faire un commentaire ou une appréciation.
Ex. : ...., ..., ..., ..., ...

! Pour donner son opinion sur quelqu'un, on utilise
IL / ELLE EST + ADJECTIF
Ex. : ***Il est** gentil. **Elle est** gentille.*

→ CAHIER D'EXERCICES **P. 32, 34** – EXERCICES 10, 11, 12, 23

5. **Reliez les adjectifs à leur contraire.**

joyeux O	O laid
sombre O	O triste
beau O	O nul
génial O	O bruyant
calme O	O lumineux
grand O	O petit

Produire et interagir

6. **Dites des lieux ou des monuments de votre ville ou région à un/e camarade. Il / Elle donne son avis en utilisant *C'est* + adjectif.**

• *La place Rouge ?*
○ *J'aime bien parce que c'est beau, c'est grand, c'est impressionnant...*

7. **Cherchez sur Internet l'image d'un objet ou d'un paysage insolite ou original. Vos camarades réagissent.**

• *C'est drôle !*
○ *Je ne suis pas d'accord : c'est dangereux !*

Écouter, comprendre et réagir

8. **Écoutez les trois dialogues sur les souvenirs de voyage. De quels objets parlent-ils ? Quels adjectifs sont utilisés pour décrire ces objets ?** (29)

1. ....

2. ....

3. ....

DÉFI #01
ÉLABORER UNE CARTE DES LOGEMENTS DE VOTRE PAYS

Vous allez élaborer une carte qui présente les logements accessibles dans votre pays pour un montant de votre choix.

▸ Choisissez un montant de loyer mensuel.

▸ Sur une carte de votre pays, écrivez le nom des principales villes ou régions.

▸ Divisez la classe en plusieurs groupes. Chaque groupe fait des recherches de logements dans une ville ou une région.

▸ Mettez vos résultats en commun : affichez les descriptions des logements sur la carte.

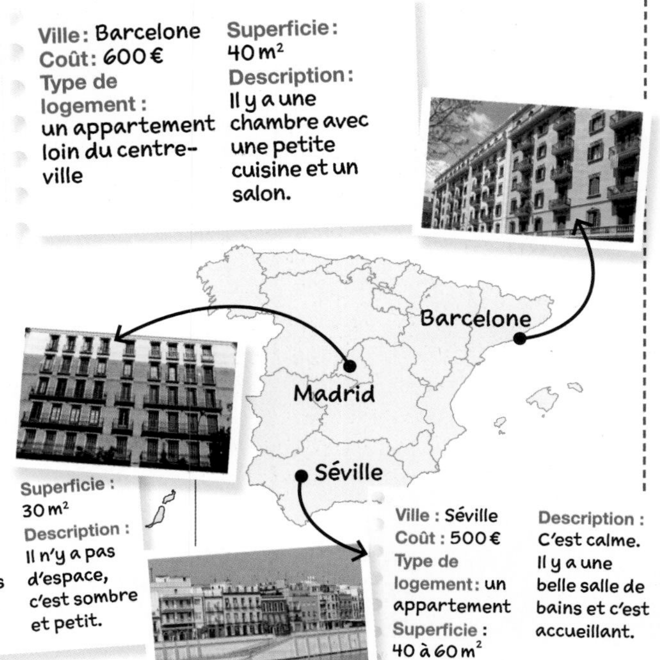

Les chambres de bonne

Les plus petits logements parisiens

Au XIXe siècle, les bonnes (les employées de maison) des familles riches de Paris vivent dans des chambres d'environ 9 m². Ces chambres sont sous les toits, au dernier étage de l'immeuble, sans ascenseur. Souvent, il y a une seule salle de bains pour cinq ou six chambres.
Aujourd'hui, les chambres de bonne sont occupées par des étudiants.

Ah bon ?! +

Aujourd'hui, on n'utilise pas le mot « bonne ». On dit **« employé/e de maison »**.

30

Témoignages

Des personnes donnent leur avis sur leur logement.

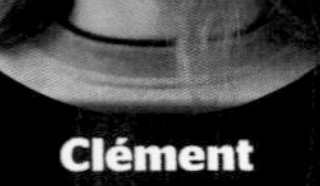

Clément

Maja

Thomas

Avant de lire

1. À votre avis, qu'est-ce qu'un « petit » logement ? Échangez en classe.

2. Observez le dessin et la photo de fond. À votre avis, où sont situées les chambres de bonne ? Entourez-les sur la photo.

Lire, comprendre et réagir

3. Lisez le document et complétez la fiche.

Les caractéristiques d'une chambre de bonne :
- Ville : ....
- Nombre de m² : ....
- Situation dans l'immeuble : ....
- Avec ou sans ascenseur : ....
- Type de locataires aujourd'hui : ....

4. Observez l'affiche de film. À votre avis, qui sont les femmes du 6e étage ? Où sont-elles sur l'affiche ? Pourquoi ?

5. Ce type de logement existe-t-il dans votre pays ?

Écouter, comprendre et réagir

6. Écoutez les témoignages et complétez le tableau. 30

	Clément	Maja	Thomas
m²			
étage			
ascenseur			
prix du logement			

Regarder, comprendre et réagir

Retrouvez la vidéo et les activités sur espacevirtuel.emdl.fr

Les chambres de bonne à Paris

Mon panier de lexique

Quels autres mots pour parler d'un logement voulez-vous connaître ? Écrivez-les.

....

....

LUI DÉCO

Comment aménager les petits espaces

VOUS HABITEZ DANS UN PETIT APPARTEMENT ET VOUS CHERCHEZ DES SOLUTIONS POUR AMÉNAGER L'ESPACE ? VOICI UNE SÉLECTION DE MEUBLES ET D'IDÉES POUR GAGNER DE LA PLACE.

Snaidero

1

La cuisine est dans un placard : il y a un réfrigérateur, un lave-vaisselle et une cuisinière.

LA BONNE IDÉE : quand on ferme le placard, on ne voit pas la cuisine !

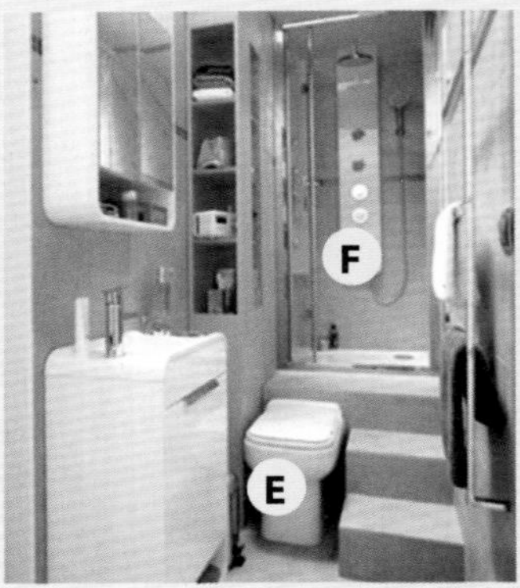

Leroy Merlin

2

Dans cette salle de bains, les toilettes sont en bas et la douche est en haut.

LA BONNE IDÉE : l'escalier sert à ranger des produits d'entretien.

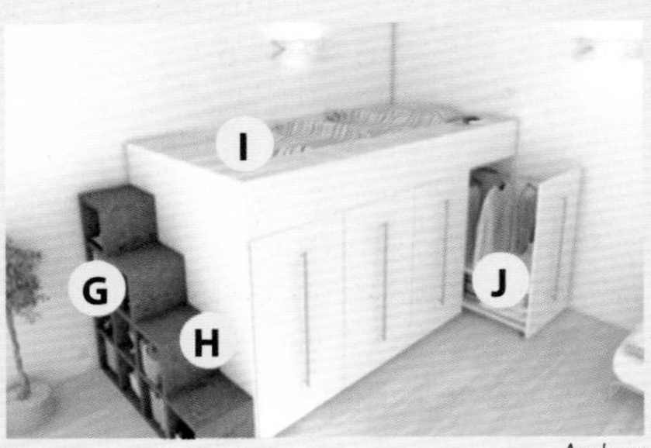

Archea

3

Voici un meuble très pratique, avec un lit en haut et une armoire en bas.

LA BONNE IDÉE : l'escalier peut être aussi une bibliothèque.

Espace Loggia

4

Le meuble de cette chambre est à la fois un bureau, un lit et des fauteuils !

LA BONNE IDÉE : Vous pouvez ranger vos affaires sous les fauteuils.

Côté maison

5

Pas de place pour la table et les chaises ? La solution : une table pliante.

LA BONNE IDÉE : les chaises pliantes peuvent se ranger facilement.

ASTUCES COULEURS

Choisissez des couleurs qui vont bien ensemble :

Un salon bleu avec des fauteuils marron.

Une cuisine jaune avec des meubles rouges.

Une salle de bains blanche avec des meubles noirs.

Une table verte avec des chaises orange.

Attention, des pièces vertes ou marron, c'est élégant, mais sombre.

A. le placard
B. la cuisinière
C. le lave-vaisselle
D. le réfrigérateur
E. les toilettes
F. la douche
G. la bibliothèque
H. l'escalier
I. le lit
J. l'armoire
K. le fauteuil
L. le bureau
M. la chaise
N. la table

Lire, comprendre et réagir

1. Lisez l'article. Sur les photos, entourez les meubles qui ont plusieurs fonctions. À quoi servent-ils ?

• *Sur la photo 3, l'escalier sert à monter sur le lit et à ranger des livres.*

2. Quelles sont les bonnes idées pour votre appartement ? Échangez en classe.

• *Pour moi, c'est le meuble de la photo 4 parce que je n'ai pas de place dans ma chambre pour avoir un bureau.*

3. Avez-vous des problèmes de place chez vous ? Si oui, lesquels ? Échangez en classe.

• *Chez moi, je n'ai pas de place pour inviter des amis.*

Travailler la langue

4. Complétez le cercle chromatique à l'aide de l'encadré *Astuces couleurs*.

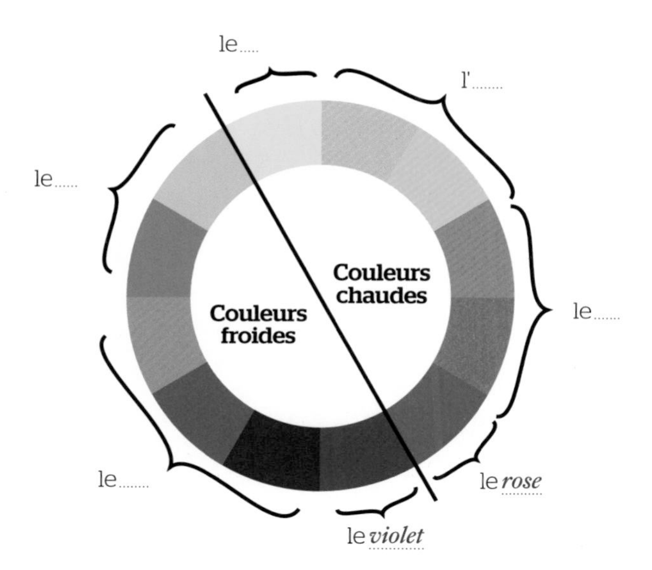

5. Complétez le tableau à l'aide de l'encadré *Astuces couleurs*.

LES ADJECTIFS DE COULEUR

• Le féminin des adjectifs de couleur se forme avec le masculin + ______.
Ex. : *bleu → bleu**e**, vert →* ______
• Le pluriel se forme en ajoutant un ______ au singulier.
Ex. : *vert → vert**s**, verte →* ______

! blanc → blan**che**
! **orange** et **marron** sont invariables.

→ CAHIER D'EXERCICES **P. 33** – EXERCICE 17

Travailler la langue

6. Complétez le tableau à l'aide de l'article.

LE VERBE *POUVOIR*

Je	**peu**x
Tu	**peu**x
Il/Elle/On	
Nous	**pouv**ons
Vous	
Ils/Elles	

POUVOIR + INFINITIF
permet d'exprimer la possibilité.
Ex. : ....
Dans les phrases négatives, on place **pas** entre le verbe **pouvoir** et l'infinitif.
Ex. : *Vous **ne** pouvez **pas** ranger vos affaires.*

→ CAHIER D'EXERCICES **P. 34** EXERCICES 19

Produire et interagir

7. Voulez-vous connaître d'autres noms de meubles en français ?

• *Comment on dit « criado-mudo » en français ?*

8. Devinez de quels meubles il s'agit. Il y a plusieurs réponses possibles.

• Ça sert à dormir : ....
• Ça sert à s'asseoir : ....
• Ça sert à se reposer : ....
• Ça sert à ranger des vêtements : ....
• Ça sert à ranger des affaires : ....

9. À votre tour, inventez des devinettes sur des meubles ou des objets.

10. Observez les photos de l'article et mémorisez-les. Un/e camarade vous pose des questions.

• *De quelle couleur est le placard sur la photo 1 ?*
○ *Vert !*

11. Complétez la fiche et échangez avec un/e camarade.

• La couleur de ta chambre : ....
• Les couleurs que tu aimes : ....
• La couleur de ton salon : ....
• La couleur de ta salle de bains : ....
• La couleur de ta cuisine : ....
• La couleur de ta pièce préférée : ....

12. Que pouvez-vous faire dans ces pièces ? Répondez en petits groupes.

la chambre | la salle de bains | la cuisine | le salon | ...

• *Dans ma chambre, je peux dormir, je peux lire...*

Avant de lire

1. **Connaissez-vous le feng shui ?**

LA MINUTE ZEN

LES RÈGLES DU FENG SHUI

Le feng shui est un art de vivre d'origine chinoise. Il est très pratiqué au Vietnam et de plus en plus en Europe.

À QUOI ÇA SERT ?

Le feng shui sert à aménager les espaces pour vivre mieux. Tout est important : la disposition des pièces et des meubles, les couleurs et les formes.

LES CONSEILS DE MAÎTRE HAN

Pour avoir une maison feng shui, vous devez suivre quelques règles simples...

IL FAUT...
- mettre le canapé contre un mur
- mettre les fauteuils en face du canapé
- placer la table basse entre le canapé et les fauteuils
- mettre les plantes dans les coins de la pièce
- installer le bureau loin du canapé
- placer des lampes près du canapé

IL NE FAUT PAS...
- mettre le canapé devant une fenêtre
- placer le bureau en face d'un mur

ET LES COULEURS ? Vous devez faire attention aux couleurs et à leurs effets...

Le vert favorise la créativité.

Le blanc favorise le calme et le repos.

L'orange favorise la convivialité.

Le marron, le noir et le gris favorisent l'anxiété et la tristesse.

Lire, comprendre et réagir

2. Lisez l'article et repérez les parties qui présentent...

- le feng shui
- ses objectifs
- ses règles

3. En petits groupes, dessinez un salon feng shui à l'aide de cet encadré et de l'encadré de la page 65.

LES PRÉPOSITIONS DE LOCALISATION (2)

dans le coin | contre | en face de

entre... (et)... | près de | loin de

➔ CAHIER D'EXERCICES P. 30, 31 – EXERCICES 5, 6, 7

4. Est-ce que votre logement respecte les règles du feng shui ?

- *Non, parce que mon canapé n'est pas contre un mur.*

Travailler la langue

5. Complétez le tableau à l'aide de l'article

IL FAUT + INFINITIF

IL FAUT + INFINITIF sert à exprimer une obligation ou une nécessité.
Ex. : ***Il faut** mettre les plantes dans les coins de la pièce.*
Ex. : ....

Dans les phrases négatives, on place **pas** entre **il faut** et l'infinitif.
Ex. : *Il **ne** faut **pas** placer le bureau en face d'un mur.*

➔ CAHIER D'EXERCICES P. 34 – EXERCICES 18, 19

Travailler la langue

6. Complétez le tableau à l'aide de l'article.

LE VERBE *DEVOIR*

Je	**dois**
Tu	**dois**
Il/Elle/On	**doit**
Nous	**dev**ons
Vous	
Ils/Elles	**doiv**ent

DEVOIR + INFINITIF

permet d'exprimer l'obligation.
Ex. : ....
Dans les phrases négatives, on place **pas** entre le verbe **devoir** et l'infinitif.
Ex. : *Vous **ne** devez **pas** mettre le canapé devant la fenêtre.*

➔ CAHIER D'EXERCICES P. 34 – EXERCICES 18

Produire et interagir

7. Observez cette photo. En petits groupes, retrouvez les meubles et les objets bien placés et mal placés d'après les règles du feng shui.

- *La plante est bien placée ?*
- *Oui, parce que les plantes doivent être dans les coins.*

8. En petits groupes, écrivez trois conseils pour avoir un logement...

calme | accueillant | coloré | lumineux | ...

— *Pour avoir un logement calme, il ne faut pas avoir de télévision...*

DÉFI #02
DESSINER LE PLAN D'UN APPARTEMENT IDÉAL EN COLOCATION

Vous allez dessiner le plan d'un appartement idéal en colocation et le présenter à la classe.

- Complétez une fiche comme dans l'exemple.
- En petits groupes, échangez sur vos goûts similaires et vos différences.
- Choisissez l'aménagement des pièces et la disposition des meubles pour satisfaire chacun/e.
- Dessinez le plan de votre appartement et présentez-le à la classe.

Ma pièce préférée : *la cuisine*
Ma couleur préférée : *le jaune*
Mes meubles indispensables : *un fauteuil, une table*
Je ne peux pas vivre sans : *mon chat*
Chez moi, j'adore : *écouter de la musique très fort*

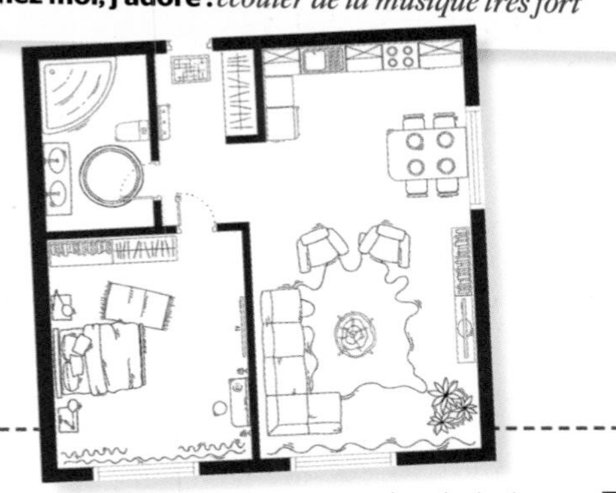

Les mots assortis

1. Utilisez ces phrases pour décrire votre logement.

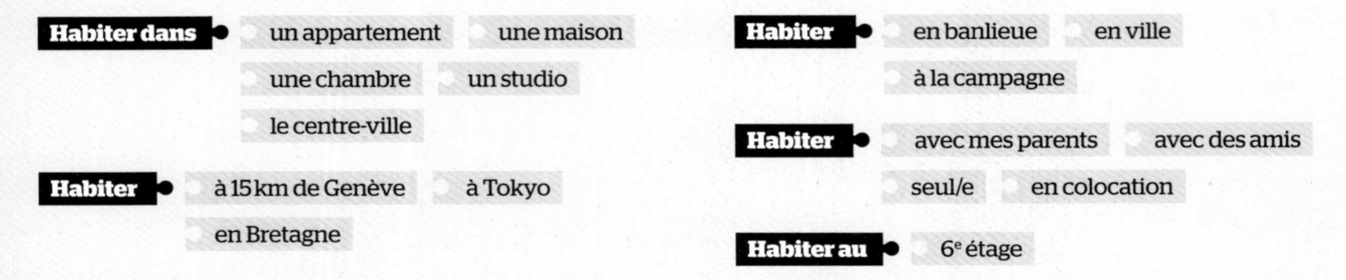

2. Observez ces expressions et traduisez-les dans votre langue. Utilisez-vous les mêmes structures ?

- Mon appartement fait 50 m². ....
- J'habite dans un appartement de 50 m². ....
- Tu paies combien de loyer ? ....
- Mon loyer est de 450 €. ....
- Comment c'est chez toi ? ....
- Chez moi, c'est beau ....
- Chez moi, il y a de la place. ....
- Chez moi, il n'y a pas d'ascenseur. ....
- Chez moi, j'ai un grand canapé. ....
- On va chez moi ? ....

Mes mots

3. Complétez la carte mentale du logement avec les mots utiles pour vous. Vous pouvez ajouter des branches si nécessaire.

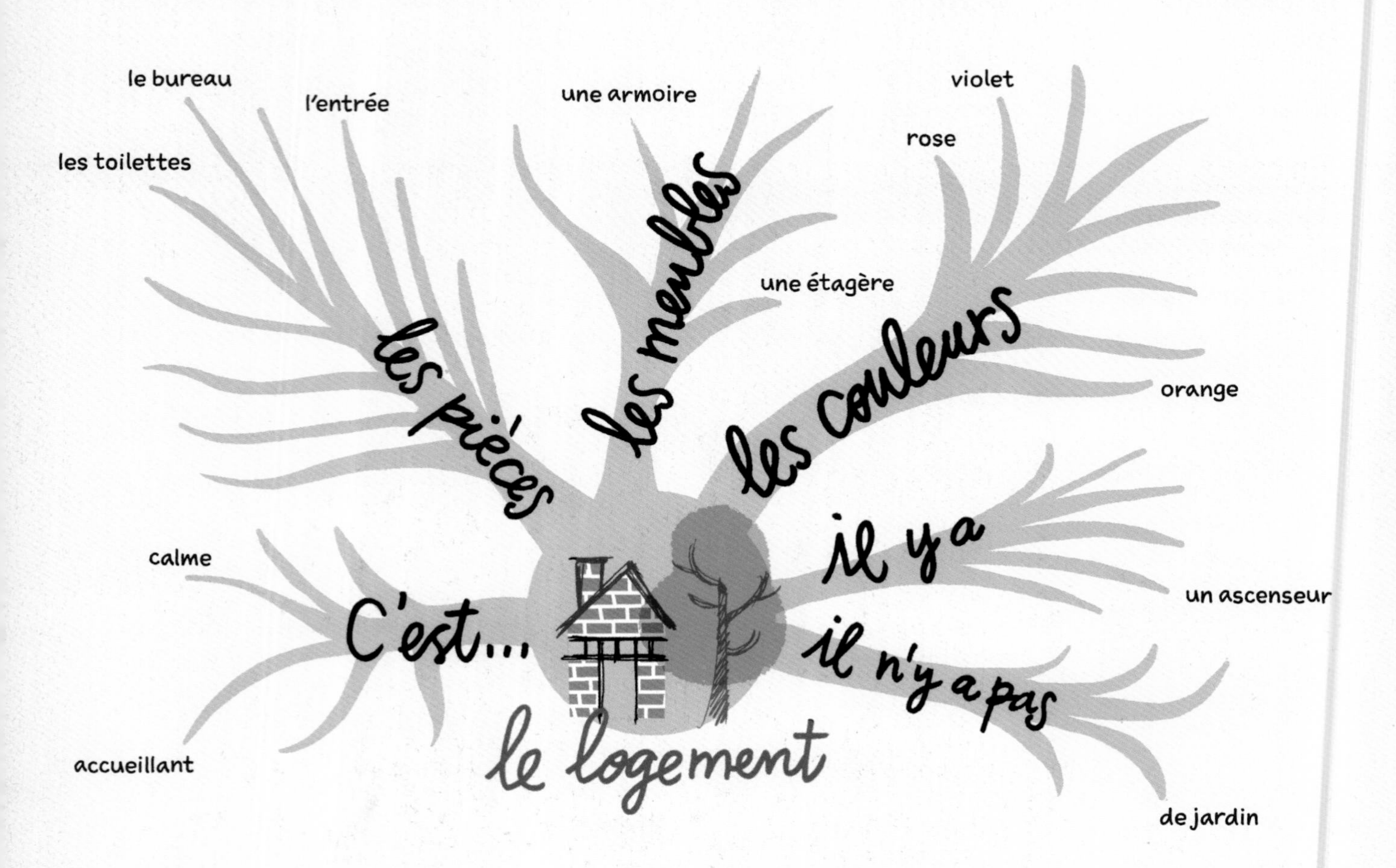

Metro boulot dodo

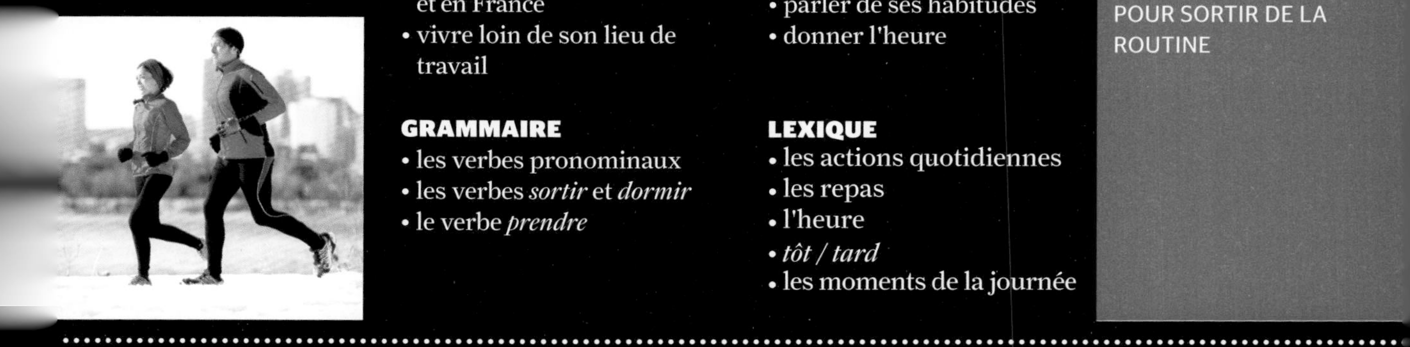

DOSSIER 01
Le rythme de vie

CULTURE(S) ET SOCIÉTÉ(S)
- les rythmes de vie au Québec et en France
- vivre loin de son lieu de travail

GRAMMAIRE
- les verbes pronominaux
- les verbes *sortir* et *dormir*
- le verbe *prendre*

COMMUNICATION
- parler des rythmes de vie
- parler de ses habitudes
- donner l'heure

LEXIQUE
- les actions quotidiennes
- les repas
- l'heure
- *tôt / tard*
- les moments de la journée

DÉFI #01
DONNER DES CONSEILS POUR SORTIR DE LA ROUTINE

DOSSIER 02
Le temps de travail

CULTURE(S) ET SOCIÉTÉ(S)
- le temps de travail en Belgique, en France et en Suisse
- le travail du dimanche en France
- les rythmes scolaires en France et à l'île Maurice

GRAMMAIRE
- les adverbes et les locutions de fréquence

COMMUNICATION
- indiquer la fréquence
- donner la date
- situer dans le temps et exprimer la durée

LEXIQUE
- le temps de travail
- les jours de la semaine
- les mois et les saisons
- les vacances et jours fériés
- situer dans le temps et exprimer la durée

DÉFI #02
FAIRE LE CALENDRIER DES JOURS PRÉFÉRÉS DE LA CLASSE

Le rythme de vie des Québécois

Au Québec, la journée de travail commence tôt et se termine tôt : les Québécois travaillent de 8 h à 17 h.

Le matin, ils se réveillent vers 6 h - 6 h 30. 60 % des Québécois ne prennent pas de petit déjeuner, mais ils prennent souvent un café sur la route ou sur leur lieu de travail.

Le midi, la pause est courte : en général, ils déjeunent entre 12 h et 13 h, souvent au travail.

Après le travail, ils dînent vers 17 h - 18 h, c'est le repas le plus important de la journée.

Le soir, les Québécois font souvent des activités : sport, cours, cinéma, sorties entre amis ou en famille.

Ils se couchent tard, vers 23 h en semaine et vers minuit le week-end. Ils ne dorment pas beaucoup : en moyenne, sept heures par nuit en semaine, et sept heures et demie le week-end.

Ah bon ?! +

La langue française varie dans chaque pays francophone. Par exemple, le matin, les Français prennent le **petit déjeuner**, mais les Belges et les Québécois **déjeunent**. Le midi, les Français **déjeunent**, mais les Belges et les Québécois **dînent**. Le soir, les Français **dînent**, mais les Belges et les Québécois **soupent**.

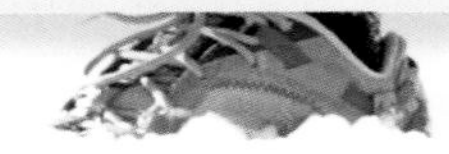

Avant de lire

1. Lisez le titre de l'article. À votre avis, que signifie « rythme de vie » ? Échangez en classe.

Lire, comprendre et réagir

2. Sans lire l'article en détail, repérez et soulignez tous les horaires. À votre avis, que font les Québécois à ces horaires ? Devinez ce que signifient les verbes qui précèdent chaque horaire.

3. Lisez l'article. Dessinez une frise avec les horaires et les activités des Québécois.

6h - 6h30
ils se réveillent

4. Complétez avec vos horaires.

- Je me réveille à ...... h ....

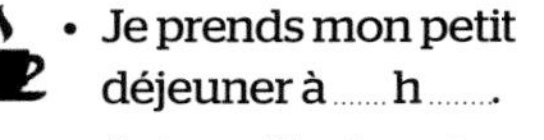
- Je prends mon petit déjeuner à ...... h ....

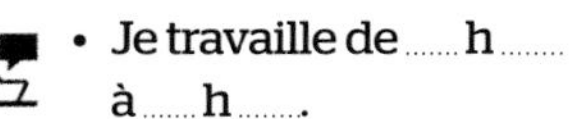
- Je travaille de ...... h ...... à ...... h ....

- Je déjeune à ...... h ....

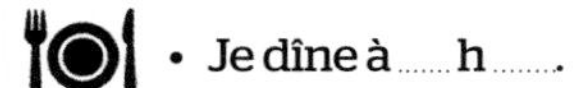
- Je dîne à ...... h ....

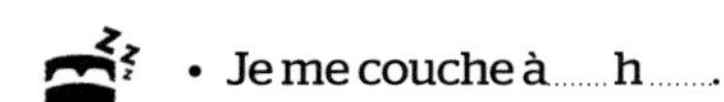
- Je me couche à ...... h ....

5. Comparez votre rythme de vie à celui des Québécois.

- *Moi aussi, je me couche tard.*

Écouter, comprendre et réagir

6. Écoutez les témoignages. De quel moment de la journée parlent ces personnes ? Complétez avec les étiquettes. C'est pareil (=) ou différent (≠) au Québec et en France ? Cochez la bonne réponse. 31

petit déjeuner | déjeuner | dîner | journée de travail

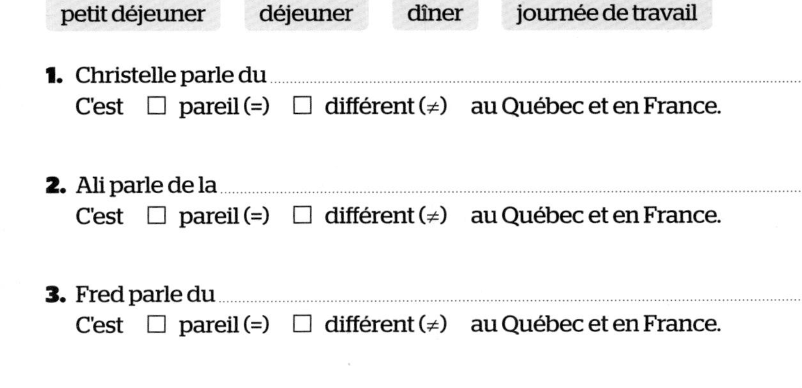

1. Christelle parle du ....
C'est ☐ pareil (=) ☐ différent (≠) au Québec et en France.

2. Ali parle de la ....
C'est ☐ pareil (=) ☐ différent (≠) au Québec et en France.

3. Fred parle du ....
C'est ☐ pareil (=) ☐ différent (≠) au Québec et en France.

4. Emma parle du ....
C'est ☐ pareil (=) ☐ différent (≠) au Québec et en France.

Mon panier de lexique

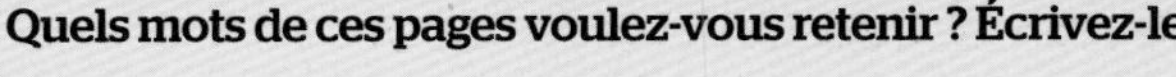

Quels mots de ces pages voulez-vous retenir ? Écrivez-les.

....

....

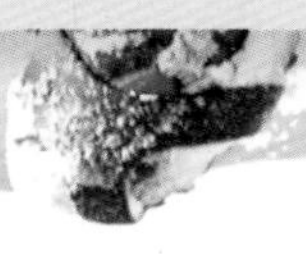

31

Témoignages

Des Français qui habitent à Montréal comparent les rythmes de vie en France et au Québec.

Christelle

Ali

Fred

Emma

LA MINUTE **CAFÉ**

Metz-Paris, Paris-Metz

Auteure : Pénépole Paicheler

Lire, comprendre et réagir

1. **Lisez la BD. Quelles actions sont illustrées par des dessins? Repérez les verbes dans les textes.**

2. **Complétez les horaires de Claire à l'aide de la BD.**

- Claire se lève à *5 h 45*
- Elle sort de sa maison à ....
- Elle prend le train à ....
- Elle arrive à Paris à ....
- Elle rentre à la maison à ....
- Elle dîne à ....
- Elle se couche à ....

Travailler la langue

3. Écrivez ces heures en chiffres à l'aide de la BD.

- six heures moins le quart : ....
- cinq heures quarante-cinq : ....
- six heures et quart : ....
- six heures quinze : ....
- six heures et demie : ....
- six heures trente : ....
- dix-neuf heures quarante-cinq : ....
- vingt heures : ....

4. Complétez l'encadré. Il y a plusieurs réponses possibles.

L'HEURE

8h00 :	....
8h05 :	huit heures cinq
8h10 :	....
8h15 :	....
8h25 :	huit heures vingt-cinq
8h30 :	....
8h40 :	....
8h45 :	....
8h50 :	huit heures cinquante / neuf heures moins dix
9h00 :	neuf heures
12h00 :	midi
00h00 :	minuit

→ CAHIER D'EXERCICES **P. 38** – EXERCICES 1, 2, 3, 4

5. Complétez le tableau à l'aide de la BD.

LES VERBES PRONOMINAUX

	SE LEVER	S'HABILLER
Je		
Tu		**t'habill**es
Il/Elle/On	**se lèv**e	**s'habill**e
Nous	**nous lev**ons	**nous habill**ons
Vous		**vous habill**ez
Ils/Elles		

Les verbes pronominaux se construisent toujours avec un pronom personnel placé avant le verbe : **me**, **te**, **se**, **nous**, **vous**, **se**.

❗ Quand le verbe pronominal commence par une voyelle ou un **h**, **me**, **te**, **se** deviennent **m'**, **t'**, **s'**.

→ CAHIER D'EXERCICES **P. 39** – EXERCICES 5, 6, 7

6. Soulignez les verbes pronominaux dans la BD.

Travailler la langue

7. Dans les langues que vous connaissez, y a-t-il des formes verbales similaires ? avec les mêmes verbes ?

Écouter, comprendre et réagir

8. Écoutez la conversation sur le rythme de vie de Pierre et complétez le tableau. (piste 32)

À quelle heure ?	Que fait-il ?

Produire et interagir

9. Selon vous, c'est tôt ou tard ? Échangez en classe.

- se lever à 6h du matin
- prendre le petit déjeuner à 9h
- déjeuner à 12h
- dîner à 18h
- partir du bureau à 18h
- aller au supermarché à 20h
- dîner à 22h
- se coucher à 1h du matin

- *Se lever à six heures du matin, c'est tôt ! Moi, je me lève à sept heures trente.*

10. Voici le découpage d'une journée en France. Écrivez le moment de la journée sous chaque horloge. Comment est divisée une journée dans votre pays/région ?

le soir | le matin | la nuit | le midi | l'après-midi

6h-12h ....

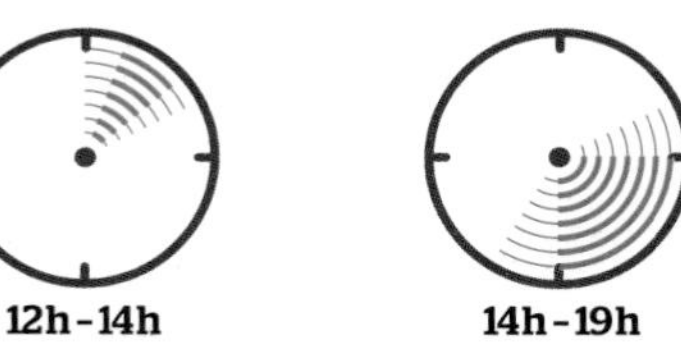

....

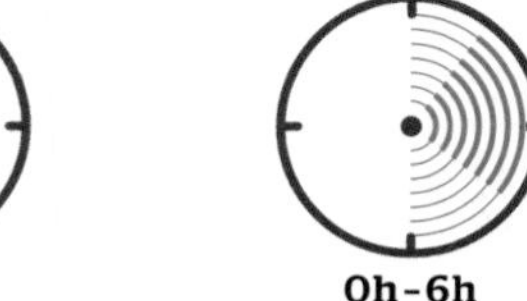

....

11. À deux, posez-vous des questions sur vos rythmes de vie. Écrivez les horaires quotidiens de votre camarade sur une feuille, sans écrire son prénom.

- *À quelle heure tu te réveilles ?*
- ○ *Je me réveille à 7h40.*
- *À quelle heure tu te douches ?*

— Il se réveille à 7h40.
— Il se douche à 8h00...

12. Mélangez et redistribuez les feuilles. Lisez votre feuille et devinez de quel(le) camarade il s'agit.

Avant de lire

1. Répondez aux questions puis échangez en classe. Pour vous, quel est le meilleur moment de la journée pour…

- faire du sport ?
- sortir avec des amis ?
- faire la sieste ?
- travailler ou étudier ?

- *Pour moi, le meilleur moment de la journée pour faire du sport, c'est le soir.*

2. Lisez les titres et observez les photos de l'article. Dites ce que font les personnes sur les photos aux heures indiquées.

Fatigué du métro, boulot, dodo ? Nos idées pour sortir de la routine

Se lever à 5 h du matin

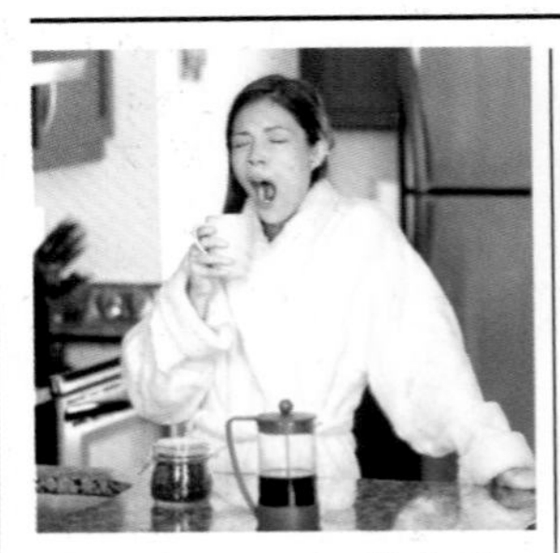

Marie-Lou se réveille à 5 h en semaine et à 6 h le week-end. Elle a deux heures pour elle avant d'aller au travail. À 5 h 30, elle sort faire son jogging, puis elle rentre et elle se douche.

« J'aime prendre un moment pour moi. Mon mari et mes enfants dorment. Je prends mon café dans le calme. Je suis bien. »

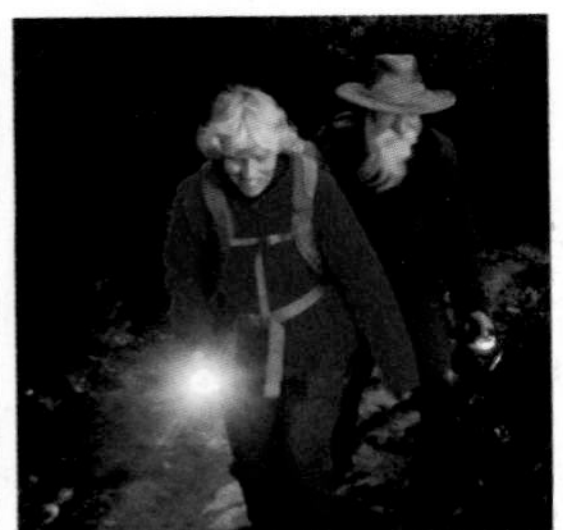

Claude et Chantal se lèvent à 5 h tous les jours. Ils sortent de la maison et se promènent dans la nature. Ensuite, ils prennent leur petit déjeuner dans un bar.

« Après la promenade du matin, nous avons de l'énergie et nous sommes de bonne humeur toute la journée. En plus, nous dormons bien la nuit. »

Faire la fête le matin

Gabrielle aime faire la fête mais elle n'aime pas se coucher tard. Parfois, elle sort danser avant d'aller au travail : de 6 h 30 à 8 h 30.

« Je me réveille à 5 h 30, je prends une douche, je m'habille, je me maquille… C'est tôt, mais c'est super parce que je sors avec mes amis ! Je dors moins mais je commence bien la journée. Et puis, je suis du matin ! »

Se reposer entre midi et deux

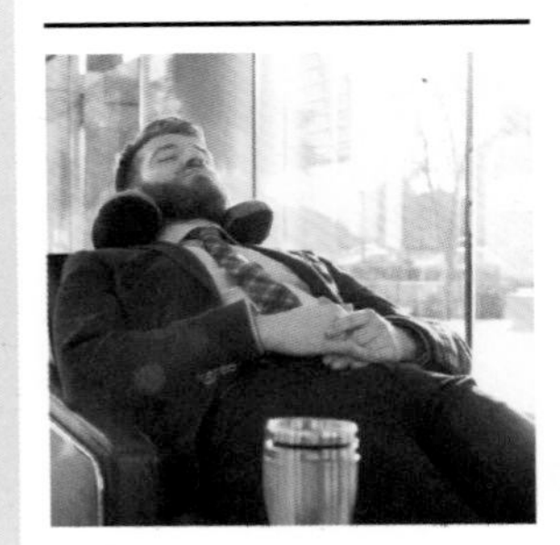

Alain aime se reposer pendant sa pause déjeuner. Il va souvent dans un bar à sieste à côté de son travail.

« Je fais une sieste de vingt minutes. Je ne dors pas toujours, mais je sors du bar reposé. »

Lire, comprendre et réagir

3. Lisez l'article. Quels sont les effets positifs de ces habitudes ?

- Pour Marie-Lou ?
- Pour Claude et Chantal ?
- Pour Gabrielle ?
- Pour Alain ?

4. Aimeriez-vous faire la même chose que ces personnes ?

- *J'aimerais faire comme Alain…*

Travailler la langue

5. Complétez les tableaux à l'aide de l'article.

LES VERBES *SORTIR* ET *DORMIR*

Je		
Tu	**sors**	**dors**
Il/Elle/On		**dort**
Nous	**sort**ons	
Vous	**sort**ez	**dorm**ez
Ils/Elles		

→ CAHIER D'EXERCICES **P. 39, 40** – EXERCICES 8, 9, 10

LE VERBE *PRENDRE*

Je	
Tu	**prend**s
Il/Elle/On	**prend**
Nous	**pren**ons
Vous	**pren**ez
Ils/Elles	

→ CAHIER D'EXERCICES **P. 39, 40** – EXERCICES 8, 9, 10

Travailler la langue

6. Relevez les expressions avec les verbes *sortir, prendre* et *faire*. Existent-elles dans votre langue ?

SORTIR
— *sortir de la routine*

PRENDRE

FAIRE

Écouter, comprendre et réagir

7. Trois personnes racontent ce qu'elles font pour sortir de la routine. Écoutez et complétez.
33

	Quand ?	Que font-elles ?
1.		
2.		
3.		

Produire et interagir

8. Avez-vous (ou vos proches) des habitudes originales ? Lesquelles ?

• *Mon frère se lève la nuit pour manger.*

9. Écrivez votre routine quotidienne. Utilisez les verbes *sortir, prendre* et *faire*.

- Avant le travail, *je prends un café...*
- Après le travail, ...
- Le week-end, ...

10. En petits groupes, mettez vos listes en commun et comparez.

11. Cette BD incomplète présente une journée dans la vie de Mathias. En petits groupes, dessinez des activités dans les cases vides. Puis écrivez un texte pour décrire sa journée et lisez-le à la classe. Comparez vos histoires.

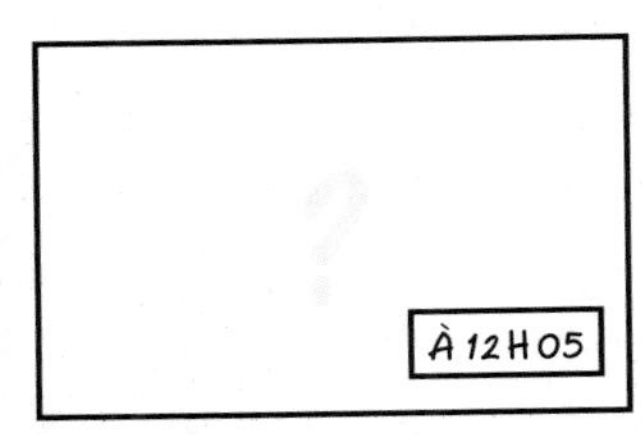

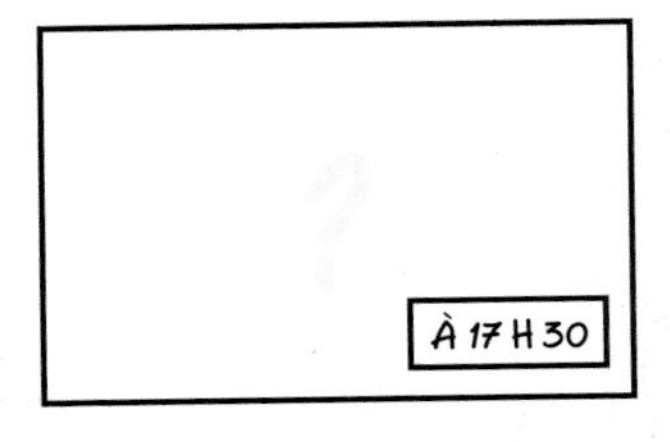

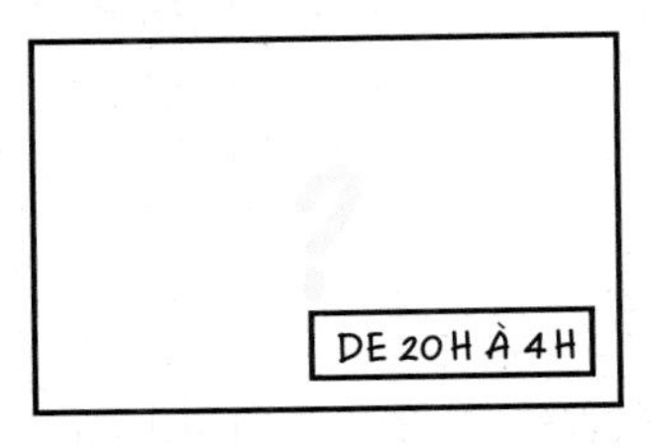

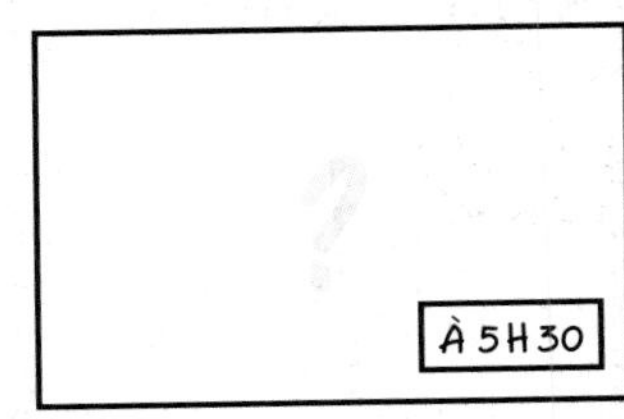

DÉFI #01
DONNER DES CONSEILS POUR SORTIR DE LA ROUTINE

Vous allez faire une proposition pour sortir de la routine à partir de votre expérience.

- Choisissez un contexte et remplissez une fiche comme dans l'exemple.

en couple | en famille | en vacances | au travail | à la maison | le week-end

- Puis écrivez un témoignage pour expliquer les effets positifs de votre proposition.
- Affichez votre texte dans la classe.
- Lisez les textes de vos camarades. Quelles idées aimeriez-vous suivre ?

CONTEXTE au travail
MOMENT DE LA JOURNÉE le soir
HEURE 19 h 30
PROPOSITION ne pas prendre le métro
EFFETS POSITIFS déconnecter, bien dormir

TÉMOIGNAGE
Je sors du travail tard et je suis stressée. Je prends le métro et je pense au travail. La nuit, je dors mal. Parfois, pour changer, je rentre chez moi à pied. Je marche quarante-cinq minutes, je fais du sport et je déconnecte ! Le soir, je suis bien et je dors bien.

Belgi

Temps de travail

On dit que les Français ne travaillent pas beaucoup. Est-ce que c'est vrai ? Nous comparons avec leurs voisins francophones.

Travail

Temps de travail

France 35 h

Belgique 38 h

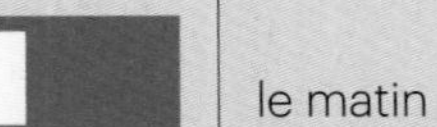

Suisse 45 h

Horaires de travail

le matin : de 9 h à 12 h

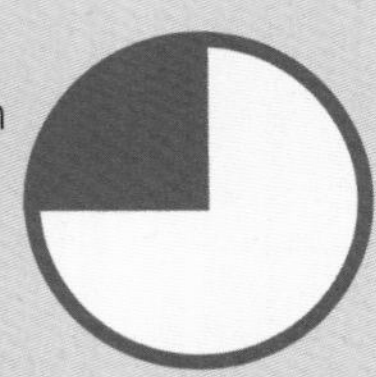

la pause déjeuner : entre 12 h et 14 h

l'après-midi : de 14 h à 18 h

Vacances

Nombre de jours fériés par an

France entre 11 et 13

Belgique entre 10 et 12

Suisse entre 7 et 15

Vacances

France 5 semaines par an

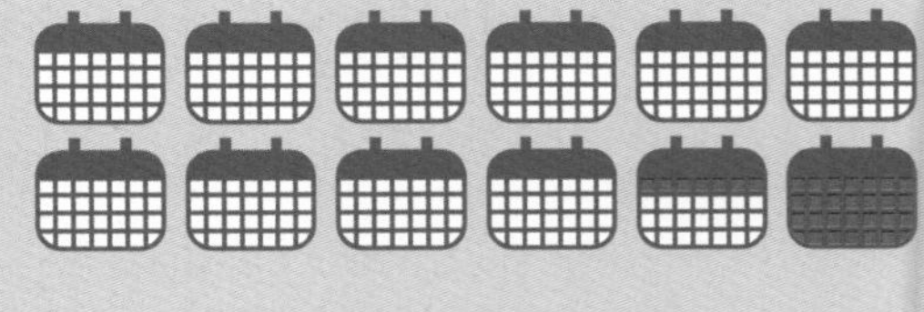

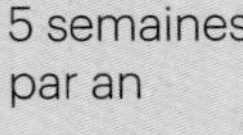

Belgique et Suisse 4 semaines par an

Témoignages

Trois Européens francophones parlent de leur rythme de travail.

Lily

Dan

Rose

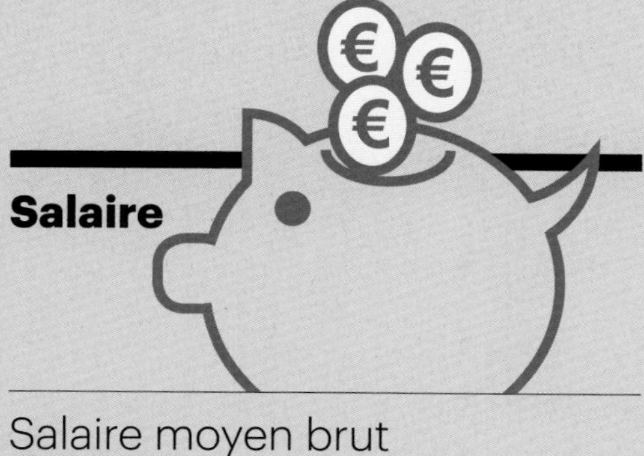

Salaire

Salaire moyen brut par mois

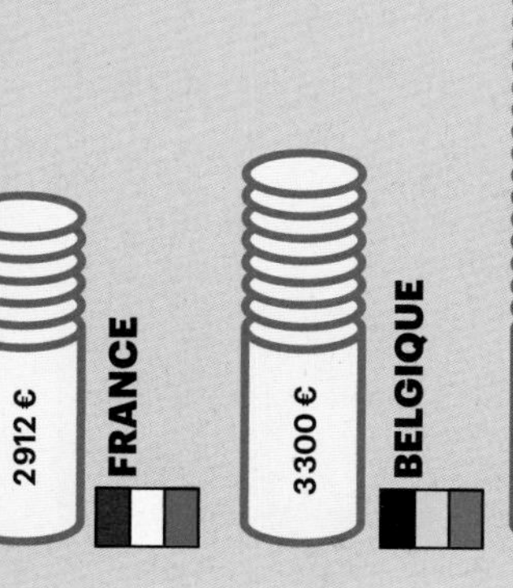

Salaire minimum brut par mois

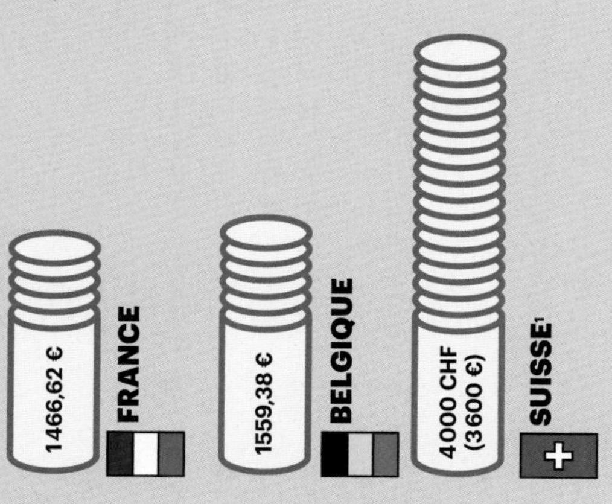

Retraite

Âge de départ à la retraite

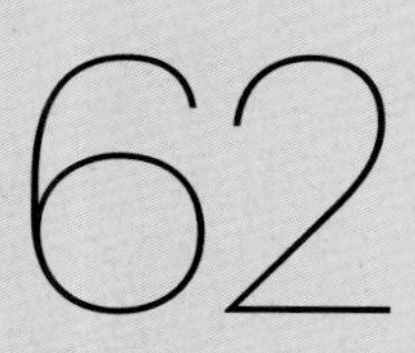

France

Belgique

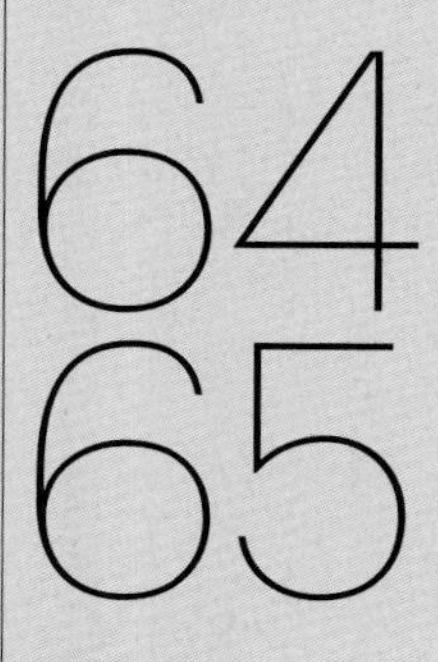

Suisse
(64 ans pour les femmes et 65 ans pour les hommes)

1. Il n'y a pas de salaire minimum officiel en Suisse, mais beaucoup d'entreprises payent au moins 4000 CHF.

Lire, comprendre et réagir

1. Lisez l'infographie et répondez aux questions. Dans quel pays...

- On travaille le plus ? ....
- On travaille le moins ? ....
- Il y a le plus de jours fériés ? ....
- Il y a le plus de jours de vacances ? ....
- On gagne le plus ? ....
- On part à la retraite le plus jeune ? ....

2. Dans quel pays aimeriez-vous travailler ? Pourquoi ?

- *J'aimerais travailler en France parce qu'il y a 5 semaines de vacances par an.*

3. En classe, présentez les données du travail dans votre pays.

- *En Espagne, on travaille 40 heures par semaine et 8 heures par jour. On a 14 jours fériés par an. On prend sa retraite à 65 ans...*

Écouter, comprendre et réagir

4. Écoutez ces témoignages sur le temps de travail et complétez le tableau. 34

	Nombre d'heures	Nombre de semaines de vacances	Pays
Lily			
Dan			
Rose			

Mon panier de lexique

Quels mots de ces pages voulez-vous retenir ? Écrivez-les.

....

....

Ah bon ?! +

En France, beaucoup de gens travaillent plus de 35 heures par semaine. En échange, ils ont plus de jours de congés.

Avant de lire

1. Quel est le jour de repos dans votre pays ?
2. Quels jours de la semaine travaillez-vous ? Échangez en classe.
   - *Je travaille du lundi au samedi.*
   - *Moi, je ne travaille pas le samedi.*
3. Dans votre pays, qui travaille pendant le jour de repos ?
4. À votre avis, combien de Français travaillent parfois le dimanche ?
   ☐ 5 %   ☐ 25 %   ☐ >50 %

BLOGSPOT
http://www.lestravailleursdudimanche.fr.def

LES TRAVAILLEURS DU DIMANCHE

En France, traditionnellement, le dimanche est le jour de repos de la semaine. Mais, de plus en plus de gens travaillent ce jour-là et les Français ne sont pas tous d'accord sur ce sujet.

Qui sont les travailleurs du dimanche ?

Ce sont surtout des jeunes et des femmes. Ils travaillent dans la santé, les transports, l'hôtellerie-restauration et la sécurité...

Combien sont-ils ?

Un travailleur sur quatre travaille parfois le dimanche : presque tous les agriculteurs, beaucoup d'infirmiers, de policiers, d'employés de café, d'hôtel ou de restaurant.

Les travailleurs du dimanche ont un prénom et un visage. Voici leurs témoignages.

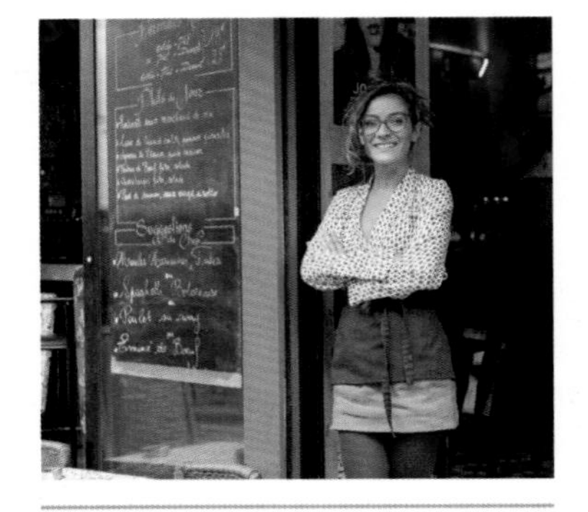

CLAIRE

« Je suis serveuse dans un restaurant. Je travaille six jours par semaine et un jour sur deux le week-end. Parfois, c'est le samedi, et parfois, le dimanche. Dimanche prochain, par exemple, je travaille le midi. C'est dur, parce que je ne peux pas passer le week-end avec mon copain et je suis toujours fatiguée. »

LÉA

« Moi, je suis infirmière. Tous les quinze jours, je travaille le samedi et le dimanche. Ce n'est pas un problème parce que je n'ai pas d'enfant. Et puis, je gagne 120 € de plus le dimanche et je ne travaille jamais le lundi. »

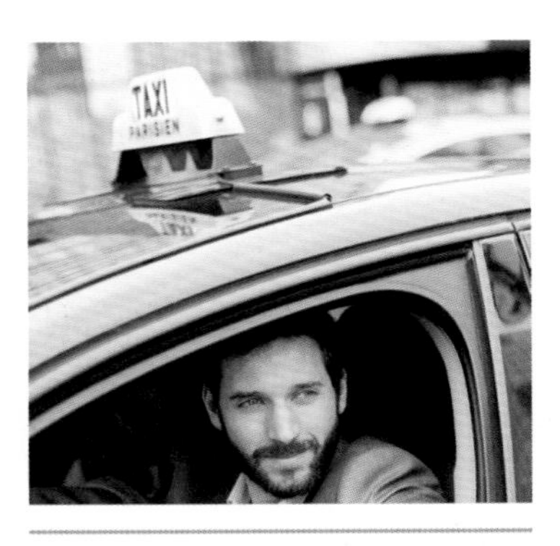

NOOR

« Je suis chauffeur de taxi et je travaille tous les week-ends. Le samedi, je commence à 17 h 30 et je travaille la nuit. Le dimanche, j'ai les mêmes horaires, et je travaille souvent le lundi. Le mercredi, c'est mon jour de congé, je peux m'occuper de mes enfants. J'aime bien ce moment. »

+ PLUS DE TÉMOIGNAGES

Lire, comprendre et réagir

5. **Lisez l'introduction du blog et vérifiez vos réponses de l'activité précédente.**

6. **Les professionnels qui travaillent pendant le jour de repos sont-ils les mêmes en France et dans votre pays ?**

7. **Lisez les témoignages et l'agenda et retrouvez son propriétaire.**

☐ Claire ☐ Léa ☐ Noor

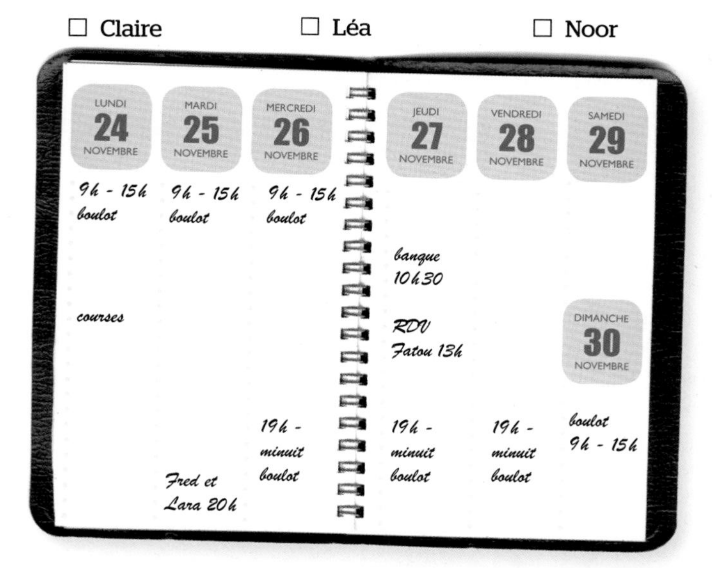

Travailler la langue

8. **Cochez la phrase qui exprime une habitude.**

☐ Le samedi, je commence à 17 h 30.
☐ Samedi, je commence à 17 h 30.

9. **Placez ces adverbes dans l'encadré à l'aide du blog.**

toujours jamais parfois

LES ADVERBES DE FRÉQUENCE

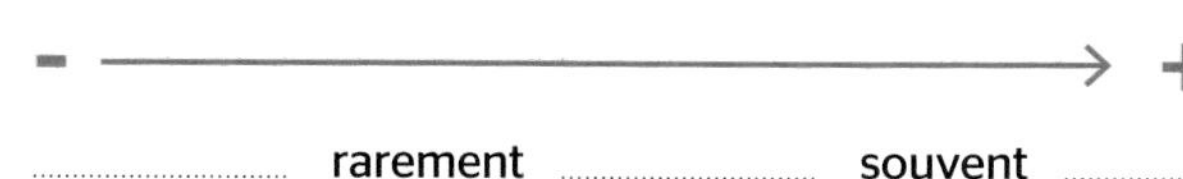

.... rarement .... souvent ....

❗ **Jamais** s'utilise uniquement dans des phrases négatives.

Ex. : ....

➔ CAHIER D'EXERCICES **P. 40, 41**– EXERCICES 11, 12, 13, 14, 15

10. **Comprenez-vous ces expressions ? Traduisez-les dans votre langue.**

- Six jours par semaine : ....
- Un jour sur deux : ....
- Tous les quinze jours : ....
- Tous les week-ends : ....

Travailler la langue

11. **Classez ces actions de la plus fréquente à la moins fréquente.**

- J'appelle mes parents toutes les semaines : ....
- J'appelle mes parents un dimanche sur deux : ....
- J'appelle mes parents tous les jours : ....
- J'appelle mes parents une fois par mois : ....

Produire et interagir

12. **À quelle fréquence faites-vous les choses suivantes ? Complétez la fiche et échangez en groupes.**

- Faire du sport : *Je ne fais jamais de sport.*
- Lire la presse : ....
- Écouter de la musique : ....
- Aller au cinéma : ....
- Manger au restaurant : ....
- Voir ses amis : ....
- Prendre le train : ....
- Aller à la montagne : ....

13. **Posez des questions à un/e camarade pour découvrir ses habitudes, à l'aide des étiquettes.**

tous les jours deux fois par semaine

tous les mois une fois par an

une fois tous les quinze jours

- *Qu'est-ce que tu fais tous les jours ?*

Regarder, comprendre et réagir

 **Retrouvez la vidéo et les activités sur** espacevirtuel.emdl.fr

Lire, comprendre et réagir

1. **Observez les documents. De quels pays viennent-ils ? Pouvez-vous situer ces pays sur une carte ?**
2. **Lisez les documents et dites dans quelle zone se trouve Toulouse.**
3. **Lisez les documents puis, avec deux couleurs différentes (une pour l'île Maurice et une pour Toulouse), entourez sur le calendrier :**
   - la rentrée scolaire
   - la fin de l'année scolaire
   - les périodes de vacances
4. **Quelles sont les ressemblances (=) et les différences (≠) entre les deux calendriers scolaires ?**
   - *En France, la rentrée est le 4 septembre, et à l'île Maurice, c'est le 9 janvier.*

1

ÉCOLE PRIMAIRE DU SUD
PORT-LOUIS • ÎLE MAURICE

CALENDRIER SCOLAIRE 2018

RENTRÉE SCOLAIRE
le 9 janvier 2018

VACANCES APRÈS LA PREMIÈRE PÉRIODE
du 30 mars au 16 avril 2018

VACANCES APRÈS LA DEUXIÈME PÉRIODE
du 13 juillet au 13 août 2018

VACANCES D'ÉTÉ AUSTRAL
à la fin des cours le 1er novembre 2018

2

ÉCOLE PRIMAIRE LOUISE MICHEL
TOULOUSE
ANNÉE SCOLAIRE 2017 – 2018

	zone A	zone B	zone C
	ACADÉMIES Besançon, Bordeaux, Clermont-Ferrand, Dijon, Grenoble, Limoges, Lyon, Poitiers	ACADÉMIES Aix-Marseille, Amiens, Caen, Lille, Nancy-Metz, Nantes, Nice, Orléans-Tours, Reims, Rennes, Rouen, Strasbourg	ACADÉMIES Créteil, Montpellier, Paris, Toulouse, Versailles
RENTRÉE SCOLAIRE	le 4 septembre 2017		
VACANCES DE LA TOUSSAINT	du 21 octobre au 6 novembre 2017		
VACANCES DE NOËL	du 23 décembre 2017 au 8 janvier 2018		
VACANCES D'HIVER	du 10 au 26 février 2018	du 24 février au 12 mars 2018	du 17 février au 5 mars 2018
VACANCES DE PRINTEMPS	du 7 au 23 avril 2018	du 21 avril au 7 mai 2018	du 14 au 30 avril 2018
VACANCES D'ÉTÉ	fin des cours : le 7 juillet 2018		

Ah bon ?!

En France, les élèves ne sont pas tous en vacances en même temps. La France est divisée en 3 zones (A, B et C) avec des dates de vacances différentes.

2017

SEPTEMBRE						
				1	2	3
4	5	6	7	8	9	10
11	12	13	14	15	16	17
18	19	20	21	22	23	24
25	26	27	28	29	30	

OCTOBRE						
						1
2	3	4	5	6	7	8
9	10	11	12	13	14	15
16	17	18	19	20	21	22
23	24	25	26	27	28	29
30	31					

NOVEMBRE						
		1	2	3	4	5
6	7	8	9	10	11	12
13	14	15	16	17	18	19
20	21	22	23	24	25	26
27	28	29	30			

DÉCEMBRE						
				1	2	3
4	5	6	7	8	9	10
11	12	13	14	15	16	17
18	19	20	21	22	23	24
25	26	27	28	29	30	31

2018

JANVIER						
1	2	3	4	5	6	7
8	9	10	11	12	13	14
15	16	17	18	19	20	21
22	23	24	25	26	27	28
29	30	31				

FÉVRIER						
			1	2	3	4
5	6	7	8	9	10	11
12	13	14	15	16	17	18
19	20	21	22	23	24	25
26	27	28				

MARS						
			1	2	3	4
5	6	7	8	9	10	11
12	13	14	15	16	17	18
19	20	21	22	23	24	25
26	27	28	29	30	31	

AVRIL						
						1
2	3	4	5	6	7	8
9	10	11	12	13	14	15
16	17	18	19	20	21	22
23	24	25	26	27	28	29
30						

MAI						
	1	2	3	4	5	6
7	8	9	10	11	12	13
14	15	16	17	18	19	20
21	22	23	24	25	26	27
28	29	30	31			

JUIN						
				1	2	3
4	5	6	7	8	9	10
11	12	13	14	15	16	17
18	19	20	21	22	23	24
25	26	27	28	29	30	

JUILLET						
						1
2	3	4	5	6	7	8
9	10	11	12	13	14	15
16	17	18	19	20	21	22
23	24	25	26	27	28	29
30	31					

AOÛT						
		1	2	3	4	5
6	7	8	9	10	11	12
13	14	15	16	17	18	19
20	21	22	23	24	25	26
27	28	29	30	31		

SEPTEMBRE						
					1	2
3	4	5	6	7	8	9
10	11	12	13	14	15	16
17	18	19	20	21	22	23
24	25	26	27	28	29	30

OCTOBRE						
1	2	3	4	5	6	7
8	9	10	11	12	13	14
15	16	17	18	19	20	21
22	23	24	25	26	27	28
29	30	31				

NOVEMBRE						
			1	2	3	4
5	6	7	8	9	10	11
12	13	14	15	16	17	18
19	20	21	22	23	24	25
26	27	28	29	30		

Travailler la langue

5. Complétez avec les mois et les saisons qui manquent à l'aide des documents et du calendrier.

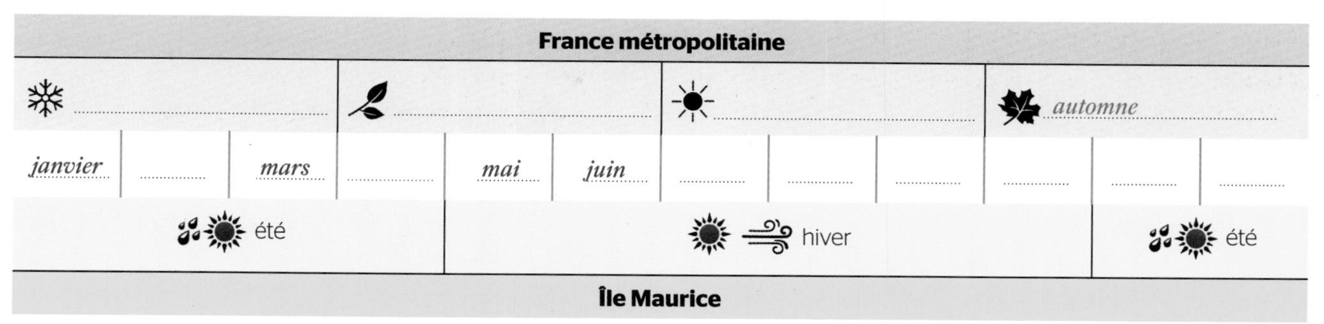

France métropolitaine											
❄			🍃			☀			🍁 *automne*		
janvier	....	*mars*	....	*mai*	*juin*	....	....	....	....	....	....
été				hiver						été	
Île Maurice											

➔ CAHIER D'EXERCICES P. 41, 42 – EXERCICES 18, 19, 20, 21

Écouter, comprendre et réagir

6. Écoutez ces trois personnes qui parlent des jours fériés dans leur pays et complétez le tableau. 35

	dates	événements
1.		
2.		
3.		

Produire et interagir

7. Quels sont les jours fériés de votre pays ? Échangez en petits groupes à l'aide de l'encadré.

- *Le 1er mai est férié, c'est la fête du Travail, c'est au printemps.*

SITUER DANS LE TEMPS
le 15 juillet
en juillet / **au** mois **de** juillet
en été, **en** automne,
en hiver, **au** printemps,
en 2017

EXPRIMER LA DURÉE
du 15 juillet **au** 13 août
de juin **à** septembre

➔ CAHIER D'EXERCICES P. 41 – EXERCICES 16, 17

Produire et interagir

8. Combien de saisons y a-t-il dans votre pays ou votre région ? Comment s'appellent-elles ? Combien de temps durent-elles ?

- *À Lima, il y a quatre saisons. Elles durent trois mois. L'hiver va de juin à septembre.*

9. Quand a lieu la rentrée scolaire dans votre pays ? Quelles sont les dates des vacances ?

10. En petits groupes, devinez vos dates d'anniversaire en vous posant des questions. Le / La interrogé/e répond uniquement par *oui, non, avant* ou après.

- *Ton anniversaire, c'est au printemps ?*
- ○ *Non, c'est après.*
- *C'est en été ?*
- ○ *Oui !*

DÉFI #02
FAIRE LE CALENDRIER DES JOURS PRÉFÉRÉS DE LA CLASSE

Vous allez créer le calendrier des jours préférés de la classe.

- Réfléchissez à votre jour préféré et répondez sur un post-it aux questions suivantes :
  - Pourquoi aimez-vous ce jour ?
  - Que faites-vous pendant cette journée ?
  - Avec qui avez-vous l'habitude de passer cette journée ?
- En petits groupes, mettez vos post-it en commun et créez votre calendrier des jours préférés de la classe. Affichez-le.

Les mots assortis

1. Continuez les séries. Il y a plusieurs options possibles.

dormir — peu — ....
— bien — ....

sortir — du travail — de chez soi — ....
— avec des amis

prendre — une douche — ....
— un café — un verre — ....
— le métro — le train — ....
— des notes

faire — la sieste — la fête

2. En groupes, discutez de vos habitudes à l'aide des expressions de l'activité précédente.

• *Le week-end, je dors beaucoup et je me réveille tard.*

La grammaire des mots

3. Observez les expressions. Où est placé le mot *lundi*?

lundi — matin — midi — après-midi — soir

le — **lundi** — **week-end**

le — **lundi** — **8 mai**

tous les — **lundis**

à — **lundi !**

4. Observez ces expressions et traduisez-les dans votre langue. Utilisez-vous les mêmes structures?

- Du lundi au vendredi : ....
- En semaine : ....
- En décembre : ....
- En été / automne / hiver : ....
- Au printemps : ....

5. Complétez avec les jours de la semaine.

- La semaine

.... — mardi — .... — jeudi — vendredi

- Le week-end

samedi — ....

6. Complétez les phrases suivantes et comparez vos réponses avec un/e camarade.

- Mon jour préféré est le ....
- J'aime partir en vacances en ....
- Je fête mon anniversaire en ....
- Le week-end, je ....
- Pour aller au travail, je prends ....

Mes mots

7. Choisissez un jour et complétez votre ligne de temps. Dessinez un logo et écrivez une phrase pour décrire chaque activité.

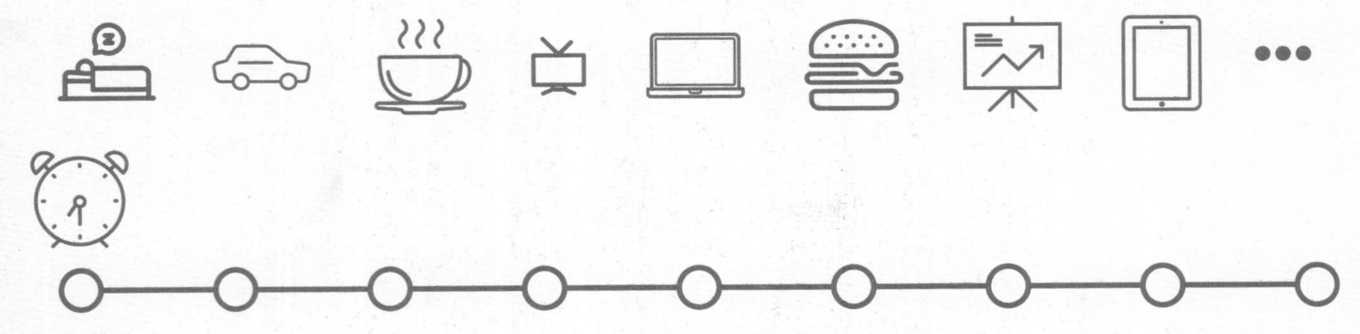

— *Le lundi, je me réveille à 7 h 30.*

Échappées belles

DOSSIER 01
Le temps libre

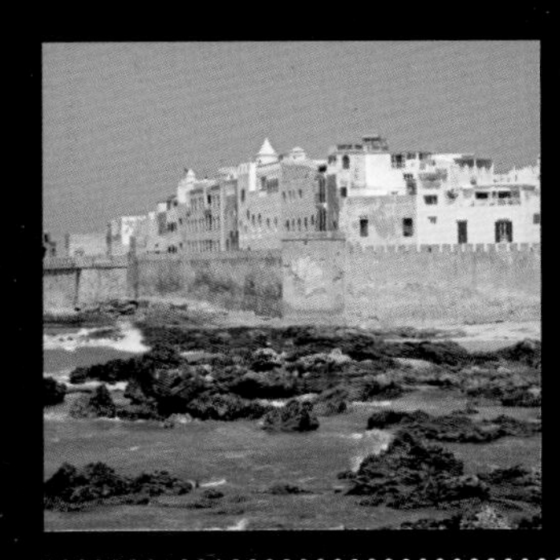

CULTURE(S) ET SOCIÉTÉ(S)
- les loisirs des habitants d'Essaouira
- les loisirs des Français
- les Français, Internet et les réseaux sociaux

GRAMMAIRE
- les articles contractés
- le verbe *faire*
- le verbe *jouer*
- le pronom *on* (1)
- *pour* et *parce que*

COMMUNICATION
- parler de ses loisirs
- parler d'Internet et des réseaux sociaux

LEXIQUE
- les loisirs (1)
- Internet et les réseaux sociaux

DÉFI #01
RÉALISER UN MINI-GUIDE DES LOISIRS DE LA VILLE

DOSSIER 02
L'amitié et les vacances

CULTURE(S) ET SOCIÉTÉ(S)
- quelques lieux de vacances francophones

GRAMMAIRE
- l'accord de l'adjectif qualificatif
- le pronom *on* (2)

COMMUNICATION
- identifier son profil de voyageur
- se décrire et décrire ses amis
- inviter quelqu'un ou faire une proposition
- accepter ou refuser une invitation

LEXIQUE
- les loisirs (2)
- l'amitié
- les traits de caractère

DÉFI #02
PROPOSER UN SÉJOUR ADAPTÉ À UN TRAIT DE CARACTÈRE

Un week-end à Essaouira
entre tradition et modernité

Que font les habitants d'Essaouira quand ils ont du temps libre ? Quatre habitants nous parlent de leurs loisirs le week-end.

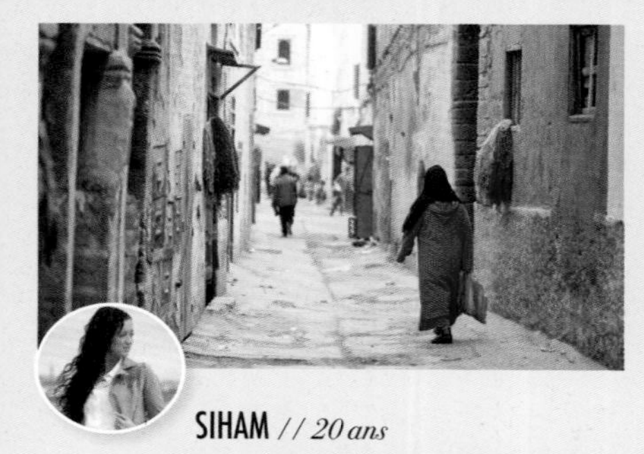

SIHAM // *20 ans*

Le week-end, j'aime me promener dans les rues de la médina, la partie historique de la ville. Elle est classée au patrimoine mondial de l'Unesco, c'est très beau. Je vais aux souks (les marchés traditionnels) tôt le matin parce qu'après il y a trop de touristes !

HICHAM // *45 ans*

J'adore la musique. Dans ma famille, tout le monde chante ou joue d'un instrument. En ce moment, on se prépare pour le Festival gnaoua. Pendant trois jours, il y a des concerts dans toute la ville. Les artistes jouent de la musique gnaoua, une musique traditionnelle marocaine. Les musiciens et le public viennent du monde entier, c'est génial !

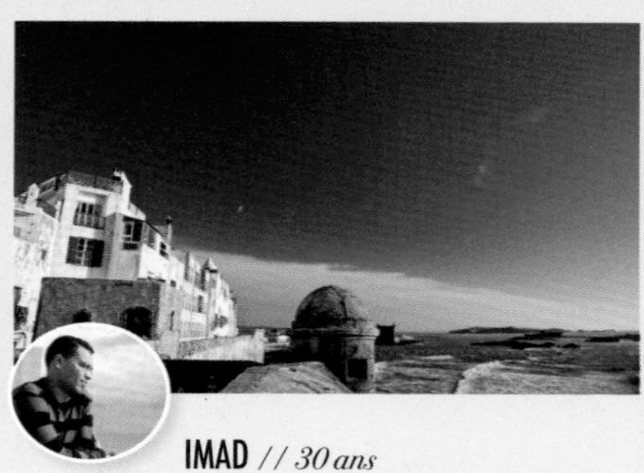

IMAD // *30 ans*

Le week-end, avec mes amis, on va souvent au Taros, un café-restaurant avec une grande terrasse. On voit tout : la ville, la médina, l'océan, c'est beau ! On boit un verre et on discute avec les touristes. Le soir, quand il y a des concerts, on fait la fête et on danse toute la nuit !

Avant de lire

1. Qu'est-ce que vous aimez faire le week-end ? Cochez.

- ☐ Je me repose.
- ☐ Je fais du sport.
- ☐ Je me promène.
- ☐ Je fais du shopping.
- ☐ Je visite des musées.
- ☐ Je lis.
- ☐ Je sors le soir et je fais la fête.
- ☐ Je regarde la télé.
- ☐ Autre : ....

2. Essaouira est une ville du Maroc. Que savez-vous de cette ville ou de ce pays ? Faites des recherches si nécessaire et échangez en classe.

Lire, comprendre et réagir

3. Lisez le document. Quelles sont les activités que vous aimeriez faire ?

• *J'aimerais me promener dans la médina.*
○ *Moi aussi, et j'aimerais bien faire du surf.*

4. Quelles sont les activités du document que vous associez à la tradition ? et à la modernité ? Échangez en classe.

• *Le surf, pour moi, c'est la modernité.*

5. Dans votre ville, quelles activités associez-vous à la tradition ? et à la modernité ?

Écouter, comprendre et réagir

6. Écoutez ce reportage sur Essaouira et écrivez les activités citées.

36 ....

Mon panier de lexique

Quels mots voulez-vous retenir pour parler des loisirs ? Écrivez-les.

....

....

NAJIB // *50 ans*

Le samedi, je vais chez Driss, une pâtisserie très ancienne. Avec mes enfants, on prend le petit déjeuner : on boit un thé à la menthe et on mange une pâtisserie. Après, on va se promener sur la plage ou sur le port.

AMINA // *19 ans*

Essaouira, c'est la ville du vent ! Le week-end, je fais de la planche à voile. Mes amis font du surf et du kitesurf. Il y a beaucoup d'écoles et de clubs pour prendre des cours.

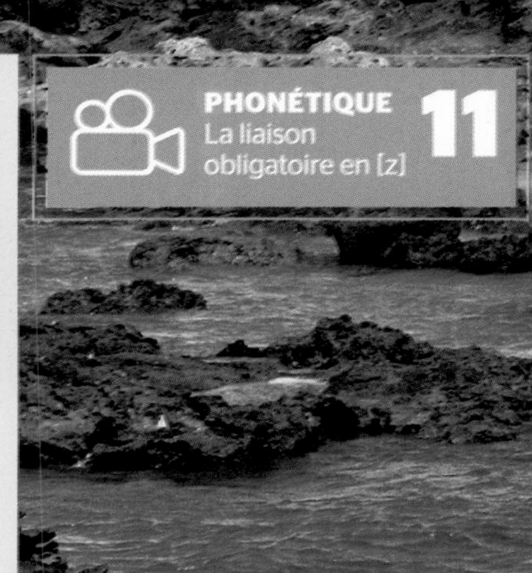

PHONÉTIQUE 11
La liaison obligatoire en [z]

Avant de lire

1. Quels mots associez-vous aux loisirs ? Complétez cette carte mentale. Puis, en petits groupes, comparez vos réponses.

Les loisirs des Français

Quelles sont leurs activités préférées ?

Les Français consacrent plus de 9 h par semaine à leurs loisirs. 65 % partagent leurs loisirs avec d'autres personnes, en général avec leur famille ou leurs amis.

Pour les Français, avoir du temps libre, c'est d'abord sortir (87 %). Ils aiment les sorties culturelles : ils vont au cinéma, au théâtre ou ils visitent des musées. Ils aiment aussi sortir le soir : ils vont au restaurant, ils sortent boire un verre ou ils vont danser en boîte de nuit.

Ensuite, pendant leur temps libre, les Français font du sport (67 %). Ils aiment faire de la randonnée, de la natation et du cyclisme. Ils aiment aussi jouer au football, au tennis, au rugby ou faire de l'équitation.

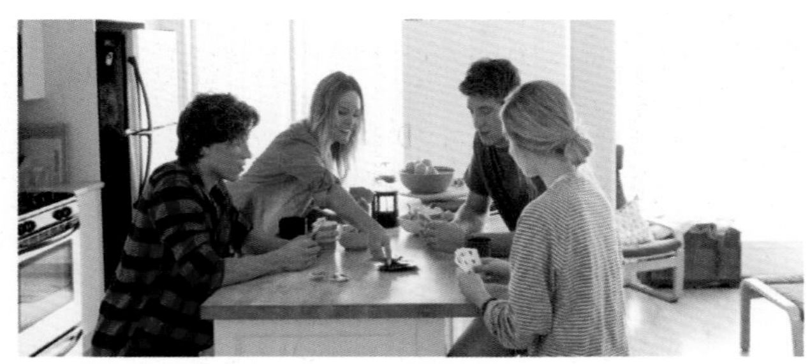

Les Français aiment également les jeux. Ils jouent souvent aux cartes, aux échecs ou aux jeux vidéo entre amis ou en famille.
Les loisirs créatifs sont importants pour eux (48 %) : ils font du dessin, de la peinture ou de la photo.

La musique est aussi appréciée : c'est le 5e loisir préféré des Français (19 %). Ils jouent surtout du piano et de la guitare.

Source : adapté de *Observatoire des loisirs des Français*, avril 2015, TNS SOFRES

Lire, comprendre et réagir

2. Lisez l'article et repérez les cinq catégories de loisirs. Puis complétez le classement.

❶ *les sorties culturelles* ❷ ....
❸ .... ❹ .... ❺ ....

Travailler la langue

3. Associez les activités aux photos.

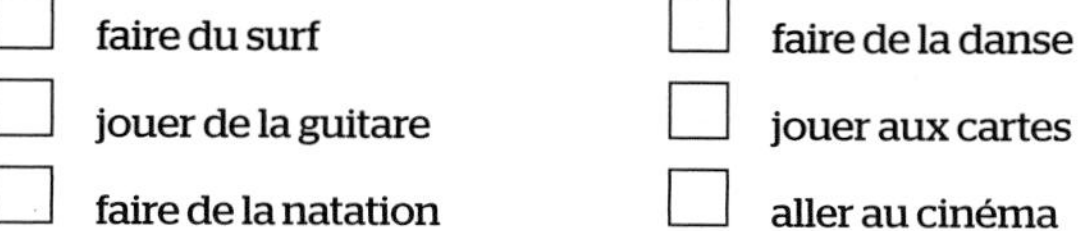

- ☐ jouer du piano
- ☐ faire du surf
- ☐ jouer de la guitare
- ☐ faire de la natation
- ☐ jouer au tennis
- ☐ faire de la danse
- ☐ jouer aux cartes
- ☐ aller au cinéma

1 
2 
3 
4 
5 
6 
7 
8 

4. Relevez dans l'article les expressions avec *jouer*, *faire* et *aller*.

JOUER DE + INSTRUMENT	JOUER À + SPORT OU JEU
— *jouer du piano*	— *jouer au football*

FAIRE DE + SPORT OU ACTIVITÉ	ALLER À + LIEU
— *faire du sport*	— *aller au cinéma*

Travailler la langue

5. Complétez le tableau à l'aide de l'activité précédente.

LES ARTICLES CONTRACTÉS

à + le =	de + le =
à + la = à la	de + la = de la
à + l' = à l'	de + l' = de l'
à + les = **aux**	de + les = **des**

→ CAHIER D'EXERCICES **P. 47** – EXERCICES 9, 10, 11, 12, 13

Produire et interagir

6. En petits groupes, écrivez un maximum de loisirs dans chaque catégorie. Échangez votre liste avec celle d'un autre groupe. Qui a le plus de propositions ? Connaissez-vous ces loisirs ?

sports	sorties	loisirs créatifs
— *faire de la natation*		
jeux	**musique**	**autre**

7. Échangez sur vos loisirs et sur ceux de vos proches à l'aide des tableaux.

LE VERBE *FAIRE*

Je	**fais**
Tu	**fais**
Il / Elle / On	**fait**
Nous	**fais**ons
Vous	**fait**es
Ils / Elles	**font**

LE VERBE *JOUER*

Je	**jou**e
Tu	**jou**es
Il / Elle / On	**jou**e
Nous	**jou**ons
Vous	**jou**ez
Ils / Elles	**jou**ent

• *Je fais de la planche à voile et mon frère joue du violon.*

8. Quels loisirs faites-vous seul/e ou accompagné/e ?

seul/e | en couple | en famille | avec des ami(e)s | avec des inconnu(e)s

• *Avec mon compagnon, nous faisons de la randonnée.*

9. En petits groupes, faites des recherches sur les loisirs préférés dans votre pays et présentez vos résultats à la classe.

Regarder, comprendre et réagir

Retrouvez la vidéo et les activités sur espacevirtuel.emdl.fr

Français connectés
www.francaisconnectes-francais-et-reseaux-sociaux.def

Les Français, Internet et les réseaux sociaux en 2016

Partout dans le monde, on écoute et on achète de la musique en ligne, on regarde des séries ou la télévision sur Internet. On s'informe, on communique sur les réseaux sociaux et on fait des achats en ligne. Et les Français, sont-ils connectés ?
Et vous, quelles sont vos habitudes ? Comment utilisez-vous Internet ?
Répondez à notre enquête.

86 % des Français utilisent Internet

82 % des Français l'utilisent tous les jours

TEMPS PASSÉ SUR INTERNET DEPUIS UN SMARTPHONE

TEMPS PASSÉ SUR LES RÉSEAUX SOCIAUX

TEMPS PASSÉ SUR INTERNET DEPUIS UN ORDINATEUR OU UNE TABLETTE

Internet et vous

	jamais	rarement	de temps en temps	souvent
Vous vous connectez avec :				
un ordinateur	☐	☐	☐	☐
une tablette	☐	☐	☐	☐
un smartphone	☐	☐	☐	☐
Vous utilisez Internet…				
pour vous informer	☐	☐	☐	☐
pour regarder des vidéos	☐	☐	☐	☐
pour utiliser les réseaux sociaux	☐	☐	☐	☐
pour faire des achats	☐	☐	☐	☐
pour écouter ou télécharger de la musique	☐	☐	☐	☐
pour regarder la télévision	☐	☐	☐	☐
pour jouer en ligne	☐	☐	☐	☐

Source : adapté de *We Are Social* http://www.blogdumoderateur.com/usage-internet-2016/

Lire, comprendre et réagir

1. Lisez le document. Que pensez-vous de ces informations ? Échangez en classe.

• *Pour moi, 1 h 15 sur les réseaux sociaux, c'est peu.*

2. Répondez à l'enquête. Puis, à deux, comparez vos résultats.

• *Tu joues souvent en ligne ?*
○ *Oui, je joue souvent en ligne.*

Travailler la langue

3. Lisez l'introduction. Que désigne le pronom *on* ? Reformulez l'introduction en remplaçant ce pronom. Puis complétez le tableau.

LE PRONOM *ON* (1)

• Le pronom **on** peut avoir une valeur générale (les gens, tout le monde).
Avec le pronom **on**, les verbes se conjuguent toujours à la ______ personne du ______

→ CAHIER D'EXERCICES **P. 48** – EXERCICES 15, 16

Écouter, comprendre et réagir

4. Écoutez Alice et son oncle. Pourquoi Alice utilise-t-elle Internet ? Pour quoi faire ? Cochez les bonnes réponses. 37

POUR QUOI FAIRE ?	**POURQUOI?**
☐ pour s'informer	☐ parce qu'elle trouve ça utile
☐ pour faire des recherches	☐ parce qu'elle n'aime pas faire du shopping
☐ pour faire des achats	☐ parce qu'elle a beaucoup d'amis à l'étranger
☐ pour regarder des films	☐ parce qu'il n'y a pas de bons films à la télé
☐ pour jouer en ligne	☐ parce qu'on peut lire plusieurs journaux gratuitement
☐ pour être en contact avec ses amis	
☐ pour voir les photos de ses ami(e)s	

Travailler la langue

5. Complétez le tableau à l'aide de l'activité précédente.

POUR* ET *PARCE QUE

POUR + INFINITIF SERT À EXPRIMER :
☐ le but ☐ la cause

PARCE QUE + PHRASE
sert à exprimer :
☐ le but ☐ la cause

Parce que est souvent remplacé à l'écrit par **car**.

→ CAHIER D'EXERCICES **P.48** – EXERCICES 17, 18

Produire et interagir

6. Utilisez-vous ces réseaux sociaux ? Si oui, pour quoi faire et pourquoi ? Discutez-en en groupes.

FACEBOOK TWITTER INSTAGRAM LINKEDIN PINTEREST GOOGLE+

• *Oui, j'utilise Facebook pour avoir des nouvelles de mes amis parce qu'ils habitent à l'étranger.*

7. Petit bilan ! Répondez à ces questions sur les unités précédentes.

UNITÉ DE DÉCOUVERTE
Qu'est-ce qu'on dit pour encourager quelqu'un ?

UNITÉ 1
Pourquoi on appelle la France « l'Hexagone » ?

UNITÉ 2
Pourquoi on visite le Maroc ?

UNITÉ 3
Pourquoi il y a beaucoup de mariages mixtes en Belgique ?

UNITÉ 4
Pourquoi on dit « chambre de bonne » ?

UNITÉ 5
Pourquoi les Québécois font-ils des activités le soir ?

• *Pour encourager quelqu'un, on dit bravo...*

8. À votre tour, écrivez des questions pour aider vos camarades à réviser ce qu'ils ont appris.

— *Quels mots on dit pour saluer en français ?*

DÉFI #01
RÉALISER UN MINI-GUIDE DES LOISIRS DE LA VILLE

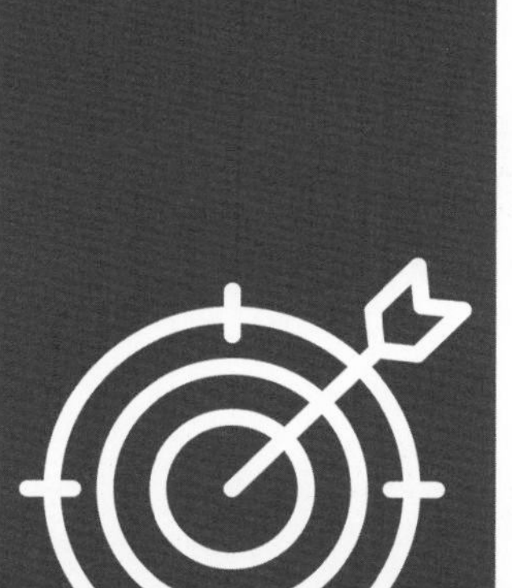

Vous allez réaliser un mini-guide des loisirs de votre ville.

- Choisissez un loisir que vous pratiquez dans votre ville et que vous aimez bien.
- Faites une fiche pratique à l'aide des étiquettes et de l'exemple

  type de loisir | où | quand | prix | ...

- Écrivez un témoignage : dans quel but vous la pratiquez, pourquoi vous l'aimez...
- Rassemblez les fiches pour créer le mini-guide des loisirs de la classe. Y a-t-il un loisir ou une activité que vous avez envie de découvrir ?

COURS DE CUISINE ITALIENNE

Type de loisir : cours de cuisine
Où : le restaurant La bella Napoli
Quand : le lundi de 18h à 21h
Prix : 60 £

Témoignage : Je prends des cours de cuisine italienne dans le restaurant *La bella Napoli* pour apprendre à faire des gnocchi et des pizzas. C'est génial parce que le chef, Paolo, explique bien et il est très drôle.

John

PUBLI REPORTAGE

Pour des vacances réussies entre amis

***Entrepotes* organise des vacances entre amis, adaptées à votre caractère et à vos goûts!**

Pour les fêtards...

LA CÔTE D'AZUR

Vous adorez faire la fête ? Ces vacances sont faites pour vous ! Pendant la journée, vous allez à la plage, vous vous reposez et vous faites des activités entre amis (jeux, beach-volley...). Le soir, la fête commence ! Nous organisons un itinéraire des meilleures sorties nocturnes : bars, boîtes de nuit, fêtes, casinos... Vous logez avec vos amis dans un appartement à côté de la plage.

Pour les sportifs...

L'ÎLE DE LA RÉUNION

Vous aimez l'aventure ? Vous faites souvent du sport entre amis ? Pendant ce séjour, nous vous proposons tous les jours une sortie sportive : du VTT, de la randonnée pour découvrir le volcan du Piton de la Fournaise ou de l'escalade à Saint-Leu. Vous logez dans des hôtels calmes et agréables pour bien vous reposer. En plus des activités sportives, nous proposons des sorties culturelles sur l'île !

Pour les gourmands...

L'AVEYRON

Ce département du sud-ouest de la France est idéal pour les amis qui aiment manger et partager de bons repas. Dans l'Aveyron, il y a des vins et un fromage célèbre, le roquefort. Votre logement est une maison d'hôtes située à Belcastel, l'un des plus beaux villages de France.

Avant de lire

1. Qu'aimez-vous faire pendant les vacances ? Quel logement préférez-vous (hôtel, camping, chez l'habitant…) ?
2. Avec qui aimez-vous partir en vacances ? Pourquoi ?
   - *J'aime beaucoup voyager avec mon frère parce que nous aimons tous les deux la nature.*

Lire, comprendre et réagir

3. Lisez le document. Où aimeriez-vous partir avec vos amis ? Pourquoi ? Échangez en classe.
   - *J'aimerais partir au Bénin. Avec mes amis, nous aimons bien découvrir de nouveaux pays.*
4. En vacances, pratiquez-vous des activités citées dans le document ?
5. Proposez un lieu de votre pays pour chaque profil.
   - Une destination pour les gourmands : ……
   - Une destination pour les fêtards : ……
   - Une destination pour les sportifs : ……
   - Une destination pour les amoureux de la nature : ……

Écouter, comprendre et réagir

6. 38 Écoutez les témoignages de vacanciers et repérez les activités citées. À quel profil correspondent ces personnes ?
   - Stéphan : ……
   - Selma : ……

Mon panier de lexique

Quels mots de ces pages voulez-vous retenir ? Écrivez-les.

……

Pour les amoureux de la nature…

LE BÉNIN

Vous rêvez de nature sauvage ? Nous vous proposons de visiter le Bénin. Au sud : Cotonou et la magnifique ville de Porto Novo, inscrite au patrimoine mondial de l'Unesco. Au nord : les parcs nationaux de la Pendjari et du W, pour observer les animaux sauvages et découvrir de superbes paysages. Vous logez chez l'habitant pour mieux connaître les Béninois, la culture et les traditions du pays.

PHONÉTIQUE 12 Le [R] final

38

Témoignages

Deux personnes parlent de leurs vacances.

Stéphan

Selma

ON A TOUS UN AMI OU UNE AMIE…

Lire, comprendre et réagir

1. **Observez l'illustration. Comprenez-vous les traits de caractère illustrés ? Échangez en petits groupes, à l'aide du dictionnaire si nécessaire.**

2. **Avez-vous des amis avec ces traits de caractère ? Faites une liste.**

— *Renzo : sportif, drôle...*

Travailler la langue

3. **Voulez-vous connaître d'autres adjectifs de caractère en français ?**

• *Comment on dit « chaotisch » en français ?*

4. **Complétez le tableau à l'aide du document.**

L'ACCORD DE L'ADJECTIF QUALIFICATIF

La formation du féminin

• En général, le féminin se forme avec le masculin + **e**.
Ex. : ....

• Quand le masculin se termine en -**e**, le féminin a la même forme.
Ex. : ....

• Quand le masculin se termine en -**eur**, le féminin se termine en -**euse**.
Ex. : *rêv**eur*** > ....

• Quand le masculin se termine en -**eux**, le féminin se termine en -**euse**.
Ex. : ....

• Quand le masculin se termine en -**if**, le féminin se termine en -**ive**.
Ex. : *sport**if*** > ....

La formation du pluriel

• En général, le pluriel se forme à partir du singulier + **s**.
Ex. : *sportif**s***

! Les adjectifs en -**x** au singulier sont invariables au pluriel.
Ex. : *Mes amis sont génére**ux**.*

! Les adjectifs en -**al** au masculin singulier se terminent en -**aux** au masculin pluriel.
Ex. : .... > *origin**aux***

→ CAHIER D'EXERCICES **P. 48-49** – EXERCICES 19, 20, 21

Produire et interagir

5. **En petits groupes, mimez un trait de caractère du document pour le faire deviner à vos camarades.**

6. **Choisissez des adjectifs pour décrire votre caractère, puis écrivez un texte de présentation à l'aide des étiquettes.**

ne... pas du tout | un peu | très | trop

— *Je ne suis pas du tout sportive...*

Produire et interagir

7. **Mélangez et redistribuez les textes. Lisez à voix haute la description que vous avez reçue. La classe devine de qui il s'agit.**

8. **En petits groupes, écrivez une description de votre enseignant/e. Lisez-la à la classe.**

9. **Quels traits de caractère de l'illustration vous semblent être des qualités (positif) ? Et des défauts (négatif) ? Complétez le tableau, puis échangez en classe.**

• *Pour moi, être fêtard, c'est positif parce qu'on peut rencontrer de nouvelles personnes.*

Qualités	Défauts

10. **Complétez la fiche, puis partagez vos opinions en petits groupes. Cherchez de nouveaux adjectifs si nécessaire.**

• **Quelles sont les qualités indispensables...**
- d'un ami ?
- d'un collègue ?
- d'un frère ou d'une sœur ?
- de votre copain ou de votre copine ?

• **Quels sont les défauts que vous détestez en général ?**

• *Pour moi, un ami doit être drôle et gourmand...*
○ *En général, je déteste les gens colériques.*

Écouter, comprendre et réagir

11. **Écoutez les descriptions de ces personnes. Quel adjectif les caractérise ?** 39

1. ....
2. ....
3. ....
4. ....
5. ....
6. ....

Quel type d'ami êtes-vous ?

Faites le test et découvrez votre profil

1. **Un ami vous propose de regarder un film. Vous répondez :**

- ● D'accord, comme tu veux !
- ■ Non merci, je n'ai pas envie.
- ▲ C'est d'accord, mais je choisis le film.

2. **Votre petit ami est avec vous ce week-end. Vous proposez :**

- ▲ On va voir mes parents ? Après, je t'invite au restaurant, c'est promis !
- ● Qu'est-ce que tu veux faire ce week-end ?
- ■ Ce week-end, on peut aller à la plage, j'adore nager !

3. **Un ami vous appelle parce qu'il est déprimé. Vous proposez :**

- ● On peut discuter si tu veux, je pense que ça fait du bien.
- ■ Ça te dit de courir avec moi ? C'est parfait pour oublier les problèmes !
- ▲ Je sais que tu ne vas pas bien, mais est-ce que tu veux aller au cinéma avec moi ?

4. **Des amis vous proposent de partir en vacances en camping. Vous répondez :**

- ▲ Pourquoi pas ? Mais on fait des activités !
- ■ Désolé, je ne suis pas libre.
- ● Avec plaisir ! C'est une très bonne idée.

5. **Votre meilleure amie vous propose de faire une course à pied. Vous répondez :**

- ■ Non, ça ne me dit rien.
- ● Volontiers ! J'adore les défis sportifs.
- ▲ OK, c'est une bonne idée, mais on se prépare ensemble !

Résultats

Vous avez une majorité de ●

Vous êtes disponible et gentil(le). Vous ne refusez jamais les propositions des autres et vous dites toujours oui. Vous êtes aussi sociable, vous aimez partager de bons moments.

Vous avez une majorité de ▲

Vous dites souvent oui, mais vous négociez ! Quand vous n'êtes pas très intéressé/e par une proposition, vous proposez des changements avant d'accepter.

Vous avez une majorité de ■

Vous êtes franc(che) et un peu égoïste. Vous acceptez les propositions quand elles vous intéressent. Vous les refusez quand vous n'êtes pas d'accord, et vous le dites !

Lire, comprendre et réagir

1. **Faites le test. Êtes-vous d'accord avec le résultat ?**

Travailler la langue

2. **Relisez le test et classez les expressions dans le tableau. En connaissez-vous d'autres ?**

- D'accord ! / C'est d'accord !
- Non, merci !
- Je n'ai pas envie.
- On peut + infinitif
- Ça te dit (de + infinitif) ?
- Est-ce que tu veux + infinitif... ?
- Pourquoi pas ?
- Désolé/e...
- Avec plaisir !
- Ça ne me dit rien.
- Volontiers.
- OK.
- C'est une bonne idée.

Inviter quelqu'un ou faire une proposition	
Accepter une invitation	**Refuser une invitation**

→ CAHIER D'EXERCICES **P. 50** – EXERCICES 25, 26, 27

3. **Repérez le pronom *on* dans le test. Que désigne-t-il ? Reformulez les phrases en remplaçant ce pronom. Puis, complétez le tableau.**

LE PRONOM *ON* (2)

• Le pronom **on** peut avoir la valeur de **nous**.
Ex. : ....

→ CAHIER D'EXERCICES **P. 48** – EXERCICES 15, 16

Produire et réagir

4. **Lancez une balle à l'un/e de vos camarades et faites-lui une proposition. Il/Elle accepte ou refuse à l'aide de la liste de l'activité précédente, et renvoie la balle à quelqu'un d'autre avec une autre proposition.**

5. **Invitez un/e camarade à l'aide de la liste. Il/Elle accepte ou refuse, mais sans jamais dire oui ni non. Le premier qui dit oui ou non perd.**

• *Marcus, est-ce que tu veux aller en Bolivie avec moi ?*
○ *Désolé, je ne peux pas...*

- Partir en vacances ensemble
- Aller à un festival de musique
- Prendre un cours de kitesurf / planche à voile...
- Courir ensemble tous les matins
- Apprendre une nouvelle langue

Écouter, comprendre et réagir

6. **Écoutez ces personnes qui acceptent ou refusent une invitation, et écrivez les propositions.** 🎧 40

1. ....
2. ....
3. ....
4. ....
5. ....
6. ....

DÉFI #02
PROPOSER UN SÉJOUR ADAPTÉ À UN TRAIT DE CARACTÈRE

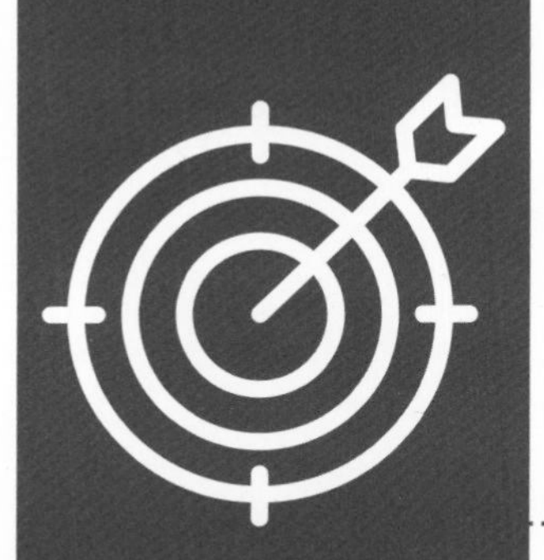

En groupes, vous allez proposer un séjour adapté à un trait de caractère.

▶ En petits groupes, chacun/e écrit un trait de caractère sur un morceau de papier. Mélangez et tirez au sort un trait de caractère.

▶ Choisissez un lieu pour proposer des activités adaptées à ce trait de caractère et créez une publicité comme dans l'exemple.

▶ Présentez et proposez votre séjour aux autres groupes. Ils acceptent ou refusent, en fonction de leurs goûts.

• *Ça te dit d'aller à Dublin?*
○ *Non, merci, ça ne me dit rien, je ne suis pas très fêtard.*

Dublin pour les fêtards

Vous aimez sortir et faire la fête ? Dublin est la ville idéale !

À DUBLIN...

- On peut écouter de la musique dans les rues !
- On peut aller à des concerts gratuits tous les soirs !
- On peut danser à The Church, une église-boîte de nuit !
- On peut même loger dans un pub !

Mes mots

1. Faites la liste de tous les sports que vous avez déjà pratiqués, puis comparez-la avec la liste d'un/e camarade.

2. Complétez la carte mentale en fonction de vos loisirs et de vos goûts ou créez votre propre carte mentale.

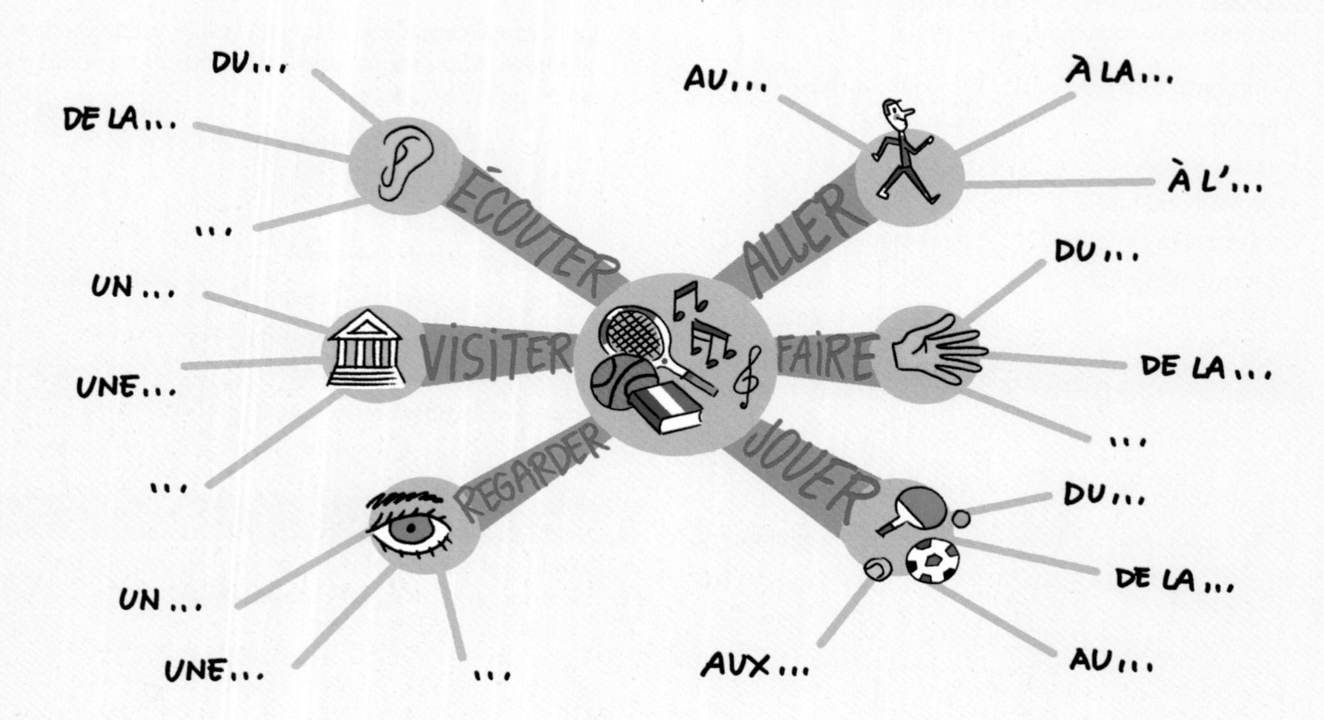

3. Montrez votre carte mentale à un/e camarade. Il/Elle vous interroge sur vos activités (fréquence, lieu..).

4. Proposez des activités, des loisirs ou des lieux de voyage pour les personnes ayant ces traits de caractère.

Jonas est paresseux.

Ousmane est rêveur.

Nabila est timide.

Amaury est original.

À deux pas d'ici

07

DOSSIER 01
Les villes

CULTURE(S) ET SOCIÉTÉ(S)
- Abidjan et la Côte d'Ivoire
- une visite *greeter* de Nancy
- les moyens de transport à Paris

GRAMMAIRE
- le futur proche (*aller* + infinitif)
- le pronom *y*
- les pronoms personnels COD

COMMUNICATION
- nommer les lieux d'une ville ou d'un pays
- indiquer un itinéraire
- qualifier un moyen de transport

LEXIQUE
- les lieux de la ville
- les connecteurs temporels
- s'orienter
- les moyens de transport

DÉFI #01
CRÉER UN DÉPLIANT SUR UNE VISITE *GREETER*

DOSSIER 02
La consommation et les achats

CULTURE(S) ET SOCIÉTÉ(S)
- les applications mobiles
- la consommation en France
- le commerce de proximité
- le *made in France*

GRAMMAIRE
- l'impératif
- les déterminants démonstratifs

COMMUNICATION
- faire des achats
- décrire une tenue vestimentaire
- inciter à agir

LEXIQUE
- les types de commerces
- les vêtements et les accessoires

DÉFI #02
CRÉER UN SPOT PUBLICITAIRE POUR SOUTENIR LES COMMERCES DE PROXIMITÉ

DÉFI #03 NUMÉRIQUE
espacevirtuel.emdl.fr

Abidjan, le Manhattan de l'Afrique

Marie-Hélène Déclain, journaliste, partage avec nous les 10 raisons d'aller à Abidjan et en Côte d'Ivoire.

MUSÉES

1 **Le musée des Civilisations de Côte d'Ivoire**

2 **Le musée d'Art contemporain de Cocody**

Un masque du musée des Civilisations

QUARTIERS

3 **Le Plateau**
le centre des affaires, appelé le « Petit Paris » ou le « Petit Manhattan »

4 **Treichville**
le plus vieux quartier d'Abidjan, et le seul avec des noms de rues.

5 **Cocody**
le quartier riche, avec des maisons d'architecture coloniale

MONUMENTS

6 **La cathédrale Saint-Paul**

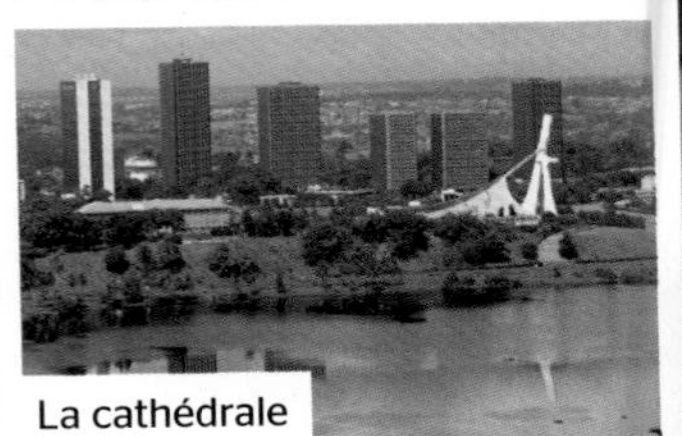

La cathédrale

7 **La grande mosquée du Plateau**

8 **Le stade Félix-Houphouët-Boigny**

PARCOURS DE 10 JOURS EN CÔTE D'IVOIRE

QUAND Y ALLER ? ***De décembre à mars, pendant la saison sèche.***

ABIDJAN

GRAND-BASSAM

Ancienne capitale du pays, à 40 km au sud-est d'Abidjan. À découvrir : son architecture coloniale et son artisanat.

AKRÉSI

Dans la région des Lacs, à 160 km au nord-est d'Abidjan. À découvrir : la pêche traditionnelle.

Côte d'Ivoire

Capitale administrative
Yamoussoukro

Capitale économique
Abidjan, la ville la plus peuplée d'Afrique de l'Ouest

Symbole
L'éléphant, symbole de l'équipe nationale de football !

Les sites naturels
4 sites protégés par l'Unesco
8 parcs naturels
21 réserves naturelles

PAYSAGES

9 **Les parcs**
Par exemple, le parc national du Banco et le jardin botanique

10 **Les plages du sud-ouest**

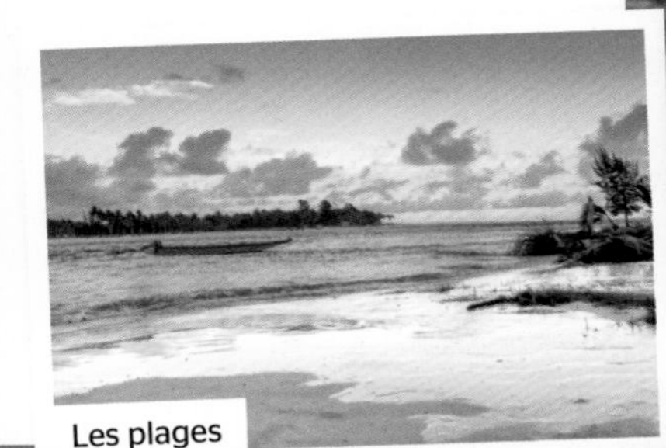
Les plages

Avant de lire

1. Savez-vous où est la Côte d'Ivoire ? Situez-la sur une carte de l'Afrique.
2. Cochez ce que vous associez à Abidjan et échangez en classe.

- ☐ des musées
- ☐ un quartier d'affaires
- ☐ des plages
- ☐ des montagnes
- ☐ une cathédrale
- ☐ des autoroutes
- ☐ un désert
- ☐ autre : ……

• *À mon avis, il n'y a pas de cathédrale à Abidjan.*

Lire, comprendre et réagir

3. Lisez le document pour vérifier vos hypothèses.
4. Quelles informations attirent votre attention ? Échangez en classe.
5. Que peut-on faire à Abidjan quand on aime…
   - la nature : *aller au jardin botanique,* ……
   - le sport : ……
   - la culture : ……
6. Qu'aimeriez-vous voir ou visiter en Côte d'Ivoire ?

• *Moi, j'aimerais voir les parcs.*

Écouter, comprendre et réagir

7. Deux personnes recommandent des lieux intéressants à Toulouse et à Bordeaux. Écoutez et repérez les lieux cités. (41)

- À Toulouse : ……
- À Bordeaux : ……

Mon panier de lexique

Quels mots pour parler d'une ville avez-vous appris ? Écrivez-les.

……

……

PHONÉTIQUE 13
Discriminer [œ] et [E]

YAMOUSSOUKRO
Capitale du pays, à 240 km au nord-ouest d'Abidjan.
À découvrir : la basilique Notre-Dame de la Paix, la plus grande au monde.

L'OUEST DU PAYS
À découvrir : la région des 18 Montagnes, les cascades du mont Tonkoui et le lac de Buyo, sur le fleuve Sassandra.

ABIDJAN

Inscription pour une balade

Ma demande de balade...
Participants à la balade (maximum 6 personnes)

Nom	Sexe	Âge
Sandra Pedreris	F	43

Mes centres d'intérêt

- ☒ balades urbaines
- ☐ patrimoine industriel
- ☒ ville culturelle
- ☐ Nancy vue d'en haut
- ☐ Nancy « by night »
- ☐ patrimoine religieux
- ☒ parcs et jardins
- ☐ balade à vélo
- ☒ balade sportive
- ☐ quartiers de Nancy
- ☐ photo
- ☐ randonnée découverte

ON VOUS ATTEND !
GRAND NANCY GREETERS

Objet : Découvrez la ville de Nancy avec un *greeter*

Bonjour Madame Pedreris,

Merci pour votre inscription sur Nancy *Greeters*.
Voici les informations sur la visite que nous allons faire demain.
D'abord, nous allons nous retrouver place Stanislas. Nous allons commencer notre tour par la visite de la place : l'hôtel de ville, l'opéra national de Lorraine et le musée des Beaux-Arts.
Après, nous allons visiter deux autres places classées au patrimoine mondial de l'Unesco, la place de la Carrière et la place d'Alliance.
Ensuite, nous allons parcourir la vieille ville, ses rues piétonnes et la célèbre Grande-Rue. Je vais vous faire découvrir le palais Ducal et l'église des Cordeliers.
Puis, nous allons longer le cours Léopold. Il est très agréable de s'y promener à cette saison. Enfin, pour terminer notre visite, je vais vous accompagner au marché central. On y trouve de très bons restaurants pour déjeuner.

Bien à vous,
Pascaline
Nancy *Greeter*

FRANCE GREETERS

SITE

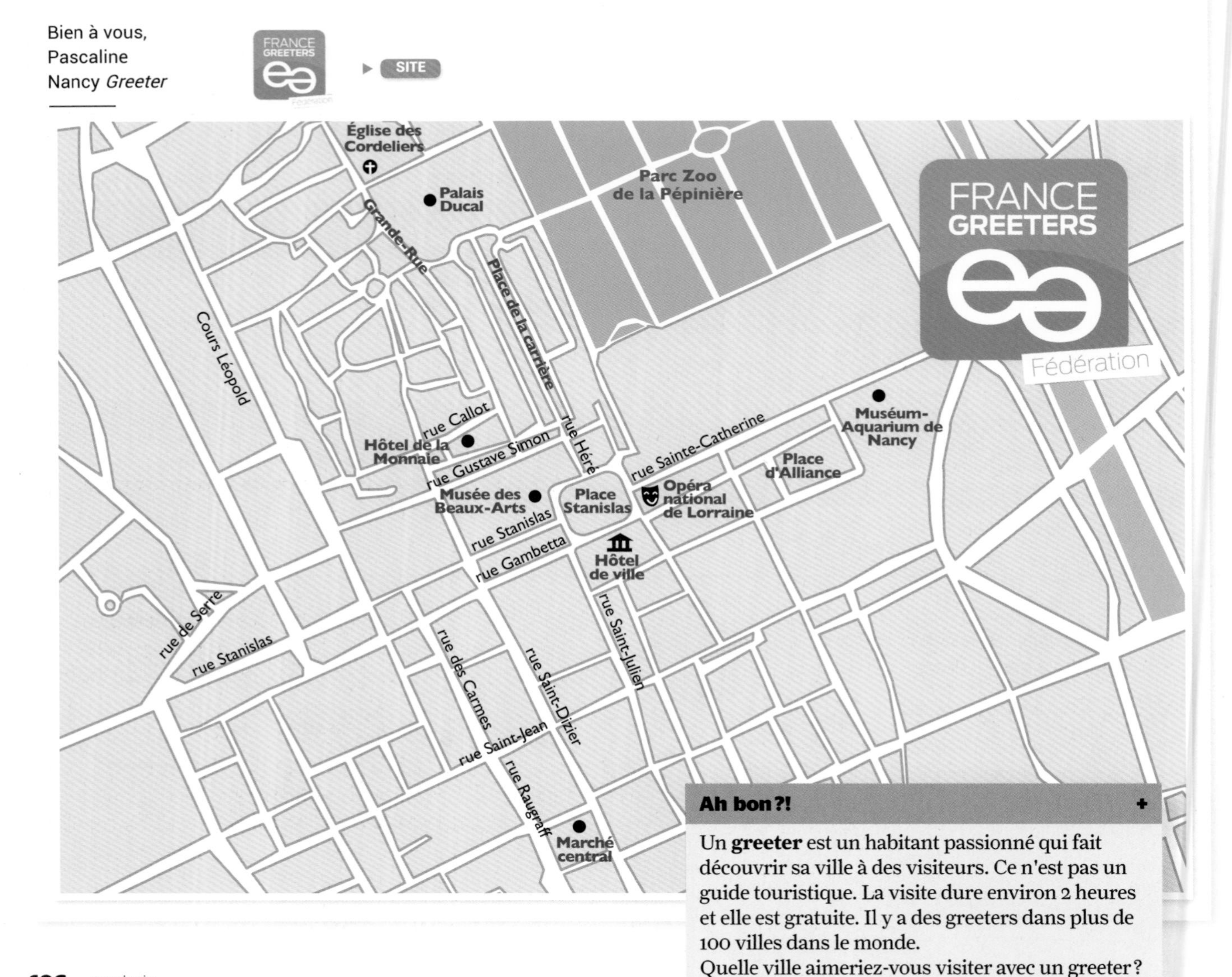

Ah bon ?!

Un **greeter** est un habitant passionné qui fait découvrir sa ville à des visiteurs. Ce n'est pas un guide touristique. La visite dure environ 2 heures et elle est gratuite. Il y a des greeters dans plus de 100 villes dans le monde.
Quelle ville aimeriez-vous visiter avec un greeter ?

Lire, comprendre et réagir

1. **Lisez l'objet de l'e-mail et la signature. Qui écrit à madame Pedreris et pourquoi ?**

2. **Lisez la fiche d'inscription. Quels sont les centres d'intérêt de madame Pedreris ?**

3. **Lisez l'e-mail et observez le plan. Entourez les lieux que madame Pedredis va visiter.**

4. **Est-ce que la visite correspond aux centres d'intérêt indiqués de la fiche d'inscription de madame Pedreris ?**

Travailler la langue

5. **Observez la deuxième phrase de l'e-mail. Le verbe de la phrase (*nous allons faire...*) situe l'action :**

☐ dans le passé
☐ dans le présent
☐ dans le futur

6. **Complétez le tableau à l'aide de l'e-mail.**

LE FUTUR PROCHE

Le futur proche se construit avec le verbe **aller** au .... + un verbe à ....

Je	**vais**	
Tu	**vas**	
Il/Elle/On	**va**	**visiter**
Nous	**all**ons	
Vous	**all**ez	
Ils/Elles	**vont**	

Le futur proche sert à exprimer un fait, une décision ou une planification dans le futur.

→ CAHIER D'EXERCICES **P.54** – EXERCICES 1, 2, 3

7. **Relevez les mots que Pascaline utilise dans son e-mail pour présenter les étapes de la visite.**

LES CONNECTEURS TEMPORELS

D'abord, ..., ...

............, ...

→ CAHIER D'EXERCICES **P.55** – EXERCICES 4, 5, 6

8. **Repérez les pronoms *y* dans le dernier paragraphe de l'e-mail. Puis, complétez le tableau.**

LE PRONOM *Y*

Le pronom **y** remplace un groupe nominal introduit par **à**, **en**, **sur** ou **chez**, introduisant en général **un lieu**.
Ex. : *Il est très agréable de s'**y** promener* =
*Il est très agréable de se promener **sur le cours Léopold**.*
Ex. : ....

→ CAHIER D'EXERCICES **P.55**– EXERCICES 7, 8

Écouter, comprendre et interagir

9. **Un touriste à l'Opéra national demande comment se rendre à deux endroits différents. Écoutez et dessinez les deux itinéraires à l'aide de l'encadré de lexique.** (42)

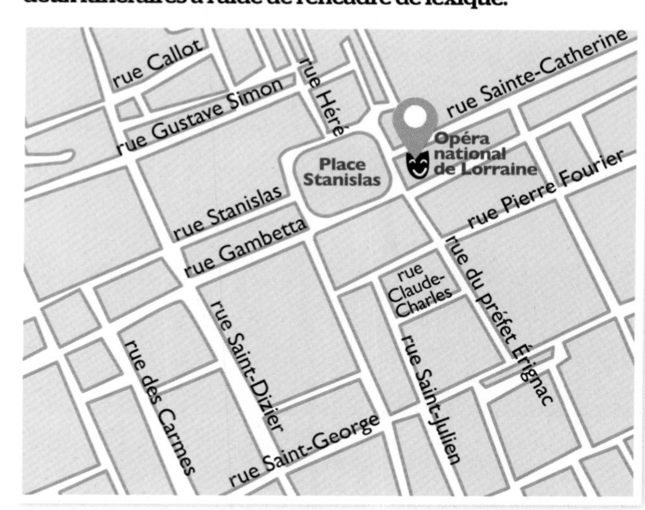

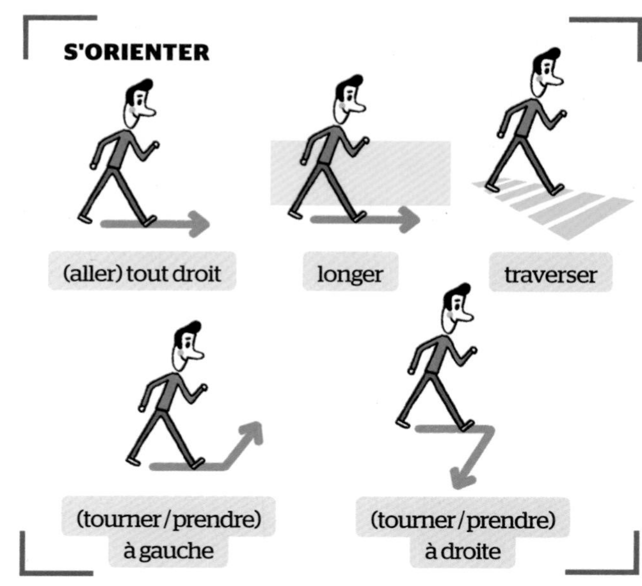

→ CAHIER D'EXERCICES **P.56** – EXERCICES 9, 10, 11

Produire et interagir

10. **Faites deviner des lieux de votre ville à un/e camarade à l'aide du pronom *y*.**

- *J'y vais pour manger des glaces japonaises.*
- *C'est la plaça de la Vila à Gracia ?*

11. **Vous êtes *greeter* dans votre ville. Un/e camarade choisit un ou des centre/s d'intérêt. Écrivez-lui un e-mail pour lui présenter la visite que vous allez faire à l'aide des étiquettes.**

d'abord | après | ensuite | puis | enfin

12. **Faites découvrir à la classe un lieu original de votre ville. Indiquez l'itinéraire pour y aller depuis l'endroit où vous êtes.**

- *Je vous propose de découvrir la Taverna de la Carmencita.*
- *Comment on y va ?*
- *Tu prends à gauche, rue Marqués de la Ensenada...*

Avant de lire

1. Quels moyens de transport utilisez-vous pour vous déplacer ? Utilisez-vous les mêmes pour visiter une ville ?

- *Dans ma ville, je prends le métro, mais pour visiter une nouvelle ville je préfère le bus. Et toi ?*
- *Moi non, je me déplace à pied.*

2. Observez les photos et choisissez un moyen de transport pour visiter Paris.

http://www.blogperso-visiterparis.def

COMMENT VISITER PARIS

Visiter Paris, c'est facile ! La Ville Lumière offre de nombreux moyens de transport. Voici mes conseils pour vous déplacer selon vos envies et votre budget.

♥ intérêt 🍃 écologique € prix

1. LA VOITURE ♥ €€€

- 🙂 La location de voiture est pratique pour les familles nombreuses.
- 🙁 Je ne vous la conseille pas parce qu'il y a beaucoup de circulation à Paris.

2. LES TRANSPORTS EN COMMUN : BUS ET MÉTRO ♥ 🍃🍃 €

- 🙂 Paris a un bon réseau de transports en commun. Les abonnements « Paris visite » ne sont pas chers, vous les achetez sur Internet.
- 🙁 Le bus n'est pas rapide, mais vous vous déplacez comme un Parisien. ;-)

3. LE VÉLO ♥♥♥ 🍃🍃🍃 €

- 🙂 À Paris, vous pouvez louer des vélos en libre service (Vélib'). Vous prenez le vélo à une station et vous le déposez à une autre. C'est simple, rapide, écolo et pas cher !
- 🙁 Je ne vous le conseille pas quand il pleut !!!

4. LES BUS TOURISTIQUES ♥ 🍃🍃 €€

- 🙂 Big Bus Paris propose une visite en bus avec dix arrêts. C'est flexible : vous la faites en 2 heures 30 ou en deux jours.
- 🙁 C'est très touristique et pas très original. :-(

5. LE BATEAU ♥♥♥ 🍃🍃 €€€

- 🙂 Vous pouvez prendre le bateau pour découvrir Paris autrement. Les romantiques l'adorent !
- 🙁 Il n'y a pas de départ avant 10 h du matin.

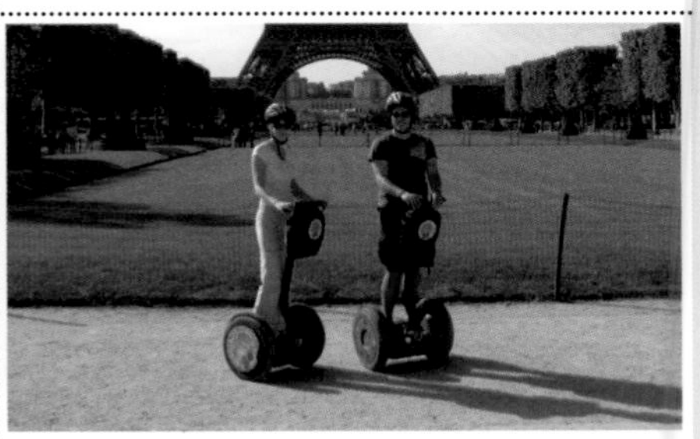

6. LE GYROPODE ♥♥ 🍃🍃 €€€

- 🙂 Je vous le recommande si vous aimez l'originalité. Après 30 minutes de formation, on le conduit sans problème.
- 🙁 La location est chère.

 Enfin, vous pouvez visiter Paris à pied : c'est gratuit et écolo ♥♥♥ 🍃🍃🍃 ! ;-)

Lire, comprendre et réagir

3. Lisez le blog. Y a-t-il des informations qui vous étonnent ? Échangez en classe.

4. En petits groupes, mettez-vous d'accord sur un moyen de transport pour visiter Paris.

• *Ça vous dit de faire la visite en bus ?*
○ *Oh non, c'est trop classique ! Moi, je préfère le bateau !*

Travailler la langue

5. Que remplacent les mots en gras dans ces phrases ? Cherchez dans le blog.

1. Je ne vous **la** conseille pas : ....
2. Vous **les** achetez sur Internet : ....
3. Vous **le** déposez à une autre station : ....
   Je ne vous **le** conseille pas : ....
4. Vous **la** faites en 2 heures 30 : ....
5. Les romantiques **l'**adorent : ....
6. Je vous **le** recommande : ....
   On **le** conduit : ....

6. Complétez le tableau à l'aide de l'activité précédente.

LES PRONOMS PERSONNELS COD

Le mot à remplacer est	Pronom
masculin singulier	..... / l'
féminin singulier	..... / l'
masculin pluriel	.....
féminin pluriel	les
Le pronom personnel COD se place entre le sujet et le verbe. Ex. :	

➔ CAHIER D'EXERCICES P. 57 – EXERCICES 15, 16, 17

Travailler la langue

7. Complétez avec *à* ou *en* à l'aide des illustrations.

En fermés | **À l'air libre**

- ..... voiture
- ..... moto
- ..... bus
- ..... vélo
- ..... métro
- ..... pied

➔ CAHIER D'EXERCICES P. 56 – EXERCICES 12, 13, 14

Produire et interagir

8. Choisissez un moyen de transport et faites-le deviner à la classe.

le tramway | la trottinette | la moto | le train | ...

• *Je le prends tous les jours pour me déplacer parce qu'il est pratique et écologique...*

9. Dans votre ville, comment vous déplacez-vous pour...

- aller au travail : ....
- aller voir vos parents : ....
- faire des achats : ....
- sortir le soir : ....
- partir en week-end : ....

Regarder, comprendre et réagir

Retrouvez la vidéo et les activités sur espacevirtuel.emdl.fr

Le covoiturage avec Blablacar

DÉFI #01
CRÉER UN DÉPLIANT SUR UNE VISITE *GREETER*

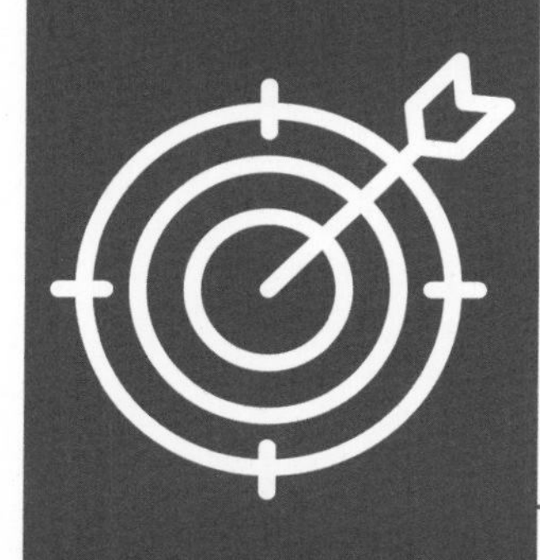

Vous allez créer un dépliant sur une visite *greeter* dans une ville de votre choix.

▶ En petits groupes, choisissez une ville et faites la liste de ce qu'il y a à voir et à faire dans cette ville.

▶ Rédigez votre dépliant avec le parcours de la visite et les moyens de transport utilisés. Ajoutez un plan et des photos.

— *D'abord, nous allons visiter le quartier des 36 rues en tuk-tuk : chaque rue représente un métier. Ensuite, nous allons prendre un taxi pour aller au temple Bach Ma...*

▶ Présentez votre dépliant à la classe et expliquez votre parcours.

LES APPLICATIONS MOBILES ET LE COMMERCE DE PROXIMITÉ

Les Français utilisent de plus en plus leur téléphone portable pour faire des achats. De nouvelles applications permettent aujourd'hui d'acheter et de consommer local. Voici deux exemples *made in France*.

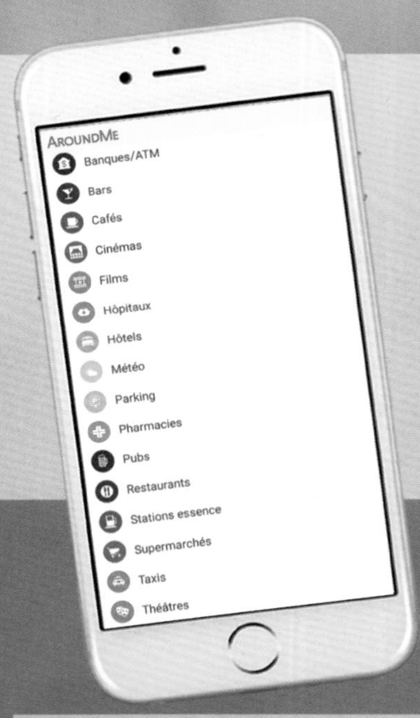

Avec **AroundMe,** le consommateur trouve rapidement des informations sur les commerces à proximité : un restaurant, une boulangerie, un bar... Il peut aussi trouver une station-service, un hôpital, une compagnie de taxi, une banque... AroundMe permet de localiser chaque commerce et de calculer l'itinéraire pour y aller.

Avec **Kidil**, les commerçants envoient aux consommateurs des promotions valables pendant quelques heures, comme les *happy hours* des bars. Tous les commerces de proximité peuvent utiliser cette application : boucherie, boulangerie, épicerie, magasin de vêtements ou de chaussures, fleuriste...

Avant de lire

1. **Utilisez-vous des applications mobiles ? Combien en avez-vous ?**
2. **Pourquoi utilisez-vous ces applications ?**

☐ pour vous informer
☐ pour consommer
☐ pour vous déplacer
☐ pour apprendre
☐ pour jouer
☐ pour voyager
☐ autre : ......

Lire, comprendre et réagir

3. **Lisez le document. Ces applications vous semblent-elles utiles ? Avez-vous des applications similaires ? Que permettent-elles ?**
   - *J'utilise souvent TripAdvisor. Elle permet de trouver des restaurants avec des bonnes critiques.*
4. **Quelle application aimeriez-vous inventer ?**
   - *J'aimerais inventer une application pour apprendre le français en 2 heures !*
5. **Classez les commerces du document dans le tableau.**

Alimentation	Restauration
— *une boulangerie*	

Habillement	Service

6. **Dans quel commerce allez-vous le moins ou le plus souvent ? À quelle fréquence ?**
   - *Moi, je ne vais jamais à la boulangerie. Et toi ?*
   - *J'y vais tous les jours !*

Écouter, comprendre et réagir

7. **Écoutez les témoignages. Quelle application utilisent ces personnes ? Pourquoi ?**

1. .... **2.** .... **3.** ....

Mon panier de lexique

Quels noms de commerces et services voulez-vous retenir ? Écrivez-les.

....

....

Avant de lire

1. Où allez-vous pour faire vos courses alimentaires ? À quelle fréquence ?

☐ au marché
☐ au supermarché ou dans une grande surface
☐ chez les commerçants du quartier
☐ autre : ....

• *Je vais au supermarché toutes les semaines et au marché, une fois par mois.*

ALIMENTATION : ACHETER LOCAL

Découvrez *La Ruche qui dit Oui !*

La Ruche qui dit Oui ! est une nouvelle façon de produire, distribuer et consommer. Voici une présentation de cette initiative.

SOUTENONS LES COMMERCES ET LES AGRICULTEURS : ACHETONS LOCAL ET MANGEONS MIEUX !

LA RUCHE QUI DIT OUI !

Rassemblons-nous pour acheter les meilleurs produits aux agriculteurs et aux artisans de nos régions

COMMANDEZ EN LIGNE

Achetez ce que vous voulez, quand vous le voulez : fruits, légumes, pain, fromage, viande, bière...

RÉCUPÉREZ VOS PRODUITS

Chaque semaine, la Ruche vous donne rendez-vous dans votre quartier. Venez retirer votre commande et rencontrer les Producteurs.

MANGEZ MIEUX

Locaux, frais, fermiers : découvrez et cuisinez les meilleurs produits de votre région.

SOUTENEZ L'AGRICULTURE LOCALE

Vos achats rémunèrent justement les Producteurs et leur permettent de vivre de leur activité.

Source : La Ruche qui dit Oui !

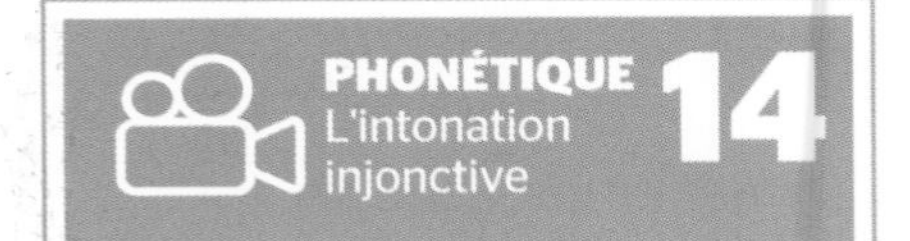

Lire, comprendre et réagir

2. **Observez le document. Qu'est-ce que la Ruche ? Comment fonctionne-t-elle ? Échangez en classe.**

3. **Quels sont les avantages de cette initiative ?**

4. **Y a-t-il des initiatives similaires dans votre pays ? Faites des recherches si nécessaire.**

Travailler la langue

5. **Complétez le tableau à l'aide du document.**

L'IMPÉRATIF

	COMMANDER	ACHETER	VENIR
(tu)	commande	achète	viens
(nous)	commandons	achetons	venons
(vous)	....	....	....

L'impératif sert à donner des indications ou des ordres.
Il se construit comme le présent de l'indicatif sans le pronom sujet. Il s'utilise uniquement avec les personnes : **tu**, **nous** et **vous**.
Les verbes qui se terminent en **-er** ne prennent pas de **-s** à la deuxième personne du singulier.

→ CAHIER D'EXERCICES **P. 57-58** – EXERCICES 21, 22, 23

	ÊTRE	AVOIR	ALLER
(tu)	sois	aie	va
(nous)	soyons	ayons	allons
(vous)	soyez	ayez	allez

Produire et interagir

6. **Créez un hashtag (#) pour soutenir le commerce local. Prenez ou cherchez une photo et écrivez un slogan à l'impératif comme dans l'exemple.**

Produire et interagir

7. **Faites découvrir à vos camarades vos commerces de proximité préférés. Donnez des indications pour les trouver.**

• *Tu es sur la Grand-Place, tourne à droite, puis longe l'église. En face, il y a mon magasin bio préféré.*

8. **À deux, créez un slogan à l'impératif pour défendre...**

- les animaux : ....
- le commerce local : ....
- l'apprentissage des langues : ....
- la sieste : ....
- votre ville : ....

9. **À deux, jouez les dialogues des illustrations.**

10. **Imaginez et écrivez un dialogue dans un des commerces suivants. Cherchez des mots dans le dictionnaire si nécessaire.**

boucherie | poissonnerie | épicerie | fleuriste | ...

Avant de lire

1. Quand vous achetez des vêtements, faites-vous attention au pays d'origine ? Échangez en classe.

Est-il possible de s'habiller *made in France* pour 200 euros ?

CHRISTELLE, NOTRE REPORTER MODE, A TENTÉ L'EXPÉRIENCE. VOICI SES IDÉES.

Nous adorons ce pantalon à fleurs noir et bleu.
Le Bestiaire, 150 €

2

Cette chemise en coton, blanche à rayures bleues, est un classique.
Lordson, 179 €

3

Confortable, cette robe en coton biologique est parfaite pour une journée en ville.
Leax, 37,50 €

Cette ceinture en cuir vous apporte élégance et modernité.
Belt52, 39 €

5

Le pull classique à rayures, tout en laine.
Royal Mer, 119 €

Ce jean bleu pour homme est facile à porter avec un tee-shirt ou une chemise.
French Appeal, 99 €

Ces chaussettes sont confortables et colorées. Existe du 36 au 46.
Clovis et Clothilde Paris, 19 €

8

Ce tee-shirt gris en coton va très bien avec un jean ou une jupe.
Le Bestiaire, 45 €

Ces baskets unisexes sont en cuir, en toile et en caoutchouc recyclé.
1083 Borne in France, 109 €

Lire, comprendre et réagir

2. Lisez le document. Est-il possible d'acheter une tenue *made in France* pour 200 euros ? Si oui, quels articles du document faut-il acheter ?

3. Y a-t-il un article qui vous paraît cher ? pas cher ? à la mode ? démodé ?

4. Aimeriez-vous acheter ou offrir un article ? Lequel ? Pourquoi ? Pour qui ?

- *Moi, j'aimerais acheter le pull à rayures pour mon père, c'est son style ! Et toi ?*

Travailler la langue

5. Complétez le tableau à l'aide du document.

LES DÉTERMINANTS DÉMONSTRATIFS

	MASCULIN	FÉMININ
SINGULIER		
PLURIEL		*ces baskets*

- Les déterminants démonstratifs permettent de désigner une personne, un objet ou un lieu.
- Ils désignent aussi quelque chose ou quelqu'un qu'on a déjà cité.

! Devant un mot masculin qui commence par une voyelle ou un **h** muet, on utilise **cet**.
Ex. : ***Cet** article de mode. **Cet** accessoire.*

➔ CAHIER D'EXERCICES **P. 58** – EXERCICES 26

6. Est-ce qu'il y a des déterminants démonstratifs dans votre langue ?

7. Dans quelle matière sont faits les vêtements et les accessoires du document ? Soulignez la matière et la préposition utilisée pour l'introduire.

8. Quels autres noms de vêtements voulez-vous connaître ? Faites des recherches dans le dictionnaire si nécessaire.

Écouter, comprendre et réagir

9. Écoutez l'audio et cochez les bonnes réponses.

44

- La cliente demande :
  ☐ une robe ☐ une jupe ☐ un jean ☐ un pantalon
- Elle demande un vêtement :
  ☐ noir ☐ bleu ☐ gris
- Le premier vêtement :
  ☐ est à sa taille ☐ est trop petit ☐ est trop grand
- Le vendeur lui propose :
  ☐ une chemise ☐ une ceinture ☐ un tee-shirt

Produire et interagir

10. Complétez la fiche à l'aide du dictionnaire. Quels vêtements choisissez-vous...

- pour rester à la maison ?
  ....
- pour aller travailler ?
  ....
- pour sortir avec vos amis ?
  ....
- pour aller à un mariage ?
  ....
- pour aller à un mariage ?
  ....

11. Complétez le tableau. Puis, comparez vos tableaux en classe : qui a les mêmes goûts que vous ?

	Je porte	Je ne porte jamais
vêtement(s) et matière(s)	*— des jeans*	*— de jupes en laine*
chaussures		
accessoire(s)		

12. Choisissez une personne de la classe. Vos camarades vous posent des questions sur sa tenue pour deviner de qui il s'agit, vous répondez par oui ou par non.

• Il ou elle porte un jean noir ?
○ Non.

DÉFI #02
CRÉER UN SPOT PUBLICITAIRE POUR SOUTENIR LES COMMERCES DE PROXIMITÉ

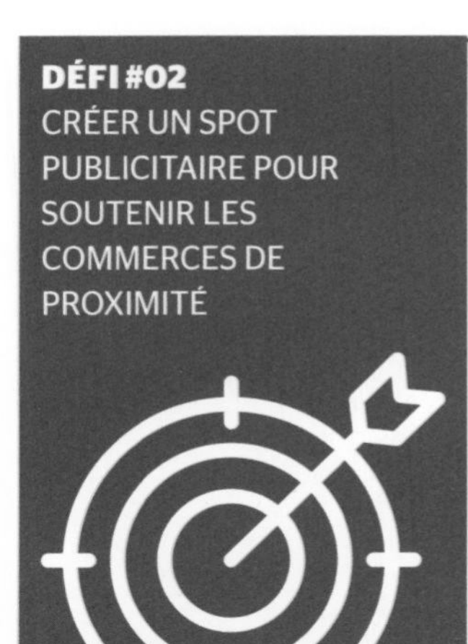

Vous allez créer un spot publicitaire pour soutenir un commerce de proximité ou des produits de votre région.

- ▶ En petits groupes, choisissez le commerce et les produits que vous voulez soutenir.
- ▶ Définissez les lieux, l'histoire, les personnages, les dialogues, la musique, la durée...
- ▶ Filmez votre spot publicitaire.

Mes mots

1. Complétez la carte mentale de la ville avec vos mots.

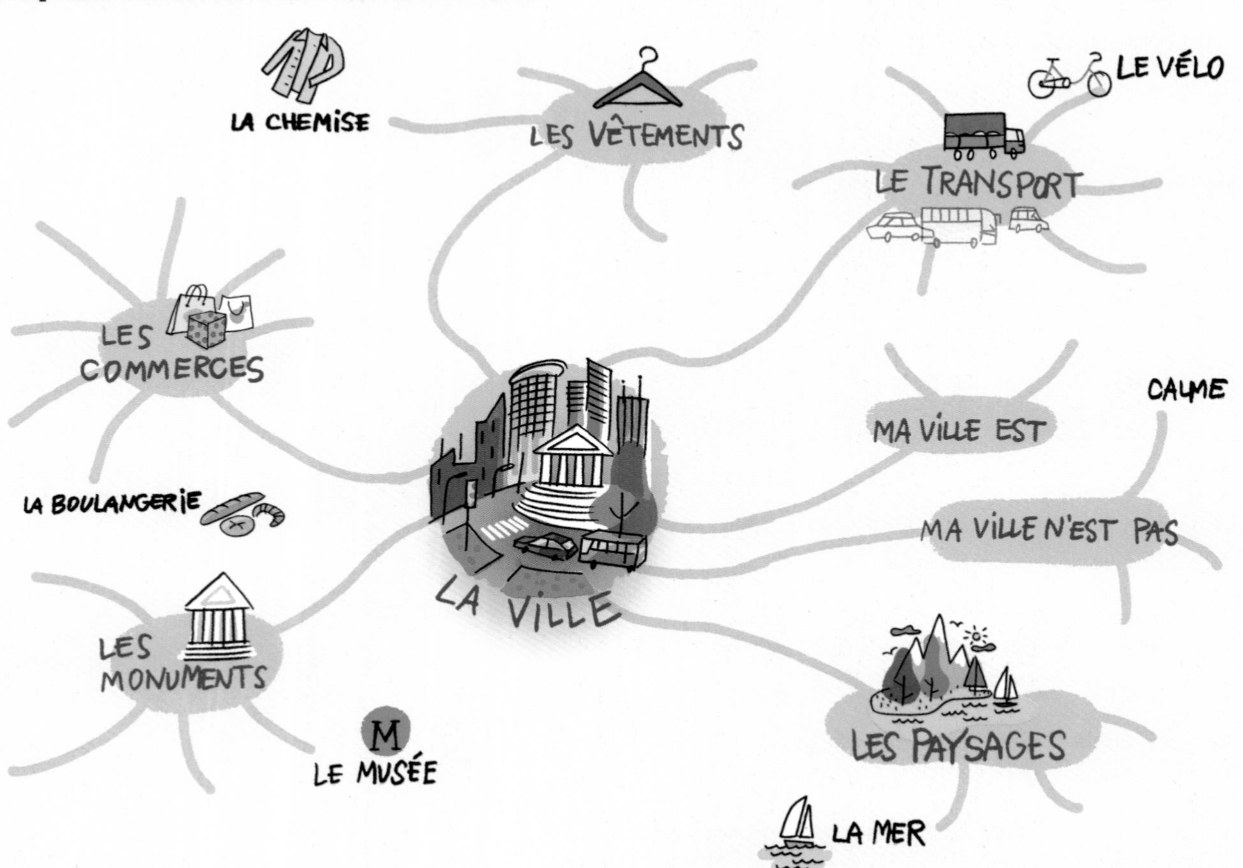

2. Racontez une journée dans votre ville en utilisant le plus de mots possible de l'unité.

— *Le matin, je prends toujours mon petit déjeuner avec du pain frais. Je prends le bus et je vais place de la Liberté. Je vais au parc pour acheter une boisson...*

3. Dans votre armoire, il y a...

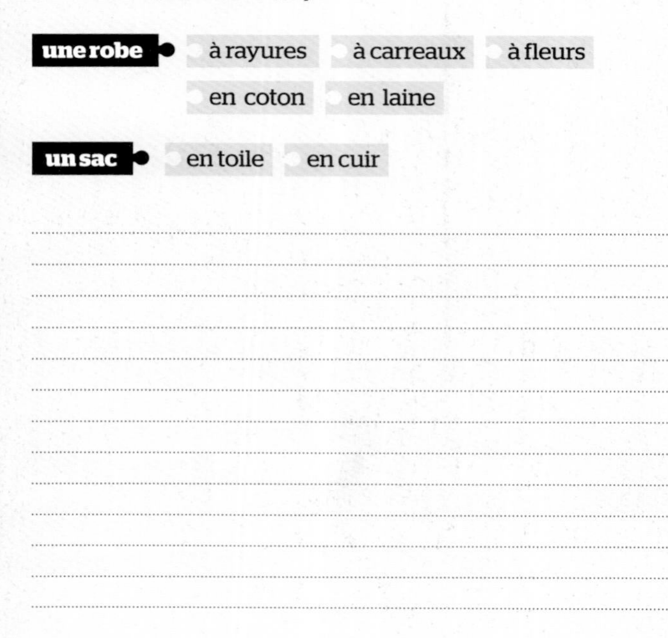

Une pincée de sel

08

DOSSIER 01
Des goûts et des saveurs

CULTURE(S) ET SOCIÉTÉ(S)
- la Semaine du goût
- le gaspillage alimentaire en France
- des recettes de crêpes

GRAMMAIRE
- les articles partitifs
- les adverbes de quantité
- le verbe *manger*

COMMUNICATION
- dire ses goûts et ses préférences alimentaires
- exprimer la quantité
- présenter une recette de cuisine

LEXIQUE
- les repas
- les aliments et les familles d'aliments
- les poids et les mesures

DÉFI #01
CRÉER UNE BROCHURE DE GESTES ANTI-GASPILLAGE

DOSSIER 02
Les aliments voyageurs

CULTURE(S) ET SOCIÉTÉ(S)
- l'histoire de quatre aliments
- Thierry Marx : un chef engagé
- les événements gastronomiques

GRAMMAIRE
- le passé composé
- les participes passés irréguliers
- l'accord et la négation au passé composé

COMMUNICATION
- raconter une expérience culinaire
- raconter son parcours de vie

LEXIQUE
- les continents
- les marqueurs temporels du passé
- le parcours de vie

DÉFI #02
RÉDIGER LA BIOGRAPHIE D'UN ALIMENT MYSTÈRE

DÉFI #03 NUMÉRIQUE
espacevirtuel.emdl.fr

École de la Souris verte

Du 9 au 15 octobre, on fête la Semaine du goût partout en France et dans notre école aussi ! Voici le programme de la Semaine du goût à la Souris verte.

DE LUNDI À JEUDI

**De lundi à jeudi, chaque jour a sa couleur de repas.
N'oubliez pas d'habiller votre enfant de la couleur du jour !**

LUNDI

MARDI

MERCREDI

JEUDI

LUNDI

SALÉ

SUCRÉ

ACIDE

AMER

Les enfants goûtent des aliments et découvrent les saveurs : le salé, le sucré, l'acide et l'amer.

MARDI

Des boulangers, des producteurs et des cuisiniers font goûter des produits frais aux enfants et leur parlent de leur métier.

DES BOULANGERS

DES PRODUCTEURS

DES CUISINIERS

JEUDI

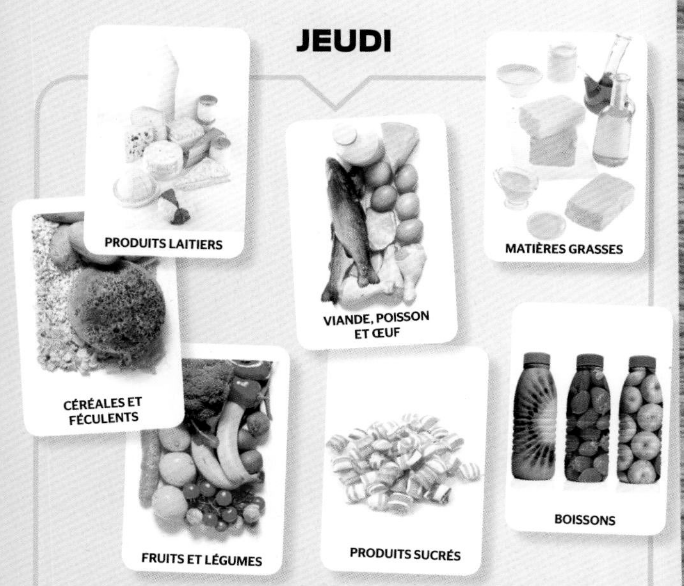

Les enfants découvrent les sept familles d'aliments :
- **les céréales et les féculents**
- **les produits laitiers**
- **la viande, le poisson et les œufs**
- **les fruits et légumes**
- **les matières grasses**
- **les produits sucrés**
- **les boissons**

VENDREDI

LE PETIT DÉJEUNER

LE GOÛTER

LE DÉJEUNER

LE DÎNER

Les enfants cuisinent un repas complet (entrée, plat, dessert) avec un chef cuisinier. Les familles sont les bienvenues pour la dégustation.

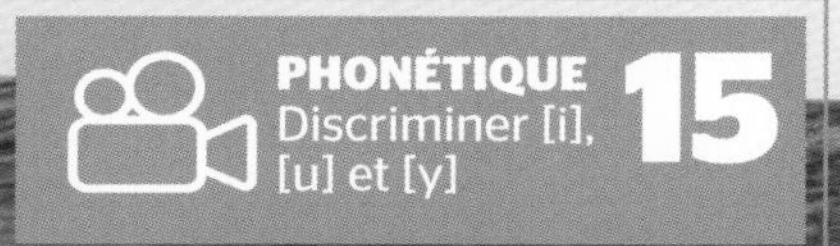
PHONÉTIQUE Discriminer [i], [u] et [y] **15**

Avant de lire

1. **Dans votre pays, est-ce que les élèves apprennent à bien manger à l'école ?**
- *Oui, ici, les enfants prennent un bon petit déjeuner à l'école.*

Lire, comprendre et réagir

2. **Lisez le titre et l'introduction du document, puis répondez aux questions.**
- Qui a écrit ce document ?
- À qui s'adresse-t-il ?

3. **Lisez le document. Qu'est-ce que c'est ?**

☐ C'est une publicité pour une alimentation équilibrée.
☐ C'est une brochure d'information d'une école.
☐ C'est un article de presse sur l'alimentation.

4. **Observez les activités. Quel jour de la semaine est le plus intéressant pour vous ? Pourquoi ?**
- *Pour moi, c'est le mardi parce que les enfants découvrent des métiers.*

5. **Regardez l'encadré *De lundi à jeudi*. En petits groupes, à l'aide d'un dictionnaire, complétez le tableau avec des aliments de chaque couleur.**

	lundi	mardi	mercredi	jeudi
couleur	— *le jaune*			
aliments	— *le citron* — *les frites*			

6. **Comparez votre tableau de l'activité précédente avec celui d'un/e camarade.**

7. **Regardez l'encadré *lundi*. Quelles saveurs aimez-vous ou n'aimez-vous pas ?**

8. **Relisez l'encadré *jeudi*. Classez les aliments du tableau de l'activité 5 par famille.**
- *Les céréales et féculents : les frites...*

Regarder, comprendre et réagir

Retrouvez la vidéo et les activités sur espacevirtuel.emdl.fr

Mon panier de lexique

Quels mots de ces pages voulez-vous retenir ? Écrivez-les.

....

....

Avant de lire

1. Répondez aux questions sur le gaspillage alimentaire dans le monde et en France.

- **Dans le monde, on gaspille…**
  ☐ 15 % ☐ 25 % ☐ 30 % de la production mondiale de nourriture

- **En France, on gaspille…**
  ☐ entre 250 et 500 euros ☐ entre 500 et 1 500 euros ☐ entre 1 500 et 2 000 euros par an et par foyer

- **La moitié des aliments jetés sont…**
  ☐ des fruits et des légumes ☐ des produits laitiers ☐ de la viande, du poisson et des œufs

CUISINE & DÉCOUVERTES

DES INITIATIVES CONTRE LE GASPILLAGE ALIMENTAIRE

Chaque année, on jette 30 % de la production mondiale de nourriture. En France, ce gaspillage coûte entre 500 et 1 500 euros par an et par famille. La moitié des produits alimentaires jetés sont des fruits et des légumes. Voici deux initiatives pour lutter contre le gaspillage alimentaire…

DES FRIGOS COLLECTIFS

En France, l'association *Partage ton frigo* installe des frigos collectifs dans les entreprises. Chloé, chef d'entreprise à Lyon, témoigne : « Beaucoup de collègues utilisent le frigo collectif. Ils déposent les aliments qu'ils ne vont pas manger, et les autres personnes peuvent se servir. Quand il y a assez de produits dans le frigo, nous cuisinons et mangeons ensemble. Regardez, aujourd'hui, le frigo est plein : du fromage, des fruits et des légumes, de la salade, de l'eau gazeuse, du lait… »

DEUX APPLICATIONS ANTI-GASPILLAGE

Vous avez trop de salade dans votre frigo ? Ne la jetez pas ! Vous n'avez pas d'œufs ou pas de lait pour faire un gâteau ? Avec l'application *Partage ton frigo*, trouvez des voisins qui ont ces produits.

Vous voulez cuisiner sans faire de courses ? L'application *Frigo Magic* propose des recettes à partir des aliments que vous avez dans vos placards et votre frigo !

Lire, comprendre et réagir

2. **Lisez l'introduction de l'article et vérifiez vos réponses de l'activité précédente.**

3. **Lisez l'article. Quelle initiative anti-gaspillage aimeriez-vous essayer ?**

- *J'aimerais essayer Frigo Magic pour avoir des idées de recette.*

4. **Échangez en petits groupes sur ce que vous faites pour éviter le gaspillage alimentaire.**

- *Je donne les restes à mes animaux.*

Travailler la langue

5. **Complétez le tableau à l'aide de l'article.**

LES ARTICLES PARTITIFS

	MASCULIN	FÉMININ
SINGULIER	___ fromage	___ salade
	___ eau	
PLURIEL	___ fruits	

On utilise les articles partitifs pour indiquer une quantité indéfinie de quelque chose.
! Dans les phrases négatives, l'article partitif est toujours ___
Ex. : *Vous avez **du** lait. → Vous n'avez pas ___ lait.*

→ CAHIER D'EXERCICES **P. 62, 63** – EXERCICES 6, 7, 8

6. **Placez ces adverbes dans l'encadré à l'aide de l'article.**

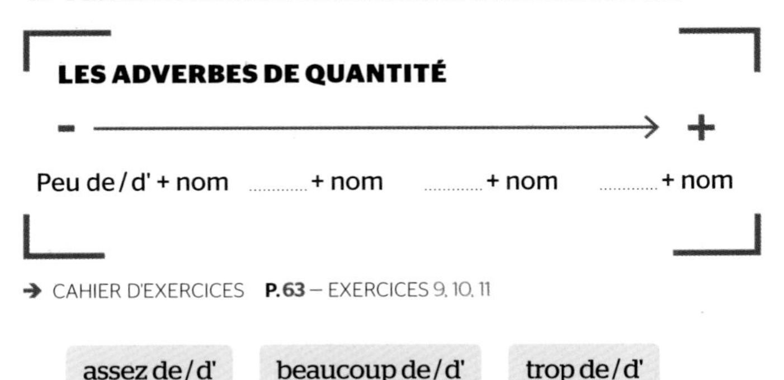

LES ADVERBES DE QUANTITÉ

\- ——————→ +

Peu de / d' + nom .... + nom .... + nom .... + nom

→ CAHIER D'EXERCICES **P. 63** – EXERCICES 9, 10, 11

assez de / d' | beaucoup de / d' | trop de / d'

7. **Quelle est la particularité des verbes en *-ger* comme *manger*, *voyager* et *partager* ? Complétez le tableau à l'aide de l'article.**

LE VERBE *MANGER*

Je	**mang**e
Tu	**mang**es
Il / Elle / On	**mang**e
Nous	___
Vous	**mang**ez
Ils / Elles	**mang**ent

→ CAHIER D'EXERCICES **P. 63** – EXERCICE 12

Écouter, comprendre et réagir

8. **Écoutez le dialogue. Qu'est-ce qu'il y a dans la recette ?**
45 — *Dans la recette, il y a des...*

Produire et interagir

9. **Faites des recherches sur le gaspillage alimentaire dans votre pays et présentez vos résultats à la classe.**

- *Aux États-Unis, on jette beaucoup : 9 kg de nourriture par mois et par personne.*

10. **En groupes, à l'aide de l'exemple et d'un dictionnaire, proposez une recette salée ou sucrée (écrite ou dessinée) pour chaque ingrédient.**

du pain | de l'ananas | du citron | des carottes

11. **Cuisinez une recette de l'activité précédente et apportez le plat en classe.**

12. **Lisez les profils d'Amina et Roger. Que pensez-vous de ce qu'ils mangent chaque semaine ? Répondez à l'aide des étiquettes.**

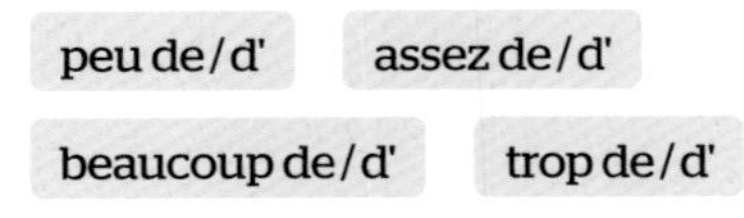

peu de / d' | assez de / d' | beaucoup de / d' | trop de / d'

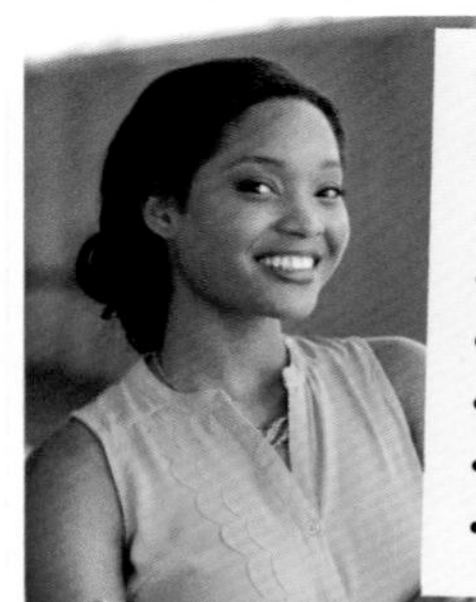

Par semaine, Amina mange...
- 3 kg de viande
- 12 œufs
- 3 pommes
- 2 kg de pâtes
- 10 tablettes de chocolat
- 6 litres de boissons sucrées
- 1 tomate

Par semaine, Roger mange...
- 2 salades
- 1 kg de poisson
- 1 kg de bananes
- 800 g de fromage
- 4 litres de lait
- 1 kg de pain
- 2 gâteaux

- *Pour moi, Amina mange trop de viande.*

Les recettes
www.les-recettes-du-placard.blogspot.def

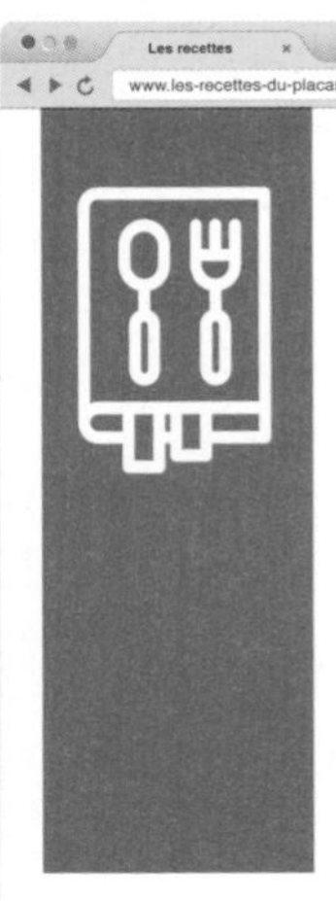

LES RECETTES DU PLACARD

Comme chaque mardi, je vous propose quelques recettes à faire avec ce que vous avez dans vos placards. Aujourd'hui, je vous présente mes recettes de crêpes préférées. Bon appétit !

Avec...

- 250 grammes de farine
- 50 centilitres de lait
- 50 grammes de beurre
- 10 centilitres d'eau
- 30 grammes de sucre
- 1 pincée de sel
- 4 œufs

Vous pouvez faire...

des crêpes bretonnes sucrées

+ VOIR LES ÉTAPES +

Avec...

- 300 grammes de farine de blé noir
- 75 centilitres d'eau
- 1 cuillère à café de sel
- 1 œuf

Vous pouvez faire...

des galettes (crêpes bretonnes salées)

+ VOIR LES ÉTAPES +

Avec...

- 250 grammes de farine
- 60 grammes de sucre
- 25 centilitres de lait
- 1 sachet de levure chimique
- 4 pincées de sel
- 3 œufs
- 30 grammes de beurre

Vous pouvez faire...

des crêpes québécoises

+ VOIR LES ÉTAPES +

Avec...

- 250 grammes de farine de semoule fine
- 100 grammes de farine
- 4 cuillères à soupe d'eau tiède
- 15 grammes de levure de boulangerie
- 1 cuillère à café de sel

Vous pouvez faire...

des baghrir (crêpes marocaines aux mille trous)

+ VOIR LES ÉTAPES +

Lire, comprendre et réagir

1. Lisez le blog. Quelle recette aimeriez-vous faire ou goûter ? Pourquoi ?

- *Je ne cuisine pas, mais j'aimerais goûter les crêpes québécoises.*

2. Connaissez-vous des recettes similaires aux crêpes ? Échangez en classe.

3. À votre avis, que signifie « les recettes du placard » ?

Écouter, comprendre et réagir

4. Anne-Sophie explique comment elle fait les crêpes. Écoutez et retrouvez de quelle recette il s'agit. 46

- ☐ des crêpes sucrées
- ☐ des galettes
- ☐ des crêpes québécoises
- ☐ des baghrir

5. Essayez de remettre les étapes de la recette dans l'ordre, puis réécoutez l'audio pour vérifier vos réponses. 46

- ☐ mixer les ingrédients
- ☐ cuire les crêpes à la poêle
- ☐ mélanger l'eau tiède et la levure
- ☐ verser la pâte dans un grand bol et laisser reposer 30 minutes
- ☐ mélanger la semoule, le sel et la farine

Travailler la langue

6. Complétez l'encadré à l'aide du blog.

LES POIDS ET LES MESURES

1 g = ... (de)
1 kg = 1 kilogramme (de)
1 l = 1 litre (de)
1 cl = ... (de)
une cuillère à café (de)
une cuillère à soupe (de)

→ CAHIER D'EXERCICES **P. 64** – EXERCICES 15, 16

Produire et interagir

7. En groupes, choisissez un type de plat qui existe dans plusieurs pays. Puis faites des recherches et complétez une fiche comme dans l'exemple. Présentez-la à la classe.

les omelettes | les salades | les sandwichs | les soupes | les gâteaux | ...

L'omelette

- Plat choisi : *le tamagoyaki (une omelette sucrée)*
- Origine : *Japon*
- Ingrédients : *6 œufs, 3 cuillères à soupe d'eau, 10 g de sucre, une pincée de sel*
- Plats similaires dans d'autres pays : *la tortilla espagnole, la frittata italienne...*

8. Quelles sont les recettes du placard dans votre pays ou dans votre famille ?

- *Chez moi, avec les restes de viande, on fait des boulettes.*

DÉFI #01
CRÉER UNE BROCHURE DE GESTES ANTI-GASPILLAGE

Vous allez créer une brochure de gestes anti-gaspillage.

- ▶ En groupes, faites une liste de mauvaises habitudes liées au gaspillage.
  - *— Ne pas vérifier ce qu'il y a dans le frigo avant de faire les courses.*
  - *— Ne pas ranger les placards.*
- ▶ Élaborez votre brochure : pour chaque geste, proposez une solution.
- ▶ Présentez votre brochure à la classe.
- ▶ Pensez-vous changer vos habitudes et mettre en pratique les gestes proposés ? Lesquels ?

Vous jetez trop d'aliments à la poubelle ?
- **Cuisinez avec les restes :** vous avez du poulet, du riz et des tomates ? Faites une salade de riz au poulet !
- **Congelez vos restes** pour les manger un autre jour.

LES ALIMENTS VOYAGEURS

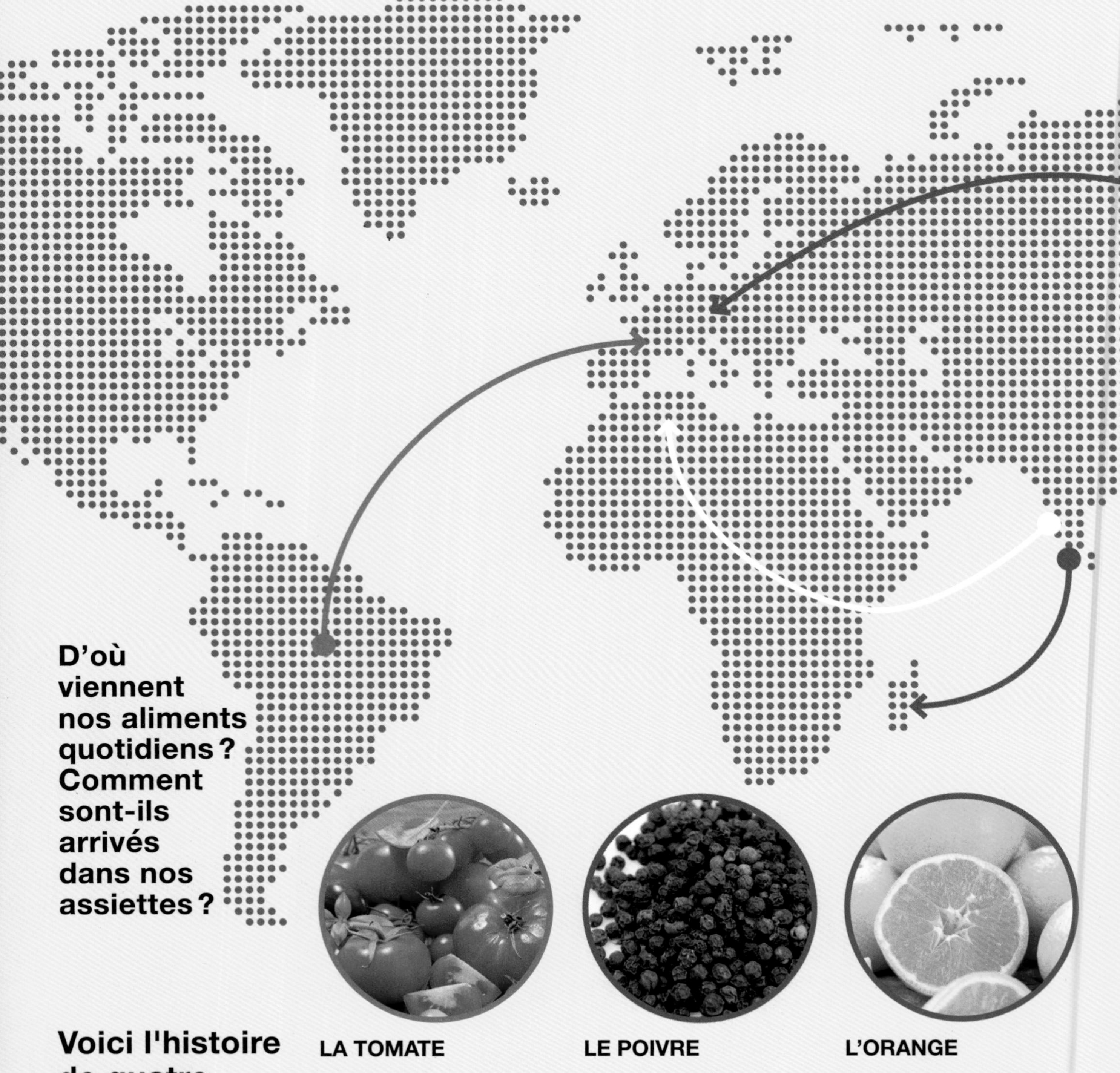

D'où viennent nos aliments quotidiens ? Comment sont-ils arrivés dans nos assiettes ?

Voici l'histoire de quatre aliments voyageurs :

LA TOMATE

La tomate est née en Amérique du Sud, dans les Andes. Ce fruit est arrivé en Europe au XVIe siècle avec les Espagnols. Aujourd'hui, c'est l'un des fruits les plus cultivés en France et en Europe.

LE POIVRE

Le « roi des épices » est né dans le sud-ouest de l'Inde. Au Moyen Âge, les marchands italiens ont commercialisé le poivre et d'autres épices en Europe. Ensuite, les Portugais ont continué le commerce des épices. Aujourd'hui, on produit du poivre au Cameroun et à Madagascar.

L'ORANGE

L'orange vient d'Asie. Au XVIe siècle, les Portugais l'ont apportée en Europe. L'orange a été un produit de luxe pendant des siècles. Louis XIV a construit sa propre orangerie en 1663 à Versailles. Aujourd'hui, on cultive des oranges surtout au Brésil et aux États-Unis.

LE SUCRE

La canne à sucre est née en Inde il y a 6000 ans. Elle est arrivée en Afrique du Nord au VIIe siècle, puis aux Antilles et en Amérique du Sud au XVIe siècle. Au XIXe siècle, peu à peu, la culture de la betterave a remplacé celle de la canne à sucre. Aujourd'hui, la France est le premier producteur mondial de sucre de betterave.

Avant de lire

1. À votre avis, de quels continents viennent les aliments suivants ?

- la tomate : ......
- l'orange : ......
- le poivre : ......
- le sucre : ......

Lire, comprendre et réagir

2. Lisez le document et vérifiez vos hypothèses de l'activité précédente.

3. Y a-t-il des informations qui vous étonnent ? Pourquoi ?

4. Repérez dans les textes les mots qu'on utilise pour situer dans le temps...

- une année particulière : .... 1663.
- un siècle : .... XVIe siècle.
- un moment dans le passé : elle est née .... 6000 ans.

5. Connaissez-vous l'origine d'autres aliments ? Échangez en petits groupes.

• *Je crois que le café vient d'Amérique du Sud.*
○ *Non, il vient d'Éthiopie.*

6. En petits groupes, choisissez un aliment ou un produit, puis faites des recherches et complétez la fiche.

- Aliment/produit : *le thé*
- Origine : *Chine, au 2e siècle avant J.-C.*
- Histoire : *Au 7e siècle, le thé arrive au Japon.*
  Au 17e siècle, on le commercialise en Europe.
  Au 19e, les Anglais cultivent du thé en Inde et en Afrique.
- Aujourd'hui : *Le thé est la première boisson mondiale après l'eau.*

7. Écoutez l'audio et faites une fiche comme celle de l'activité précédente. 47

8. Y a-t-il des expressions avec des aliments dans votre langue ou dans les langues que vous connaissez ?

• *En anglais, on dit « It's not my cup of tea » quand on n'aime pas quelque chose.*

Mon panier de lexique

Quels mots de ces pages voulez-vous retenir ? Écrivez-les.

....

....

Un passionné de cuisine

Thierry Marx est un grand chef français. En 2012, il a créé *Cuisine mode d'emploi(s)*, une école pour former gratuitement des adultes sans emploi aux métiers de la restauration.

Des débuts difficiles

Avant de devenir chef, Thierry Marx n'a pas eu une vie facile. Il a grandi dans un quartier modeste et il a arrêté sa scolarité très jeune. Puis, il a repris ses études à 24 ans pour devenir chef cuisinier.

En 2012, il a créé *Cuisine mode d'emploi(s)* pour aider des jeunes qui, comme lui, ont vécu des moments difficiles.

Un grand succès

Depuis sa création, l'école a beaucoup de succès et Thierry Marx a ouvert des centres de formation dans toute la France. Ces centres ont formé plus de 700 personnes et 90 % des stagiaires ont trouvé un emploi après leur formation.

2012
Création de *Cuisine Mode d'emploi(s)*

3 métiers
la cuisine,
la boulangerie
et le service en salle

3 mois
Durée de la formation
(2 mois de théorie
+ 1 mois de stage)

5 écoles
en France

10 stagiaires
par formation

Lire, comprendre et réagir

1. **Lisez l'article. Que pensez-vous de Thierry Marx ? Cherchez des adjectifs pour le qualifier.**

• *Pour moi, il est courageux...*

2. **Que pensez-vous de son initiative ?**

3. **Connaissez-vous d'autres initiatives solidaires liées à la cuisine ou à l'alimentation ?**

• *En Italie, il y a la tradition du caffè sospeso. Quand on prend un café, on paie un deuxième café pour un futur client.*

Travailler la langue

4. **Observez la deuxième phrase de l'introduction. Le verbe de la phrase (*il a créé*) situe l'action :**

☐ dans le passé
☐ dans le présent
☐ dans le futur

5. **Observez ces verbes extraits de l'article. À deux, retrouvez leur infinitif.**

- Il a créé → *créer*
- Il n'a pas eu → ....
- Il a grandi → ....
- Il a arrêté → ....
- Il a repris → ....
- Ils ont vécu → ....
- Il a ouvert → ....
- Ils ont formé → ....
- Ils ont trouvé → ....

6. **Complétez le tableau à l'aide de l'article.**

LE PASSÉ COMPOSÉ (1)

Le passé composé permet de raconter des événements terminés au moment où on parle.
Il se forme avec un auxiliaire (...... ou **être** au présent) et le participe passé du verbe. La majorité des verbes se conjuguent avec l'auxiliaire **avoir**.
Ex. : ....

J'	**ai**	
Tu	**as**	
Il/Elle/On	......	**créé**
Nous	**av**ons	
Vous	**av**ez	
Ils/Elles	......	

Le participe passé des verbes en *-er* se termine en ......
Ex. : ....
Quelques participes passés ont une forme irrégulière :

avoir → eu	lire → lu
être → été	faire → fait
dire → dit	vivre → vécu

Dans les phrases négatives :

NE + AUXILIAIRE + PAS + PARTICIPE PASSÉ
Ex. : ....

→ CAHIER D'EXERCICES P. 65 – EXERCICES 20, 21, 22, 23, 24

Écouter, comprendre et réagir

7. 🎧 48 **Écoutez l'extrait de l'émission de radio. Quelle est la particularité de ce restaurant ? Écrivez les étapes de sa création.**

Produire et interagir

8. **Pensez à une personne qui a eu un parcours de vie original ou intéressant. Écrivez les grandes étapes de sa vie.**

Mon amie Christelle :

- *Elle a arrêté ses études à 17 ans.*
- *Elle a travaillé avec des handicapés.*
- *Elle a repris ses études à 35 ans et elle a continué à travailler.*
- *Elle a obtenu un diplôme universitaire et, aujourd'hui, elle est psychologue.*

9. **En petits groupes, racontez-vous les parcours de vie de l'activité précédente.**

10. **Dessinez votre parcours de vie comme dans l'exemple. Aidez-vous des étiquettes pour raconter les étapes. Ensuite, présentez votre parcours à la classe.**

une réussite | un échec | une action solidaire | un voyage | une rencontre importante | ...

Avant de lire

1. Quelles cuisines du monde aimez-vous ? Échangez en classe.

- *J'aime beaucoup la cuisine thaïlandaise. Il y a beaucoup de saveurs et des produits frais.*
- *Moi aussi !*

Saveurs du monde
www.saveursdumonde.def

SAVEURS DU MONDE
CUISINE & VOYAGES

Vous avez voyagé et vous avez découvert un événement gastronomique ? Racontez-nous !

Khalil, Alger

J'ai fait une partie de mes études à Paris. Un jour, nous sommes allés au Salon de l'agriculture avec des amis. Le salon est très grand, il y a presque 4 000 animaux et les producteurs présentent 5 000 produits. Nous sommes arrivés à 11 h et nous sommes repartis à 18 h. J'ai passé une très bonne journée, je me suis amusé, et surtout, j'ai goûté des spécialités de toutes les régions de France !

J'AI AIMÉ : les fromages présentés
JE N'AI PAS AIMÉ : trop de monde !

Lila, Casablanca

Cet été, j'ai voyagé dans le sud du Vietnam et j'y suis restée un mois. J'ai fait beaucoup d'excursions dans le delta du Mékong. Un matin, je suis allée au marché flottant de Phung Hiep. Les marchands vendent leurs produits sur des bateaux. J'ai découvert des fruits et des spécialités locales.

J'AI AIMÉ : les restaurants flottants
JE N'AI PAS AIMÉ : la chaleur

Tom, Besançon

En 2016, je suis parti voir des amis à Montréal. Là, j'ai découvert les *food-trucks*. Je suis allé à un événement dans le centre-ville : le Marché de Nuit. C'est une fête de quartier avec de la musique, de la cuisine de rue, des artisans et des commerçants locaux. C'est très sympa. Je me suis promené pendant des heures, j'ai dansé, j'ai goûté des spécialités locales et de la nourriture de rue. J'ai un très bon souvenir de cette soirée.

J'AI AIMÉ : la poutine, un plat typique du Québec
JE N'AI PAS AIMÉ : rien !

Lire, comprendre et réagir

2. Lisez les témoignages. Quelle expérience aimeriez-vous vivre ?

- *J'aimerais bien voir un marché flottant en Asie.*

3. Connaissez-vous d'autres événements liés à la cuisine ou à l'alimentation ?

- *À New York, il y a le Food Film Festival. Les chefs cuisinent les plats des films et les spectateurs les mangent.*

Travailler la langue

4. Soulignez les verbes au passé composé dans les témoignages. Quels sont les auxiliaires utilisés ?

5. Complétez le tableau à l'aide des témoignages.

LE PASSÉ COMPOSÉ (2)

- L'auxiliaire **avoir** est utilisé pour la majorité des verbes.
- L'auxiliaire **être** est utilisé avec tous les verbes pronominaux.

Ex. : ....

- Il est également utilisé avec les verbes suivants : *monter / descendre, entrer / sortir, naître / mourir, (re) venir, devenir, tomber, apparaître,* ______, ______, ______, ______.

Quand le verbe se conjugue avec **être**, le participe passé s'accorde en genre et en nombre avec le sujet.
Ex. : *Nous sommes all**és** au Salon de l'agriculture.*
Ex. : ....

➔ CAHIER D'EXERCICES **P. 66** – EXERCICES 25, 26, 27

Produire et interagir

6. Vrai ou faux ? En petits groupes, chacun/e raconte trois expériences à l'aide des étiquettes. Les autres devinent ce qui est vrai et ce qui est faux.

voir (vu) | aller (allé) | cuisiner (cuisiné) | faire (fait) | voyager (voyagé) | acheter (acheté) | goûter (goûté) | partir (parti) | découvrir (découvert)

- *J'ai vu des crocodiles au Burkina Faso.*
- *C'est faux !*
- *Non, c'est vrai !*

7. Avez-vous déjà goûté des aliments ou des plats originaux ? Partagez vos expériences avec vos camarades.

- *Quand je suis allée dans le nord de la France, j'ai mangé des endives au four. Je n'ai pas aimé, c'est trop amer !*

8. Faites deux groupes. Dans le premier groupe, chacun/e raconte une expérience de cuisine ratée. Dans le deuxième groupe, chacun/e raconte une expérience réussie.

- *Un jour, au restaurant, j'ai mangé de la viande congelée...*

9. Choisissez l'expérience la plus intéressante de votre groupe. Écrivez-la et lisez-la à l'autre groupe.

— *L'année dernière, Andrés a organisé un dîner sur le thème de l'alphabet. Il a préparé des plats avec la lettre C : ils ont mangé du ceviche, des calamars au curry et un cake au chocolat. Ils ont bu des cocktails et du café... Tout le monde a adoré !*

DÉFI #02
RÉDIGER LA BIOGRAPHIE D'UN ALIMENT MYSTÈRE

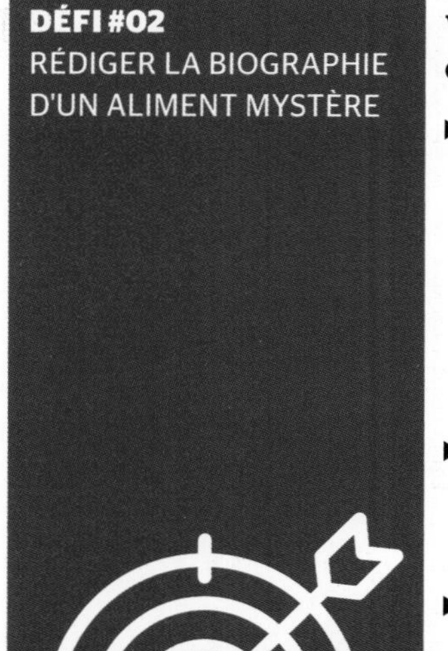

Vous allez proposer à la classe la biographie d'un aliment mystère sous forme d'indices.

- En petits groupes, choisissez un aliment et faites des recherches.

origine | histoire | anecdotes | lieux de production ou consommation | plats typiques

- À l'aide de ces informations, rédigez des indices et classez-les du plus difficile au plus facile.
- Lisez vos indices un par un au reste de la classe. Le groupe qui trouve l'aliment mystère en premier gagne un point.

Qui suis-je ?

Indice n° 1 : j'ai voyagé sur tous les continents.

Indice n° 2 : les Français ont attendu presque deux siècles avant de me consommer.

Indice n° 3 : je suis arrivée en Europe avec les Espagnols, au XVIe siècle.

Indice n° 4 : je suis née dans les Andes, il y a 9 000 ans.

Indice n° 5 : j'ai rencontré Antoine Parmentier en Allemagne, et il m'a fait découvrir Versailles en 1786.

Indice n° 6 : je peux être cuisinée au four, frite, sautée, coupée ou écrasée.

Indice n° 7 : j'ai une cousine orange et plus sucrée.

Les mots assortis

1. Complétez les séries. Comment se traduisent ces expressions dans votre pays ?

manger – bien – ....
– peu – .... – ....

faire – un plat – ....

prendre – .... – le goûter

un produit – sucré – ....

2. Complétez les listes.

Les saveurs

.... | acide | .... | ....

Les métiers de l'alimentation et de la restauration

.... | un producteur | .... | ....

Les ustensiles

.... | une petite cuillère | .... | ....

Faire une recette

.... | verser | .... | .... | ....

Mes mots

3. Observez les différentes familles d'aliments. Quels sont ceux que vous consommez ? Écrivez-les.

les céréales et les féculents	— *du blé,*
les produits laitiers	— *du fromage,*
la viande, le poisson, les œufs	— *du poulet,*
les fruits et les légumes	— *des courgettes,*
les matières grasses	— *du beurre,*
les produits sucrés	— *du chocolat,*
les boissons	— *du jus d'orange,...*

4. Pour vous, quels aliments vont bien ensemble ? Faites une liste comme dans l'exemple avec les associations d'aliments que vous préférez.

— *fraise et chocolat, tomate et basilic, œuf et avocat...*

....

....

....

5. Partagez votre liste avec un/e camarade. Avez-vous les mêmes goûts ?

• *J'aime beaucoup les fraises avec du chocolat !*
○ *Moi, je préfère les manger sans chocolat.*

6. Complétez les phrases suivantes.

- Mon plat préféré, c'est ....
- Le plat qui me rappelle mon enfance, c'est ....
- Je mange souvent ....
- Je ne mange pas de / d' ....
- Je cuisine ....
- Je déteste ....
- Je mange trop de / d' ....

Mémento des stratégies de lecture

Les stratégies de lecture vous aident à mieux comprendre un document (article, infographie, affiche, quiz…). Dans ce mémento, retrouvez l'ensemble des stratégies de lecture présentes dans les unités de *Défi*.

Les stratégies avant de lire

1 FAITES DES HYPOTHÈSES SUR LE CONTENU DU DOCUMENT

▸ **Avant de lire un document, vous pouvez *faire des hypothèses* sur le contenu.**

Pour cela, aidez-vous :

→ des illustrations (images, photos, graphiques, icônes…)
→ du titre et des sous-titres
→ de l'introduction (le petit texte qui introduit, et parfois résume, un texte)
→ des mots que vous connaissez déjà dans le texte

▸ **Ensuite, vous pouvez vérifier vos hypothèses.**

→ en lisant le document entier
→ en lisant des parties du document (titre, sous-titre, légende…)

DANS LES UNITÉS :
1 p. 28 ; 1 p. 35 ; 1 et 3 p. 43 ; 2 p. 45 ; 1 p. 57 ; 1 p. 67 ; 1, 2, 4 p. 69 ; 2 p. 73 ; 1 p. 77 ; 1 p. 107

2 UTILISEZ VOS CONNAISSANCES SUR LE THÈME

▸ **Avant de lire un texte, faites la liste de vos connaissances sur le thème du texte.**

Pensez :

→ aux informations que vous connaissez sur le thème
→ aux mots qui peuvent être associés à ce thème (vous pouvez par exemple faire une carte mentale)

DANS LES UNITÉS :
1 p. 21 ; 1 p. 27 ; 2 p. 28 ; 1 p. 41 ; 1 p. 44 ; 2 p. 45 ; 1 p. 49 ; 1 p. 72 ; 2 p. 91 ; 1 p. 92 ; 1, 2 p. 105 ; 1 p. 120 ; 1 p. 125

3 FAITES DES RECHERCHES AVANT DE LIRE

▸ **Avant de lire un document, vous pouvez faire des recherches pour découvrir le thème et faire des hypothèses.**

Vous pouvez :

→ faire des recherches sur Internet
→ échanger avec des camarades qui connaissent le thème
→ poser des questions à l'enseignant/e

DANS LES UNITÉS :
1, 2 p. 58

Les stratégies pendant la lecture

4 DEMANDEZ DE L'AIDE À QUELQU'UN

▶ **Pendant la lecture, vous pouvez demander de l'aide :**

→ à vos camarades : qu'est-ce qu'ils ont compris ?
→ à votre enseignant/e : comment traduire un mot ou une expression ?

DANS LES UNITÉS :
toutes les unités

5 UTILISEZ DES RESSOURCES

▶ **Pendant la lecture, vous pouvez utiliser un dictionnaire unilingue ou bilingue pour traduire les mots que vous ne comprenez pas.**

DANS LES UNITÉS :
1 p. 63 ; 1 p. 99

6 COMPLÉTEZ VOS HYPOTHÈSES ET FAITES DES SUPPOSITIONS

▶ **Vous comprenez toujours quelque chose dans un texte, parfois un ou des mots, parfois une idée... Vous pouvez améliorer votre compréhension en faisant des suppositions.**

Vous pouvez :
→ souligner tous les mots que vous connaissez
→ essayer de comprendre le texte à l'aide de vos hypothèses avant de le lire

DANS LES UNITÉS :
2 p. 21 ; 3 p. 29 ; 2 p. 35 ; 2 p. 41 ; 2 p. 45 ; 2, 3 p. 49 ; 2 p. 57 ; 3 p. 59 ; 2 p. 121 ; 2 p. 125

7 REPÉREZ LA STRUCTURE DU TEXTE

▶ **Vous pouvez repérer la structure du texte : son titre, son introduction, ses sous-titres, ses parties, ses photos, ses légendes... De quoi parle chaque partie du texte ?**

DANS LES UNITÉS :
1 p. 53 ; 2 p. 77 ; 1 p. 78 ; 2 p. 93 ; 2 p. 80

8 REPÉREZ LES CONTENUS CULTURELS

▶ **Dans les documents, certains mots, phrases ou photos parlent de la culture francophone ou de contenus culturels nouveaux. Ces contenus peuvent être similaires dans votre culture ou différents. Vous pouvez alors faire des recherches sur Internet ou comparer ces contenus avec votre culture.**

DANS LES UNITÉS :
4 p. 41 ; 1, 3 p. 84

PRÉCIS DE GRAMMAIRE

LES DÉTERMINANTS

Le déterminant est un mot court qui se place devant le nom et qui lui donne une identité propre. On choisit le déterminant en fonction de la situation de communication et de ce que l'on veut exprimer. Le déterminant s'accorde en genre et en nombre avec le nom.

Les articles définis

PAGE 23

	Masculin	Féminin
Singulier	le	la
Pluriel	les	

On emploie l'article défini pour introduire :

- un élément déjà connu de l'interlocuteur dans la situation de communication.

Ex. : *J'ai rencontré **le** professeur de français dans la rue.*
(→ les deux personnes qui discutent connaissent le même professeur de français.)

- un élément unique et connu de tout le monde.

Ex. : ***Le** soleil se lève à l'est.*
(→ il n'y a qu'un soleil, tout le monde sait de quoi on parle.)

- une généralité.

Ex. : ***Les** parents d'aujourd'hui sont plutôt sympas !*
(→ le locuteur parle des parents en général.)

Les articles indéfinis

PAGE 45

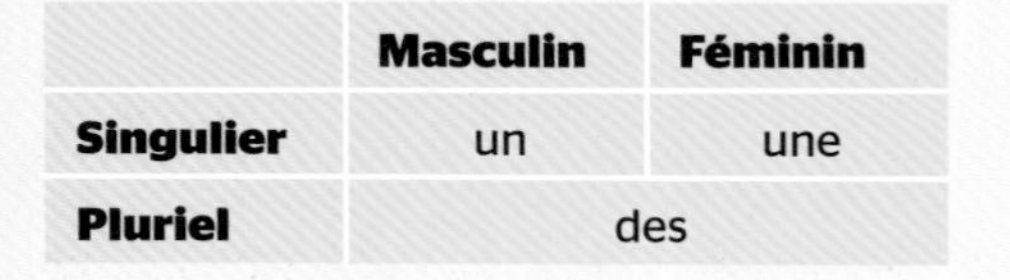

	Masculin	Féminin
Singulier	un	une
Pluriel	des	

On emploie l'article indéfini pour introduire :

- un élément inconnu de l'interlocuteur dans la situation de communication.

Ex. : ***Un** nouvel élève est arrivé dans la classe ce matin.*
(→ l'interlocuteur ne connaît pas le nouvel élève.)

- une généralité.

Ex. : ***Un** voyage bien organisé est **un** voyage réussi.*

Les articles partitifs

PAGE 121

	Masculin	Féminin
Singulier	du / de l'	de la / de l'
Pluriel	des	

On utilise l'article partitif pour indiquer quelque chose qu'on ne peut pas compter. Il s'emploie devant :

- les noms qui désignent une quantité indéterminée.

Ex. : *Ce magasin vend des produits frais comme **du** fromage, **de la** salade, **de l'**eau gazeuse ou **du** lait.*

- les noms qui désignent des abstractions.

Ex. : *Il a **du** courage mais aussi **de la** chance.*

Les articles indéfinis et partitifs et la négation :
Quand une phrase passe de la forme affirmative à la forme négative, les articles indéfinis (**un**, **une**, **des**) et les articles partitifs (**du**, **de la**, **des**) se transforment en **de**.

Ex. : *Il y a une chambre, mais il n'y a pas **de** salon.*

Les articles contractés

PAGE 93

Les articles contractés sont le résultat d'une association entre une préposition et un article défini. Ils s'accordent en genre et en nombre avec le nom qu'ils introduisent.

à + le	= **au**	*Ils vont **au** cinéma et **au** théâtre.*
à + la	= **à la**	*Je vais **à la** plage tous les week-ends.*
à + l'	= **à l'**	*Je parle **à l'**ami de Fabian.*
à + les	= **aux**	*Ils jouent souvent **aux** cartes.*
de + le	= **du**	*Les musiciens viennent **du** monde entier.*
de + la	= **de la**	*Les artistes jouent **de la** musique.*
à + l'	= **à l'**	*Je fais **de l'**escalade.*
de + les	= **des**	*Il vit à côté **des** Halles.*

Les adjectifs possessifs

PAGE 53

La forme des adjectifs possessifs dépend de deux éléments :
la personne qui possède
le nombre et le genre de ce qui est possédé.

Personne	**Masculin**	**Féminin**	**Masculin**	**Féminin**
	Singulier		**Pluriel**	
	C'est...		Ce sont...	
à moi	**mon** chien	**ma** fille	**mes** enfants	
à toi	**ton** chien	**ta** fille	**tes** enfants	
à lui **à elle**	**son** chien	**sa** fille	**ses** enfants	
à nous	**notre** cousine		**nos** livres	
à vous	**votre** cousine		**vos** livres	
à eux **à elles**	**leur** cousine		**leurs** livres	

On emploie les adjectifs possessifs pour marquer un lien d'appartenance :
- entre deux ou plusieurs personnes.

Ex. : ***Mes** amis sont partis du Canada.*

- entre une ou plusieurs personne(s) et un ou plusieurs objet(s).

Ex. : *Quelle est **ta** série française préférée ?*

❗ On emploie **mon**, **ton**, **son** devant un nom féminin commençant par une voyelle ou un **h** muet.
Ex. : ***Mon amie** Léa adore faire le marché.*
[mɔ̃nami]

Les déterminants démonstratifs

PAGE 115

	Masculin	Féminin
Singulier	ce / cet	cette
Pluriel	ces	

❗ Devant un nom commençant par une voyelle ou un **h** muet, **ce** → **cet**.
Cet se prononce comme **cette** [sɛt].

Les déterminants démonstratifs permettent de :
- désigner une personne, un animal, une chose ou un lieu que le locuteur et l'interlocuteur voient au moment où ils parlent.

Ex. : *Regarde **ce** beau pantalon !*

- reprendre un nom déjà évoqué.

Ex. : ***Cette** personne porte un pull gris et une chemise blanche.*
(→ la personne a déjà été citée dans la conversation.)

LE NOM

Le nom commun a un genre : il est masculin ou féminin.
C'est en général l'article au singulier qui indique le genre.
Ex. : ***La** fille. **Le** garçon.*

Le nom peut être au singulier ou au pluriel.
Ex. : ***Le** salon, **la** cuisine et **les** chambres.*

Le genre des noms de pays

PAGE 39

En général, c'est l'article qui indique le genre des noms de pays.
Ex. : ***La** France, **le** Sénégal.*

Quand il n'y a pas d'article, on peut connaître le genre en regardant la dernière lettre du nom du pays :
- si le nom de pays se termine par un **-e**, il est féminin.

Ex. : ***La** Belgique* → féminin

❗ Il y a des exceptions : **le** Mexique, **le** Mozambique, **le** Cambodge, **le** Zimbabwe.

- si le nom de pays se termine par une autre lettre que le **-e**, il est masculin.

Ex. : ***Le** Portugal* → masculin.

Le féminin des noms de métiers

PAGE 31

Les mots qui désignent les métiers sont des noms communs. Ils ont en général une forme au masculin (s'ils font référence à un homme) et une forme au féminin (s'ils font référence à une femme).

Pour former le féminin des noms de métiers, on ajoute un **-e** au mot masculin. Cet ajout peut modifier l'orthographe et la prononciation :
- consonne finale muette au masculin + **-e**.
(→ orthographe et prononciation différentes.)

Ex. : *Il est assist**ant** social.* → *Elle est assist**ante** sociale.*
[ilɛasistɑ̃sosjal] → [ɛlɛasistɑ̃tsosjal]

- voyelle finale prononcée au masculin + **-e**.
(→ orthographe différente et prononciation identique.)

Ex. : *Il est employ**é**.* → *Elle est employé**e**.*
[ilɛɑ̃plwaje] → [ɛlɛɑ̃plwaje]

- mot terminé par un **-e** final au masculin.
(→ orthographe et prononciation identiques.)

Ex. : *Il est secrét**aire**.* → *Elle est secrét**aire**.*
[ilɛsəcretɛr] → [ɛlɛsəcretɛr]

Les formations particulières

Fin du mot au masculin	Fin du mot au féminin	Prononciation différente	Exemples
-ien	-ienne	[jɛ̃] / [jɛ̃n]	*un magic**ien*** *une magic**ienne***
-(i)er	-(i)ère	[je] / [jɛr]	*un infirm**ier*** *une infirm**ière***
-teur	-trice	[tœr] / [tris]	*un agricul**teur*** *une agricul**trice***
-eur	-euse	[œr] / [øz]	*un coiff**eur*** *une coiff**euse***

L'ADJECTIF QUALIFICATIF

L'adjectif qualificatif permet de caractériser une personne ou un objet. Il s'accorde en genre et en nombre avec le nom qu'il caractérise.

L'accord en genre et en nombre produit plus de modifications à l'écrit (l'orthographe est différente), qu'à l'oral (la prononciation est souvent identique).

La formation du féminin

PAGE 57, 99

De manière générale, pour former le féminin, on ajoute un **-e** à l'adjectif au masculin :
- voyelle finale prononcée au masculin + **-e**.
(→ orthographe différente et prononciation identique.)

Fin du mot au masculin	Fin du mot au féminin	Exemple
-é	-ée	*réserv**é** / réserv**ée*** [rezɛrve] / [rezɛrve]

- consonne finale prononcée au masculin + -**e**.
(orthographe différente et prononciation parfois différente.)

Fin du mot au masculin	Fin du mot au féminin	Exemples
-f	-ve	*sporti**f** / sporti**ve*** [spɔrtif] / [spɔrtiv]
-l	-le/-lle	*origina**l** / origina**le*** [oriʒinal] / [oriʒinal] *traditionne**l** / traditionne**lle*** [tradisjonɛl] / [tradisjonɛl]
-eur	-euse	*rêv**eur** / rêv**euse*** [rɛvœr] / [rɛvøz]

- consonne finale muette au masculin + -**e**.
(➔ orthographe et prononciation différentes.)

Fin du mot au masculin	Fin du mot au féminin	Exemples
-eux	-euse	*génére**ux** / généreu**se*** [ʒenerø] / [[ʒenerøz]
-d	-de	*bavar**d** / bavar**de*** [bavar] / [bavard]
-t	-te	*intelligen**t** / intelligen**te*** [ɛ̃teliʒɑ̃] / [ɛ̃teliʒɑ̃t]

❗ *beau → belle*
❗ *vieux → vieille*

- mot terminé par un -**e** final au masculin.
(➔ orthographe et prononciation identiques.)

Ex. : *Il est drôl**e**, elle est drôl**e**.*

La formation du pluriel PAGE 57, 99

De manière générale, pour former le pluriel de l'adjectif qualificatif, on ajoute un -**s** à l'adjectif au singulier :

- + -**s** → orthographe différente et prononciation identique.

Ex. : *Elle est célibataire et ses amis sont célibataire**s**.*
[ɛlɛselibatɛreøosisɔ̃selibatɛr]

- on n'ajoute pas de -**s** au pluriel aux adjectifs qui se terminent par un -**s** ou un -**x** au masculin singulier.

Ex. : ***Il** est amoureu**x**. → **Ils** sont amoureu**x**.*

- on ajoute un -**x** au pluriel aux adjectifs qui se terminent en -**eau** au masculin singulier.

Ex. : *Il est b**eau**. → Ils sont b**eaux**.*

❗ La plupart des adjectifs qui se terminent en -**al** au singulier font leur masculin pluriel en -**aux**.

Ex. : *Il est origin**al**. → Ils sont origin**aux**.*

Le féminin des adjectifs de nationalité PAGE 59

L'adjectif de nationalité suit les règles de formation de l'adjectif qualificatif.

- Pour former le féminin, on ajoute un -**e** à l'adjectif au masculin :

Fin du mot au masculin	Fin du mot au féminin	Exemples
-d	-de	*leman**d** / alleman**de*** [almɑ̃] / [almɑ̃d]
-s	-se	*françai**s** / françai**se*** [frɑ̃sɛ] / [frɑ̃sɛz]
-ain	-aine	*maroc**ain** / maroc**aine*** [marokɛ̃] / [marokɛn]
-ois	-oise	*québéc**ois** / québéc**oise*** [kebekwa] / [kebekwaz]

- Les adjectifs qui se terminent en -**ien** au masculin ont un féminin en **-ienne**.

Ex. : *Il est ital**ien*** [italjɛ̃] *et elle est ital**ienne*** [italjɛn].

- Les adjectifs qui se termine par un -**e** au masculin ne changent pas au féminin.
(➔ orthographe et prononciation identiques.)

Ex. : *Elle est belg**e** et il est suiss**e**.*

Les adjectifs de couleur PAGE 71

L'accord des adjectifs de couleur dépend de la nature du mot qui exprime la couleur :

- quand ce sont des adjectifs qualificatifs, ils s'accordent en genre et en nombre avec le nom qu'ils qualifient. On trouve dans cette catégorie des adjectifs de couleur comme **jaune**, **vert**, **bleu**, **blanc**, **noir**, **rouge**, **violet**...

Ex. : *J'aime **les plantes vertes** dans un salon.*

- quand ce sont des noms qui désignent la couleur, ils ne s'accordent pas. On trouve dans cette catégorie des adjectifs de couleur comme **marron** et **orange**.

Ex. : *Je déteste **les murs orange**.*

❗ **Rose, mauve** et **fauve** sont devenus des adjectifs qualificatifs.

❗ Quand la couleur est composée de deux mots, ils ne s'accordent pas.

Ex. : *Je préfère la chaise **gris foncé** à la chaise **vert clair**.*

Les adjectifs ordinaux

PAGE 25

Les adjectifs ordinaux indiquent l'ordre dans un classement. Ils se forment à partir des nombres auxquels on ajoute **-ième**. Ils suivent les règles d'accord de l'adjectif et se placent entre l'article et le nom.

Ex. : *Tu habites dans* ***le cinquième*** *ou dans* ***le sixième*** *arrondissement de Paris ?*

❗ L'adjectif ordinal **premier** n'est pas formé à partir du nombre **un**.

❗ Il existe deux adjectifs ordinaux pour le nombre **deux** : **deuxième**, formé à partir du nombre **deux** et **second**, plus soutenu.

Les abréviations des adjectifs ordinaux sont :
- Premier/ière → 1er / 1re
- Deuxième ou second/e → 2e, 2nd ou 2nde
- Troisième, quatrième, cinquième... → 3e, 4e, 5e...

La date	On emploie **premier** pour indiquer le jour qui débute un mois puis les nombres pour indiquer tous les autres jours du mois. Ex. : *Tu es arrivé le* ***premier*** *janvier. Je suis née* ***le 16 juin 1986****. Et toi ?*
Les siècles	On emploie les adjectifs ordinaux pour indiquer les siècles. On écrit en général les nombres en chiffres romains. Ex. : *Au* ***XXIe*** *siècle, la France est un pays de personnes âgées !*

Correspondance des chiffres arabes et des chiffres romains.

Chiffres arabes	Chiffres romains	Chiffres arabes	Chiffres romains
1	I	10	X
2	II	20	XX
3	III	40	XL
4	IV	50	L
5	V	60	LX
6	VI	100	C
7	VII	200	CC
8	VIII	500	D
9	IX	1000	M

LES NOMBRES

de 0 à 1000

PAGES 23-29

0	**zéro**	22	**vingt-deux**
1	**un**	23	**vingt-trois**
2	**deux**	30	**trente**
3	**trois**	31	**trente et un**
4	**quatre**	32	**trente-deux**
5	**cinq**	33	**trente-trois**
6	**six**	40	**quarante**
7	**sept**	50	**cinquante**
8	**huit**	60	**soixante**
9	**neuf**	70	**soixante-dix**
10	**dix**	71	**soixante et onze**
11	**onze**	72	**soixante-douze**
12	**douze**	77	**soixante-dix-sept**
13	**treize**	80	**quatre-vingts**
14	**quatorze**	81	**quatre-vingt-un**
15	**quinze**	82	**quatre-vingt-deux**
16	**seize**	83	**quatre-vingt-trois**
17	**dix-sept**	90	**quatre-vingt-dix**
18	**dix-huit**	91	**quatre-vingt-onze**
19	**dix-neuf**	97	**quatre-vingt-dix-sept**
20	**vingt**	98	**quatre-vingt-dix-huit**
21	**vingt et un**	100	**cent**
		1 000	**mille**

Les nombres sont invariables.
Ex. : ***quatre*** copains / ***douze*** ans / ***cinquante*** euros...

❗ **Cinq**, **six**, **huit**, **dix** :
- nombre + nom commençant par une voyelle = liaison.

Ex. : *Il a dix‿ans. [dizɑ̃]*

- nombre + nom commençant par une consonne = pas de liaison.

Ex. : *Il a dix#mois. [dimwa]*

La formation des nombres

La conjonction **et** apparaît entre les dizaines et **1** (un) ou **11** (onze) :
Ex. : *21 = vingt* ***et*** *un / 31 = trente* ***et*** *un / 41 = quarante* ***et*** *un.*
Ex. : *71 = soixante* ***et*** *onze...*
Sauf 81 = **quatre-vingt-un**
91 = **quatre-vingt-onze**

Un trait d'union (-) apparaît entre les dizaines et les unités (autres que 1 et 11) :
- 22 = vingt-deux / 29 = vingt-neuf / 70 = soixante-dix...
- les dizaines 70 et 90 (**soixante-dix** et **quatre-vingt-dix**), sont formées sur la dizaine d'avant à laquelle on ajoute 11, 12, 13... au lieu de 1, 2, 3.

Ex. : *91 =* ***quatre-vingt-onze.***

- 80 prend un **s** final quand il n'est pas suivi d'un autre nombre.

Ex. : *80 = quatre-vingt****s*** */ 83 = quatre-vingt-trois.*

LE VERBE

Le verbe est formé de deux parties : la base + la terminaison. Certains verbes ont une seule base, d'autres en ont deux ou trois. La terminaison indique le mode et le temps du verbe.

❗ ***Être***, ***avoir***, ***aller*** et ***faire*** ont plusieurs bases, ils sont irréguliers.

Pour conjuguer les verbes au présent de l'indicatif.

	Aux trois personnes du singulier	**Aux trois personnes du pluriel**
Verbes en -er	Base verbale + **-e** Base verbale + **-es** Base verbale + **-e**	Base verbale + **-ons** Base verbale + **-ez** Base verbale + **-ent**
Pour la plupart des autres verbes	Base verbale + **-s** Base verbale + **-s** Base verbale + **-t**	

Être

PAGE 31

Je suis	[ʒəsɥi]
Tu es	[tyɛ]
Il / Elle / On est	[il/ɛl/ɔ̃ɛ]
Nous sommes	[nusɔm]
Vous êtes	[vuzɛt]
Ils / Elles sont	[il/ɛlsɔ̃]

Le verbe **être** permet de qualifier, de donner des informations sur quelqu'un ou quelque chose. Tous les mots qualificatifs placés après le verbe **être** s'accordent en genre et en nombre avec le sujet.
Ex. : *Mon amie Karin **est** allemand**e**. Elle **est** professeur**e** de russe. Elle **est** punk.*

❗ Quand on qualifie quelqu'un par sa profession, le nom de la profession n'est pas précédé de l'article défini ou indéfini.

Ex. : *Il est biologiste.*

Avoir

PAGE 29

J'ai	[ʒɛ]
Tu as	[tya]
Il / Elle / On a	[il/ɛl/ɔ̃a]
Nous **av**ons	[nuzavɔ̃]
Vous **av**ez	[vuzave]
Ils / Elles ont	[il/ɛlzɔ̃]

Le verbe **avoir** s'emploie pour :
- indiquer l'âge.

Ex. : *J'**ai** trente-quatre ans.*
- exprimer l'idée de relation de possession.

Ex. : *Il **a** un ordinateur, un portable et une tablette !*

Aimer (verbe à 1 base)

PAGE 43

J'**aim**e	[ʒɛm]
Tu **aim**es	[tyɛm]
Il / Elle / On **aim**e	[il/ɛl/ɔ̃ɛm]
Nous **aim**ons	[nuzemɔ̃]
Vous **aim**ez	[vuzeme]
Ils / Elles **aim**ent	[il/ɛlzɛm]

On emploie **aimer** pour exprimer :
- son affection pour quelqu'un.

Ex. : *Je t'**aime**.*
- son goût pour quelque chose.

Ex. : *Il **aime** écouter de la musique.*

Le complément du verbe **aimer** se construit sans préposition :
- **aimer** + nom.

Ex. : *Elle **aime** les fleurs.*
- **aimer** + verbe à l'infinitif

Ex. : *Tu **aimes** voyager ?*

Aller et *venir*

PAGE 39

Aller	
Je vais	[ʒəvɛ]
Tu vas	[tyva]
Il / Elle va	[il/ɛl/ɔ̃va]
Nous **all**ons	[nuzalɔ̃]
Vous **all**ez	[vuzale]
Ils / Elles vont	[il/ɛlvɔ̃]

Le complément qui suit le verbe **aller** est généralement introduit par la préposition **à**.
Ex. : *Il **va à** la plage tous les matins.*

Venir (verbe à 4 bases)	
Je **vien**s	[ʒəvjɛ̃]
Tu **vien**s	[tyvjɛ̃]
Il/Elle / On **vien**t	[il/ɛlvjɛ̃]
Nous **ven**ons	[nuvənɔ̃]
Vous **ven**ez	[vuvəne]
Ils/Elles **vienn**ent	[il/ɛlvjɛn]

Venir peut s'employer sans complément.
Ex. : *Est-ce que Maxime **vient** demain ? Oui, il **vient** !*

Le complément qui suit le verbe **venir** est généralement introduit par la préposition **de**.
Ex. : *Tu **viens de** quel pays ?*

Verbes courants de la même famille que **venir** : **devenir, prévenir, revenir.**

Les verbes **venir** et **aller** indiquent deux mouvements contraires dans l'espace :

Venir	de + lieu	Origine, point de départ	*Ils **viennent d'**Italie.*
Aller	à / au(x) / en + lieu	But, point d'arrivée	*Elles **vont au** Portugal.*

***Sortir* et *dormir* (verbes à 2 bases)**

PAGE 80

Sortir		Dormir	
Je **sors**	[ʒəsɔr]	Je **dors**	[ʒədɔr]
Tu **sors**	[tysɔr]	Tu **dors**	[tydɔr]
Il / Elle / On **sort**	[il/ɛl/ɔ̃sɔr]	Il / Elle / On **dort**	[il/ɛl/ɔ̃dɔr]
Nous **sort**ons	[nusɔrtɔ̃]	Nous **dorm**ons	[nudɔrmɔ̃]
Vous **sort**ez	[vusɔrte]	Vous **dorm**ez	[vudɔrme]
Ils / Elles **sort**ent	[il/ɛlsɔrt]	Ils / Elles **dorm**ent	[il/ɛldɔrm]

***Servir* (verbe à 2 bases)**

Je **sers**	[ʒəsɛr]
Tu **sers**	[tysɛr]
Il / Elle / On **sert**	[il/ɛl/ɔ̃sɛr]
Nous **serv**ons	[nusɛrvɔ̃]
Vous **serv**ez	[vusɛrve]
Ils / Elles **serv**ent	[il/ɛlsɛrv]

On emploie le verbe **servir à** + infinitif pour indiquer la fonction d'un objet.
Ex. : *Le lit **sert** à dormir et la chaise **sert** à s'asseoir.*

Pouvoir* et *devoir

PAGES 71, 73

Pouvoir (verbe à 3 bases)		Devoir (verbe à 3 bases)	
Je **peu**x	[ʒəpø]	Je **dois**	[ʒədwa]
Tu **peu**x	[typø]	Tu **dois**	[tydwa]
Il / Elle / On **peu**t	[il/ɛl/ɔ̃pø]	Il / Elle / On **doit**	[il/ɛl/ ɔ̃dwa]
Nous **pouv**ons	[nupuvɔ̃]	Nous **dev**ons	[nudəvɔ̃]
Vous **pouv**ez	[vupuve]	Vous **dev**ez	[vudəve]
Ils / Elles **peuv**ent	[il/ɛlpœv]	Ils / Elles **doiv**ent	[il/ ɛldwav]

Pouvoir et **devoir** sont deux verbes très utilisés. Ils se construisent avec un autre verbe à l'infinitif.

- **pouvoir** indique la possibilité, la capacité de faire quelque chose.

Ex. : *Je ne **peux** pas prendre l'avion, j'ai trop peur.*

- **devoir** indique l'obligation de faire quelque chose.

Ex. : *On **doit** faire attention quand on traverse la rue.*

***Prendre* (verbe à 3 bases)**

PAGE 80

Je **prend**s	[ʒəprɑ̃]
Tu **prend**s	[typrɑ̃]
Il / Elle / On **prend**	[il/ɛlprɑ̃]
Nous **pren**ons	[nuprənɔ̃]
Vous **pren**ez	[vuprəne]
Ils / Elles **prenn**ent	[il/ɛlprɛn]

Prendre s'utilise dans de nombreuses expressions courantes : **Prendre le petit déjeuner**, car il n'existe pas de verbe correspondant comme pour les trois autres repas **déjeuner**, **goûter** et **dîner**.

Jouer* et *faire

PAGE 93

Faire		Jouer (verbe à 1 base)	
Je **fais**	[ʒəfɛ]	Je **jou**e	[ʒəʒu]
Tu **fais**	[tyfɛ]	Tu **jou**es	[tyʒu]
Il / Elle / On **fait**	[il/ɛlfɛ]	Il / Elle / On **jou**e	[il/ɛlʒu]
Nous **fais**ons	[nufəzɔ̃]	Nous **jou**ons	[nuʒuɔ̃]
Vous **fait**es	[vufɛt]	Vous **jou**ez	[vuʒue]
Ils / Elles font	[il/ɛlfɔ̃]	Ils / Elles **jou**ent	[il/ɛlʒu]

❗ À la première personne du pluriel, le **-ai** de **faisons** se prononce [ə].

Faire et **jouer** sont employés pour indiquer la pratique d'un sport, d'une activité, d'un jeu ou d'un instrument de musique.

Sport	**faire** + **de** + article défini + nom du sport	***faire du*** *surf*
Activité	**faire** + **de** + article défini + nom de l'activité	***faire de*** *la peinture*
Jeu de balle/ ballon et autres	**jouer** + **à** + article défini + nom du jeu	***jouer à*** *la pétanque*
Instrument de musique	**jouer** + **de** + article défini + nom de l'instrument	***jouer de*** *la guitare*

Choisir et *payer*

Choisir (verbe à 2 bases)	
Je **choisis**	[ʒəʃwazi]
Tu **choisis**	[tyʃwazi]
Il / Elle / On **choisit**	[il/ɛl/ɔ̃ʃwazi]
Nous **choisiss**ons	[nuʃwazisɔ̃]
Vous **choisiss**ez	[vuʃwazise]
Ils / Elles **choisiss**ent	[il/ɛlʃwazis]

En général, pour les verbes en **-yer** [je], le **-y** se transforme en **-i** quand le son [j] disparaît.
Pour les verbes en **-ayer** [eje], on admet les deux formes.

Payer (verbe à 2 bases)	
Je **pai**e / **pay**e	[ʒəpɛ]/[pɛj]
Tu **pai**es / **pay**es	[typɛ]/[pɛj]
Il / Elle **pai**e / **pay**e	[il/ɛl/ɔ̃pɛ]/[pɛj]
Nous **pay**ons	[nupejɔ̃]
Vous **pay**ez	[vupeje]
Ils / Elles **pai**ent / **pay**ent	[il/ɛlpɛ]/[pɛj]

Les verbes en *-ger* comme *manger*

PAGE 121

Les verbes qui se terminent en **-ger** [ʒe] à l'infinitif gardent le son [ʒ] à toutes les conjugaisons. Il faut modifier l'orthographe et ajouter un **-e** après la lettre **-g** quand les terminaisons commencent par les lettres **-a** ou **-o**.

Ex. : *Quand nous voya**geons** à l'étranger, nous man**geons** toujours les spécialités locales.*
[kɑ̃nuvwajaʒɔ̃aletrɑ̃ʒenumɑ̃ʒɔ̃tuʒurlespesjalitelokal]

Manger (verbe à 1 base)		*Partager* (verbe à 1 base)	
Je **mang**e	[ʒəmɑ̃ʒ]	Je **partag**e	[ʒəpartaʒ]
Tu **mang**es	[tymɑ̃ʒ]	Tu **partag**es	[typartaʒ]
Il / Elle / On **mang**-e	[il/ɛlmɑ̃ʒ]	Il / Elle / On **partag**e	[il/ɛlpartaʒ]
Nous **mange**ons	[numɑ̃ʒɔ̃]	Nous **partage**ons	[nupartaʒɔ̃]
Vous **mang**ez	[vumɑ̃ʒe]	Vous **partag**ez	[vupartaʒe]
Ils / Elles **mang**ent	[il/ɛlmɑ̃ʒ]	Ils/Elles **partag**ent	[il/ɛlpartaʒ]

Les verbes pronominaux

PAGE 79

Les verbes pronominaux se construisent avec un pronom personnel placé avant le verbe.
Ex. : *Je me douche, je m'habille et je pars de chez moi vers 6 h 15.*
(➔ *Je douche qui ? Moi. J'habille qui ? Moi.*)

Pronom personnel sujet	Pronom personnel
Je	**me**
Tu	**te**
Il / Elle / On	**se**
Nous	**nous**
Vous	**vous**
Ils / Elles	**se**

Si le verbe commence par une voyelle ou un **h** muet, **me**, **te**, **se** deviennent **m'**, **t'**, **s'**.

S'appeler (verbe à 2 bases)	
Je m'**appel**le	[ʒəmapɛl]
Tu t'**appel**les	[tytapɛl]
Il / Elle / On s'**appel**le	[il/ɛl/ɔ̃sapɛl]
Nous nous **appel**ons	[nunuzapəlɔ̃]
Vous vous **appel**ez	[vuvuzapəle]
Ils / Elles s'**appel**lent	[il/ɛlsapɛl]

LES TEMPS

Le passé composé

PAGE 127-129

Le passé composé permet de raconter des événements achevés au moment où on parle.
Le passé composé se forme avec deux éléments :
- l'auxiliaire **avoir** ou **être** conjugué au présent de l'indicatif
- le participe passé du verbe conjugué.

Quelques verbes courants au participe passé :

Apprendre	*appris*	**Être**	*été*
Asseoir	*assis*	**Lire**	*lu*
Avoir	*eu*	**Mettre**	*mis*
Boire	*bu*	**Ouvrir**	*ouvert*
Comprendre	*compris*	**Pouvoir**	*pu*
Connaître	*connu*	**Prendre**	*pris*
Faire	*fait*	**Savoir**	*su*
Croire	*cru*	**Souffrir**	*souffert*
Devoir	*dû*	**Vivre**	*vécu*

***Avoir* ou être ?**
Dans la plupart des cas, le passé composé se forme avec **avoir**.
Il se forme avec **être** :
- avec les verbes **naître / mourir**, **devenir**, **entrer / sortir**, **aller / venir/ partir**, **monter / descendre**, **tomber**, **rester**, **rentrer** et **passer**.

Ex. : *Il **est devenu** chanteur.*
- avec les verbes pronominaux.

Ex. : *Elles **se sont promenées** dans Paris la semaine dernière.*

❗ **Ap(paraître)** se conjugue avec **avoir** ou avec **être**.
❗ Les verbes **passer**, **monter** et **descendre** se conjuguent avec avoir quand ils sont suivis d'un COD.

L'accord avec *avoir* et être
Avec **avoir**, le participé passé ne s'accorde pas avec le sujet.
Ex. : *Elle **a voyagé** tous les ans.*
Avec **être**, le participe passé s'accorde en genre et en nombre :
- avec le sujet pour les verbes non pronominaux.

Ex. : *Nous **sommes arrivés** à quatre heures.*
- avec le pronom réfléchi quand celui-ci occupe la fonction de COD pour les verbes pronominaux.

Ex. : *Elle s'est promené**e** pendant des heures.*
(➔ Elle a promené qui ? Elle.)

❗ À la forme négative, **ne** et **pas** sont placés avant et après l'auxiliaire **avoir** ou **être**.
Ex. : *Je **n'**ai **pas** aimé ce film !*

Le futur proche

PAGE 107

Le futur proche se forme à l'aide du verbe **aller** conjugué au présent de l'indicatif suivi d'un verbe à l'infinitif.
Le futur proche est très employé à l'oral. Il permet au locuteur d'exprimer la certitude de la réalisation d'une action dans le futur, qu'elle soit proche ou éloignée du moment où il parle.
Ex. : *Nous **allons visiter** le Louvre dimanche prochain.*

LA NÉGATION

La négation se construit à l'aide de deux mots placés avant et après le verbe conjugué :
ne + verbe + **pas**.
À l'oral, dans le registre familier, le **ne** peut disparaître.
Ex. : *Bof ! J'aime **pas** ! C'est kitch.*

LES MODES

Le mode impératif

PAGE 113

Le mode impératif sert à donner des instructions ou des ordres. Il se conjugue au présent avec **tu**, **nous** et **vous**. Pour le former, on prend le verbe conjugué au présent de l'indicatif et on supprime les pronoms personnels.
Ex. : *Tu viens → Viens*

Pour les verbes qui se terminent en **-er** à l'infinitif, le **-s** de la deuxième personne du singulier disparaît.
Ex. : *Tu mang**es** → Mang**e***

Pour tous les autres verbes, le **-s** est maintenu.
Ex. : *Pars*

Pour des raisons d'euphonie, on peut rétablir le **-s**.
Ex. : *Vas-y*

Les verbes **être** et **avoir** sont irréguliers.

Être	Avoir
Sois	Aie
Soyons	Ayons
Soyez	Ayez

Quelques verbes courants à l'impératif.

Aller	Venir	Faire	Dire
Va	Viens	Fais	Dis
Allons	Venons	Faisons	Disons
Allez	Venez	Faites	Dites

❗ Certains verbes ne se conjuguent pas au mode impératif, comme **devoir**, **pouvoir**.

À la forme négative, le verbe à l'impératif est encadré par **ne** et **pas**.
Ex. : ***Ne*** *regarde* ***pas*** *ça !*

Le complément du verbe à l'impératif se place après le verbe.
Ex. : *Allez au cinéma !*

Lorsque le verbe à l'impératif est complété ou renforcé par un pronom personnel (tonique, réfléchi, complément), le verbe et le complément sont reliés par un trait d'union :
Ex. : *Mange-**le** !*

Suivant le contexte, l'impératif s'emploie pour :
- donner un ordre.
- conseiller.
- inciter.

L'intonation renseigne l'interlocuteur sur l'intention du locuteur.

LES PRONOMS

Les pronoms sont de petit mots qui remplacent ou désignent quelqu'un ou quelque chose dans la situation de communication. En général, ils permettent d'éviter les répétitions.

Les pronoms personnels sujets PAGE 15

Les pronoms personnels sujets désignent ou remplacent quelqu'un ou quelque chose qui a le rôle de sujet dans la situation de communication. Ils précèdent toujours le verbe, sauf dans la phrase interrogative.

Il existe six personnes grammaticales.

Singulier	1re personne	Je
	2e personne	Tu
	3e personne	Il / Elle / On
Pluriel	1re personne	Nous
	2e personne	Vous
	3e personne	Ils / Elles

Les pronoms toniques PAGE 15

Un pronom tonique correspond à un pronom personnel sujet. Certaines formes du pronom tonique sont identiques aux pronoms personnels sujets.

Pronoms personnels sujets	Formes	Pronoms toniques
Je	≠	Moi
Tu	≠	Toi
Il	≠	Lui
Elle	=	Elle
Nous	=	Nous
Vous	=	Vous
Ils	≠	Eux
Elles	=	Elles

On utilise le pronom tonique pour :
- se démarquer : ***Moi****, je suis européenne !*
- interroger : *Je suis togolais. Et **toi** ?*
- désigner : *C'est **lui**.*

Les pronoms personnels COD PAGE 109

Le complément qui suit le verbe construit sans préposition s'appelle complément d'objet direct (COD).

On peut remplacer ce COD par un pronom personnel.

Le pronom personnel COD est variable : il possède le même genre et le même nombre que le COD qu'il remplace.
Ex. : ***Mon amie Jodie*** *habite à Toronto. Je **la** connais depuis dix ans.*

	Formes	Masculin	Féminin
Singulier	1re personne	me	
	2e personne	te	
	3e personne	le / l'	la
Pluriel	1re personne	nous	
	2e personne	vous	
	3e personne	les	

Le suivi d'une voyelle → **l'**.
Ex. : *Mon quartier, je **l'**adore !*

Le pronom personnel COD se place entre le sujet et le verbe conjugué.
Ex. : ***Le tram****, je **le** prends tous les jours pour me déplacer.*

Le pronom *on* PAGE 94, 101

On est un pronom indéfini, il a la fonction de sujet. Il désigne un ensemble de personnes, mais il correspond à la troisième personne du singulier : le verbe conjugué s'accorde comme avec **il** ou **elle**.

Il est très employé à l'oral.

On peut désigner :
- les gens en général, tout le monde. Il est utilisé pour exprimer une généralité.

Ex. : *On a tous un/e ami/e...*
(➔ tout le monde a un/e ami/e qui...)

- un groupe de personnes précis. À ce moment-là, il a la valeur de **nous**.

Ex. : *On peut discuter si tu veux, je pense que ça fait du bien.*
(➔ nous pouvons discuter...)

Le pronom *y*

PAGE 107

Le pronom **y** permet d'éviter des répétitions en remplaçant un groupe nominal introduit par la préposition **à**. En général, il s'agit de lieux.
Ex. : *Je propose d'aller **au café.** On **y** joue de la musique.*

Y entre dans la formation de plusieurs expressions courantes à l'oral :
- pour lancer le départ.

Ex. : *On **y** va ! Allons-**y** !*
- pour indiquer que l'on part, indiquer la fin d'une conversation.

Ex. : *J'**y** vais !*
- pour indiquer qu'une action est terminée.

Ex. : *Ça **y** est !*

L'INTERROGATION

On utilise la phrase interrogative pour demander des informations.
On reconnaît la phrase interrogative :
- à l'oral, grâce à l'intonation montante ;
- à l'écrit, grâce au point d'interrogation (?).

L'interrogation partielle

PAGE 37

L'interrogation est partielle quand on demande des informations à propos d'un aspect particulier.
On emploie alors des mots interrogatifs qui indiquent l'aspect sur lequel porte la question.

Mots interrogatifs	Aspect interrogé	Exemples
Qui	le sujet	***Qui** est l'auteur de Tintin ?*
Que (en début de phrase) **Quoi** (en fin de phrase)	l'objet	***Que** produit la Belgique ?* *La Belgique produit **quoi** ?*
Où	le lieu	***Où** est le musée Magritte ?*
Quand	le temps	***Quand** a lieu la Zinneke Parade ?*
Comment	la manière	***Comment** s'appelle le roi actuel des Belges ?*
Combien	le nombre	***Combien** mesure le Manneken-Pis ?*
Combien de	la quantité	***Combien** de pays voisins a la Belgique ?*

❗ **Que** devient **qu'** devant un verbe commençant par une voyelle ou un **h** muet :
Ex. : ***Qu'**aimes-tu manger ?*

La structure de la phrase interrogative partielle est :
Mot interrogatif + verbe + sujet
Ex. : *Qui est l'auteur de Tintin ?*

À l'oral, dans un registre familier, on peut rejeter le mot interrogatif à la fin de la phrase.
Ex. : *Le musée Magritte est **où** ? / C'est **qui** ?*

L'interrogation globale

Il existe un autre type d'interrogation qu'on appelle globale, pour laquelle on n'utilise pas de mots interrogatifs. On répond à l'interrogation globale par **oui** ou par **non**.
C'est la structure de la phrase et l'intonation qui indiquent que c'est une question :
Ex. : *Aimez-vous les produits belges ?* **(inversion du sujet).**

Ex. : *Vous aimez les produits belges ?* **(intonation).**

L'interrogation avec *est-ce que*

PAGE 37

On emploie **est-ce que** aussi bien à l'oral qu'à l'écrit.
Est-ce que se place entre le mot interrogatif et le verbe dans le cas d'une interrogation partielle :
Ex. : ***Quand** (**est-ce qu'**) a lieu la Zinneke Parade ?*

Est-ce que se place en début de phrase dans le cas de l'interrogation globale :
Ex. : ***Est-ce que** vous aimez les produits typiquement belges ?*

Ex. : ***Est-ce que** vous aimez les spécialités suisses ?*

❗ **Que** devient **qu'** devant une voyelle ou un **h** muet.
Ex. : *Comment **est-ce qu'on** va en ville ?*

quel/quelle/quels/quelles

PAGE 37

Quel permet de poser une question partielle. On l'utilise dans deux types de structures :
- **Quel** + nom + verbe.

Ex. : ***Quels produits** sont typiquement belges ?*
- **Quel** + **être** + groupe nominal.

Ex. : ***Quelle** est **la superficie** de la France ?*

Ex. : ***Quelles** sont **les spécialités** suisses ?*

Dans les deux cas, **quel** s'accorde avec le nom qui suit :

	Masculin	Féminin
Singulier	quel	quelle
Pluriel	quels	quelles

Ex. : ***Quelle** heure est-il ?*

Les différences orthographiques à l'écrit ne s'entendent pas à l'oral. Les quatre formes de **quel** se prononcent toutes de la même manière : [kɛl].

LES PRÉPOSITIONS

La préposition est un mot invariable. Le choix de la préposition dépend :

- de sa signification.
- du verbe auquel elle est attachée.

Les prépositions + pays / ville PAGE 39

Pour indiquer	Préposition	Genre du nom de pays / nom de ville	Exemples
La direction La position	EN	+ nom féminin	*Ils sont **en** France.*
		+ nom masculin singulier commençant par une voyelle	*Elle vit **en** Iran.*
	À AU (À + LE) AUX (À + LES)	+ article + nom masculin	*Ils vont souvent **au** Luxembourg et **aux** Pays-Bas.*
		+ nom de ville	*J'habite **à** Paris.*
L'origine, Le point de départ	DE / D' DU (DE + LE) DES (DE + LES)	+ nom féminin	*Ils viennent **de** Roumanie.*
		+ nom masculin singulier commençant par une voyelle	*Ils viennent **d'**Iran.*
		+ article + nom masculin	*Elles sont **du** Maroc.*
		+ nom de ville	*Tu viens **de** Lyon ou **de** Toulouse ?*

La préposition et les moyens de transport PAGE 109

Les moyens de transport **à l'air libre** sont précédés de la préposition **à**.
Ex. : *Je vais tous les jours au travail **à** vélo.*

Enfermés **À l'air libre**

Les moyens de transport dans lesquels on est ***enfermé*** sont précédés de la préposition **en**.
Ex. : *Je vais tous les jours au travail **à** vélo. Je pars en vacances **en** voiture.*

Les prépositions de localisation PAGE 65, 73

Pour indiquer la position d'une personne, d'un objet ou d'un lieu, dans l'espace, on emploie des prépositions ou des groupes de mots jouant le rôle de préposition (locutions prépositives). On situe quelqu'un ou quelque chose par rapport à un point de référence.

Construction indirecte avec *de*	Construction directe sans *de*
à gauche (de) / à droite (de) au fond (de) à côté (de) en face (de) près de / loin de dans le coin (de)	derrière / devant entre ... (et) ... contre sur / sous

Ex. : *Le salon est **en face de** la chambre. La cuisine est **entre** la salle de bains **et** le salon.*

La préposition *de*

La préposition **de** intervient dans de nombreuses constructions :

- elle introduit le complément de nom (des éléments qui complètent un nom en donnant des précisions sur celui-ci).

Ex. : *C'est le **fils de** ma voisine.*

- elle indique l'origine, la provenance.

Ex. : *Le safran vient **de l'Inde.***

❗ Devant une voyelle ou un **h** muet, **de** → **d'**.

LES ADVERBES

Les adverbes sont des mots invariables qui permettent de modifier le sens d'autres mots.

Les locutions de fréquence PAGE 85

Indiquer la fréquence d'une action, c'est indiquer quand elle se répète. On peut indiquer la fréquence à l'aide d'adverbes et de locutions.

Avec les locutions de fréquence, on peut insister sur :

La régularité	tous / toutes les + (nombre) + heures / jours / semaines / mois / ans.	*J'appelle mes parents **toutes les (deux) semaines**.*
L'alternance	un jour / semaine / mois / an + sur + deux	*J'appelle mes parents **un dimanche sur deux**.*
L'habitude	le + jour	***Le mercredi**, c'est mon jour de congé.*
Le nombre de fois	nombre + fois par + heure / jour / semaine / mois / an une fois + tous / toutes les + heures / jours / semaines / mois / ans	*J'appelle mes parents **une fois par mois**.*

Les adverbes de fréquence PAGE 85

Avec les adverbes, on peut exprimer la régularité d'une action :
jamais / rarement / parfois / souvent / toujours.
En général, les adverbes de temps indiquant la fréquence se placent après le verbe conjugué.
Ex. : *Avec mes amis, on va **souvent** au restaurant.*

Les adverbes de quantité PAGES 121

Pour exprimer le degré d'une quantité, on emploie :
pas du tout, (un) peu, assez, beaucoup, pas mal, trop.
Ces adverbes sont suivis par la préposition **de** puis directement de l'élément quantifié, sans article.
Ex. : *Il mange **beaucoup de** fruits, mais **peu de** légumes.*

On peut également exprimer la quantité à l'aide de contenants. Voici quelques contenants courants :

Les adverbes de temps

Les adverbes de temps permettent de situer un événement par rapport au moment où l'on parle.

Deux jours avant	Un jour avant	Le moment où l'on parle	Un jour après	Deux jours après
avant-hier	hier	aujourd'hui	demain	après-demain

Ex. : ***Aujourd'hui**, c'est le 27 mai, c'est le printemps à Berlin.*

C'EST / IL EST

C'est + adjectif permet de donner son opinion sur quelque chose.
Ex. : ***C'est** beau.*

C'est permet de présenter quelqu'un, on peut le remplacer par **voici ou voilà**, s'accorde en nombre avec le nom qu'il introduit.
C'est est généralement suivi d'un article ou d'un nom.
Ex. : ***C'est ton** cousin ?*
***Ce sont nos** grands-parents.*

Il est = pronom personnel sujet + **être** + adjectif.
Il est permet de qualifier, de décrire quelqu'un. Il est généralement suivi d'un adjectif.
Ex. : ***Il est** grand et timide.*

IL Y A / IL N'Y A PAS DE

Il y a se conjugue à tous les temps et il reste invariable.
Ex. : ***Il y a un salon** très lumineux avec beaucoup d'espace.*
***Il y a six chambres** de luxe avec six salles de bains.*

À l'oral, dans un registre familier, on peut entendre : ya [ja] pour **il y a de** et y'a pas [japa] pour **il n'y a pas de**.

On emploie très couramment **il y a** et **il n'y a pas de** pour indiquer la présence ou l'absence de quelqu'un, de quelque chose.
Ex. : *Chez moi, c'est grand, **il y a** de la place mais **il n'y a pas** beaucoup de lumière.*
Ex. : ***Il y a** trois personnes dans la pièce.*

POUR ET PARCE QUE

Pour suivi de l'infinitif indique le but d'une action. Dans ce cas, on peut le remplacer par **dans le but de**.
Ex. : *Moi, j'ai un compte Facebook **pour** avoir des nouvelles de mes amis et de ma famille.*

Parce que exprime la cause d'un fait ou d'un événement. On l'emploie pour répondre à la question **pourquoi**.
Ex. : *Moi, j'ai Facebook **parce que** tout le monde a Facebook...*
(➔ Réponse à la question : **Pourquoi** tu as Facebook ?)

Devant un mot commençant par une voyelle ou un **h** muet : **parce que → parce qu'**.
Ex. : *J'aime beaucoup voyager avec mon frère **parce qu'on** aime les mêmes choses.*

LES CONNECTEURS *ET, OU, MAIS*

Les connecteurs peuvent se placer entre deux mots, deux groupes de mots, deux propositions.
Ils ont plusieurs rôles.

	Connecteurs	Exemples
Ajouter deux éléments	**et**	*Ils ont deux enfants, Pierre **et** Jean.* *Nicolas et Cécilia se remarient **et** ont un fils : Louis.*
Indiquer une alternative	**ou**	*Il est marié **ou** célibataire ?*
Marquer une opposition entre deux propositions	**mais**	*Nicolas rencontre Cécilia, **mais** elle est mariée et a deux filles.*

LES CONNECTEURS TEMPORELS

Les connecteurs temporels à situer les événements dans le temps quand il y a plusieurs actions successives.
Les plus fréquents sont : **d'abord, après, ensuite, puis, enfin.**

PROPOSER, ACCEPTER ET *REFUSER*

La manière de proposer, accepter ou refuser une invitation dépend du degré de familiarité entre les personnes.

Degré de familiarité	Proposer	Accepter	Refuser
On connaît bien la personne > registre familier	Tu viens à... ? Tu viens + infinitif ? Ça te dit (de + infinitif) ? On peut + infinitif ?	OK. C'est une bonne idée. Avec plaisir ! Pourquoi pas ? (C'est) D'accord ! Volontiers.	Désolé/e, mais... Je n'ai pas le temps. Ça ne me dit rien. Je n'ai pas envie. Je ne suis pas libre. Non, merci !
On ne connaît pas bien ou pas du tout la personne > registre soutenu	Est-ce que vous voulez + infinitif ? Acceptez-vous de + infinitif ? Êtes-vous d'accord de/pour + infinitif ?		

EXPRIMER SON ACCORD ET SON DÉSACCORD

Il existe plusieurs manières de manifester son accord ou son désaccord, selon le type de phrase auquel on réagit. On emploie le pronom tonique (**moi**, **toi**, **elle**, **lui**, **nous**, **vous**, **eux**, **elles**), qui remplace le sujet et on utilise des adverbes qui marquent l'affirmation ou la négation.

Exprimer son accord en réaction à une phrase :

À la forme affirmative	*J'adore Titeuf !* ***Moi aussi**, j'adore les bandes dessinées.*
À la forme négative	*Je n'aime pas du tout.* ***Moi non plus**.*

Exprimer son désaccord en réaction à une phrase :

À la forme affirmative	*J'aime beaucoup Titeuf !* ***Moi non**. / **Moi pas**.*
À la forme négative	*Je n'aime pas, c'est lourd et laid.* ***Moi si**, j'aime bien.*

IL FAUT + INFINITIF

Il faut + infinitif indique le besoin, la nécessité.
Ex. : ***Il faut** partir à 15 h pour prendre le train de 15 h 30* (il est nécessaire de partir à 15 h).

Le verbe **falloir** se conjugue à tous les temps mais uniquement avec le pronom personnel sujet **il**.
Ex. : ***Il** faut respecter les règles.*

VERBES AUXILIAIRES

	PRÉSENT		PASSÉ COMPOSÉ	IMPÉRATIF
ÊTRE (été)	je suis	[sɥi]	j'ai été	
	tu es	[ɛ]	tu as été	sois
	il / elle / on est	[ɛ]	il / elle / on a été	
	nous sommes	[sɔm]	nous avons été	soyons
	vous êtes	[zɛt]	vous avez été	soyez
	ils / elles sont	[sɔ̃]	ils / elles ont été	
AVOIR (eu)	j'ai	[ɛ]	j'ai eu	aie
	tu as	[a]	tu as eu	
	il / elle / on a	[a]	il / elle / on a eu	ayons
	nous avons	[avɔ̃]	nous avons eu	ayez
	vous avez	[ave]	vous avez eu	
	ils / elles ont	[zɔ̃]	ils / elles ont eu	

Être est le verbe auxiliaire aux temps composés de tous les verbes pronominaux : *se lever*, se taire, etc. et de certains autres verbes : *venir*, *arriver*, *partir*, etc.

Avoir indique la possession. C'est aussi le principal verbe auxiliaire aux temps composés : *j'ai parlé*, *j'ai été*, *j'ai fait...*

VERBES PRONOMINAUX

	PRÉSENT		PASSÉ COMPOSÉ	IMPÉRATIF
SE COUCHER* (couché)	je me couche	[kuʃ]	je me suis couché(e)	
	tu te couches	[kuʃ]	tu t'es couché(e)	couche-toi
	il / elle / on se couche	[kuʃ]	il / elle / on s'est couché(e)	
	nous nous couchons	[kuʃɔ̃]	nous nous sommes couché(e)s	couchons-nous
	vous vous couchez	[kuʃe]	vous vous êtes couché(e)(s)	couchez-vous
	ils / elles se couchent	[kuʃ]	ils / elles se sont couché(e)s	
SE LEVER* (levé)	je me lève	[lɛv]	je me suis levé(e)	
	tu te lèves	[lɛv]	tu t'es levé(e)	lève-toi
	il / elle / on se lève	[lɛv]	il / elle / on s'est levé(e)	
	nous nous levons	[ləvɔ̃]	nous nous sommes levé(e)s	levons-nous
	vous vous levez	[ləve]	vous vous êtes levé(e)(s)	levez-vous
	ils / elles se lèvent	[lɛv]	ils / elles se sont levé(e)s	
S'APPELER* (appelé)	je m'appelle	[apɛl]	je me suis appelé(e)	
	tu t'appelles	[apɛl]	tu t'es appelé(e)	
	il / elle / on s'appelle	[apɛl]	il / elle / on s'est appelé(e)	-
	nous nous appelons	[apəlɔ̃]	nous nous sommes appelé(e)s	-
	vous vous appelez	[apəle]	vous vous êtes appelé(e)(s)	-
	ils / elles s'appellent	[apɛl]	ils / elles se sont appelé(e)s	

La plupart des verbes en **-eler** doublent leur **l** aux mêmes personnes et aux mêmes temps que le verbe ***s'appeler***.

VERBES IMPERSONNELS

Ces verbes ne se conjuguent qu'à la troisième personne du singulier et avec le pronom sujet **il**.

	PRÉSENT		PASSÉ COMPOSÉ	IMPÉRATIF
FALLOIR (fallu)	il faut	[fo]	il a fallu	-
PLEUVOIR (plu)	il pleut	[plø]	il a plu	-

La plupart des verbes qui se réfèrent aux phénomènes météorologiques sont impersonnels : *il neige*, *il vente...*

Les participes passés figurent entre parenthèses ou sous l'infinitif.
L'astérisque * à côté de l'infinitif indique que ce verbe se conjugue avec l'auxiliaire être.
Les différentes couleurs indiquent le nombre de bases phonétiques de chaque verbe.

VERBES EN -ER (PREMIER GROUPE)

	PRÉSENT		PASSÉ COMPOSÉ	IMPÉRATIF
PARLER (PARLÉ)	je parle	[paʀl]	j'ai parlé	
	tu parles	[paʀl]	tu as parlé	parle
	il / elle / on parle	[paʀl]	il / elle / on a parlé	
	nous parlons	[paʀlɔ̃]	nous avons parlé	parlons
	vous parlez	[paʀle]	vous avez parlé	parlez
	ils / elles parlent	[paʀl]	ils / elles ont parlé	

❶ Les verbes en **-er** sont en général réguliers : au présent de l'indicatif, les trois personnes du singulier et la 3e personne du pluriel se prononcent de la même manière. **Aller** est le seul verbe en **-er** qui ne suit pas ce modèle.

CONJUGAISONS PARTICULIÈRES DE CERTAINS VERBES EN *-ER*

	PRÉSENT		PASSÉ COMPOSÉ	IMPÉRATIF
ALLER (allé)	je vais	[ve]	je suis allé(e)	
	tu vas	[va]	tu es allé(e)	va
	il / elle / on va	[va]	il / elle / on est allé(e)	
	nous allons	[alɔ̃]	nous sommes allé(e)s	allons
	vous allez	[ale]	vous êtes allé(e)(s)	allez
	ils / elles vont	[vɔ̃]	ils / elles sont allé(e)s	
COMMENCER (commencé)	je commence	[komɑ̃s]	j'ai commencé	
	tu commences	[komɑ̃s]	tu as commencé	commence
	il / elle / on commence	[komɑ̃s]	il / elle / on a commencé	
	nous commen**ç**ons	[komɑ̃sɔ̃]	nous avons commencé	commençons
	vous commencez	[komɑ̃se]	vous avez commencé	commencez
	ils / elles commencent	[komɑ̃s]	ils / elles ont commencé	
MANGER (mangé)	je mange	[mɑ̃ʒ]	j'ai mangé	
	tu manges	[mɑ̃ʒ]	tu as mangé	mange
	il / elle / on mange	[mɑ̃ʒ]	il / elle / on a mangé	
	nous mang**e**ons	[mɑ̃ʒɔ̃]	nous avons mangé	mangeons
	vous mangez	[mɑ̃ʒe]	vous avez mangé	mangez
	ils / elles mangent	[mɑ̃ʒ]	ils / elles ont mangé	
APPELER (appelé)	j'appelle	[apɛl]	j'ai appelé	
	tu appelles	[apɛl]	tu as appelé	appelle
	il / elle / on appelle	[apɛl]	il / elle / on a appelé	
	nous appelons	[apəlɔ̃]	nous avons appelé	appelons
	vous appelez	[apəle]	vous avez appelé	appelez
	ils / elles appellent	[apɛl]	ils / elles ont appelé	
ACHETER (acheté)	j'achète	[aʃɛt]	j'ai acheté	
	tu achètes	[aʃɛt]	tu as acheté	achète
	il / elle / on achète	[aʃɛt]	il / elle / on a acheté	
	nous achetons	[aʃətɔ̃]	nous avons acheté	achetons
	vous achetez	[aʃəte]	vous avez acheté	achetez
	ils / elles achètent	[aʃɛt]	ils / elles ont acheté	
PRÉFÉRER (préféré)	je préfère	[pʀefɛʀ]	j'ai préféré	
	tu préfères	[pʀefɛʀ]	tu as préféré	préfère
	il / elle / on préfère	[pʀefɛʀ]	il / elle / on a préféré	
	nous préférons	[pʀefeʀɔ̃]	nous avons préféré	préférons
	vous préférez	[pʀefeʀe]	vous avez préféré	préférez
	ils / elles préfèrent	[pʀefɛʀ]	ils / elles ont préféré	

Les différentes couleurs indiquent le nombre de bases phonétiques de chaque verbe.

❶ Dans sa fonction de semi-auxiliaire, **aller** + infinitif permet d'exprimer un futur proche.

❶ Le **c** de tous les verbes en **-cer** devient **ç** devant **a** et **o** pour maintenir la prononciation [s].

❶ Devant **a** et **o**, on place un **e** pour maintenir la prononciation [ʒ] dans tous les verbes en **-ger**.

❶ La plupart des verbes en ***-eler*** doublent leur ***l*** aux mêmes personnes et aux mêmes temps que le verbe ***appeler***.

AUTRES VERBES

	PRÉSENT		PASSÉ COMPOSÉ	IMPÉRATIF
CHOISIR (choisi)	je choisis	[ʃwazi]	j'ai choisi	
	tu choisis	[ʃwazi]	tu as choisi	choisis
	il / elle / on choisit	[ʃwazi]	il / elle / on a choisi	
	nous choisissons	[ʃwazisɔ̃]	nous avons choisi	choisissons
	vous choisissez	[ʃwazise]	vous avez choisi	choisissez
	ils / elles choisissent	[ʃwazis]	ils / elles ont choisi	
CROIRE (cru)	je crois	[kʀwa]	j'ai cru	
	tu crois	[kʀwa]	tu as cru	crois
	il / elle / on croit	[kʀwa]	il / elle / on a cru	
	nous croyons	[kʀwajɔ̃]	nous avons cru	croyons
	vous croyez	[kʀwaje]	vous avez cru	croyez
	ils / elles croient	[kʀwa]	ils / elles ont cru	
CONNAÎTRE (connu)	je connais	[konɛ]	j'ai connu	
	tu connais	[konɛ]	tu as connu	connais
	il / elle / on connaît	[konɛ]	il / elle / on a connu	
	nous connaissons	[konɛsɔ̃]	nous avons connu	connaissons
	vous connaissez	[konɛse]	vous avez connu	connaissez
	ils / elles connaissent	[konɛs]	ils / elles ont connu	
DIRE (dit)	je dis	[di]	j'ai dit	
	tu dis	[di]	tu as dit	dis
	il / elle / on dit	[di]	il / elle / on a dit	
	nous disons	[dizɔ̃]	nous avons dit	disons
	vous dites	[dit]	vous avez dit	dites
	ils / elles disent	[diz]	ils / elles ont dit	
FAIRE (fait)	je fais	[fɛ]	j'ai fait	
	tu fais	[fɛ]	tu as fait	fais
	il / elle / on fait	[fɛ]	il / elle / on a fait	
	nous faisons	[fəzɔ̃]	nous avons fait	faisons
	vous faites	[fɛt]	vous avez fait	faites
	ils / elles font	[fɔ̃]	ils / elles ont fait	
ÉCRIRE (écrit)	j'écris	[ekʀi]	j'ai écrit	
	tu écris	[ekʀi]	tu as écrit	écris
	il / elle / on écrit	[ekʀi]	il / elle / on a écrit	
	nous écrivons	[ekʀivɔ̃]	nous avons écrit	écrivons
	vous écrivez	[ekʀive]	vous avez écrit	écrivez
	ils / elles écrivent	[ekʀiv]	ils / elles ont écrit	
SAVOIR (su)	je sais	[sɛ]	j'ai su	
	tu sais	[sɛ]	tu as su	sache
	il / elle / on sait	[sɛ]	il / elle / on a su	
	nous savons	[savɔ̃]	nous avons su	sachons
	vous savez	[save]	vous avez su	sachez
	ils / elles savent	[sav]	ils / elles ont su	
PARTIR (parti)	je pars	[paʀ]	je suis parti(e)	
	tu pars	[paʀ]	tu es parti(e)	pars
	il / elle / on part	[paʀ]	il / elle / on est parti(e)	
	nous partons	[paʀtɔ̃]	nous sommes parti(e)s	partons
	vous partez	[paʀte]	vous êtes parti(e)(s)	partez
	ils / elles partent	[paʀt]	ils / elles sont parti(e)s	

! Les verbes **finir**, **grandir**, **maigrir**... se conjuguent sur ce modèle.

! Tous les verbes en **-aître** se conjuguent sur ce modèle.

Les différentes couleurs indiquent le nombre de bases phonétiques de chaque verbe.

AUTRES VERBES

	PRÉSENT		PASSÉ COMPOSÉ	IMPÉRATIF
SORTIR* **(SORTI)**	je sors	[sɔʀ]	je suis sorti(e)	
	tu sors	[sɔʀ]	tu es sorti(e)	sors
	il / elle / on sort	[sɔʀ]	il / elle / on est sorti(e)	
	nous sortons	[sɔʀtɔ̃]	nous sommes sorti(e)s	sortons
	vous sortez	[sɔʀte]	vous êtes sorti(e)(s)	sortez
	ils / elles sortent	[sɔʀt]	ils /elles sont sorti(e)s	
VIVRE **(vécu)**	je vis	[vi]	j'ai vécu	
	tu vis	[vi]	tu as vécu	vis
	il / elle / on vit	[vi]	il / elle / on a vécu	
	nous vivons	[vivɔ̃]	nous avons vécu	vivons
	vous vivez	[vive]	vous avez vécu	vivez
	ils / elles vivent	[viv]	ils / elles ont vécu	
PRENDRE **(pris)**	je prends	[pʀɑ̃]	j'ai pris	
	tu prends	[pʀɑ̃]	tu as pris	prends
	il / elle / on prend	[pʀɑ̃]	il / elle / on a pris	
	nous prenons	[pʀənɔ̃]	nous avons pris	prenons
	vous prenez	[pʀəne]	vous avez pris	prenez
	ils / elles prennent	[pʀɛn]	ils / elles ont pris	
VENIR* **(venu)**	je viens	[vjɛ̃]	je suis venu(e)	
	tu viens	[vjɛ̃]	tu es venu(e)	viens
	il / elle / on vient	[vjɛ̃]	il / elle / on est venu(e)	
	nous venons	[vənɔ̃]	nous sommes venu(e)s	venons
	vous venez	[vəne]	vous êtes venu(e)(s)	venez
	ils / elles viennent	[vjɛn]	ils / elles sont venu(e)s	
POUVOIR **(pu)**	je peux	[pø]	j'ai pu	
	tu peux	[pø]	tu as pu	-
	il / elle / on peut	[pø]	il / elle / on a pu	
	nous pouvons	[puvɔ̃]	nous avons pu	-
	vous pouvez	[puve]	vous avez pu	-
	ils / elles peuvent	[pœv]	ils / elles ont pu	
VOULOIR **(voulu)**	je veux	[vø]	j'ai voulu	
	tu veux	[vø]	tu as voulu	veuille
	il / elle / on veut	[vø]	il / elle / on a voulu	
	nous voulons	[vulɔ̃]	nous avons voulu	-
	vous voulez	[vule]	vous avez voulu	veuillez
	ils / elles veulent	[vœl]	ils / elles ont voulu	
DEVOIR **(dû)**	je dois	[dwa]	j'ai dû	
	tu dois	[dwa]	tu as dû	-
	il / elle / on doit	[dwa]	il / elle / on a dû	
	nous devons	[dəvɔ̃]	nous avons dû	-
	vous devez	[dəve]	vous avez dû	-
	ils / elles doivent	[dwav]	ils / elles ont dû	

❶ Dans les questions avec inversion verbe-sujet, on utilise la forme ancienne de la 1re personne du singulier : *Puis-je vous renseigner ?*

Les différentes couleurs indiquent le nombre de bases phonétiques de chaque verbe.

DOSSIER DÉCOUVERTE

Piste 1

1.
• Salut Marc ! Ça va ?
◦ Ça va, et toi ?

2.
• Bonjour Marie !
◦ Bonjour, vous allez bien ?

3.
• Bonjour monsieur Ledoux.
◦ Bonjour madame Dupuis.

Piste 2

1.
• Coucou Imani ! Je te présente mon amie.
◦ Salut ! Comment tu t'appelles ?
◦ Je m'appelle Paula.

2.
• Bonjour, je vous présente monsieur Leroy.
◦ Bonjour monsieur Leroy, enchantée.
• Bonjour madame.

Piste 3

Vous pouvez parler moins vite ?
Vous pouvez répétez ?
Ouvrez votre livre page...
Comment on dit... ?
Je n'ai pas compris. Qu'est-ce que ça veut dire ?
Ça se prononce...

Piste 4

Bravo !
Continue !
Vas-y !
Cool !
Super !
C'est bien !
Génial !

UNITÉ 1

Piste 5

A	comme	Arc
B	comme	Bouche
C	comme	Canal
D	comme	Défense
E	comme	Euro
F	comme	Faubourg
G	comme	Gare
H	comme	Halles
I	comme	Île
J	comme	Joconde
K	comme	Kiosque
L	comme	Luxembourg
M	comme	Montmartre
N	comme	Notre Dame
O	comme	Opéra
P	comme	Panthéon
Q	comme	Quai
R	comme	Rivoli
S	comme	Sacré-Cœur
T	comme	Tour
U	comme	Université
V	comme	Versailles
W	comme	Wagon
X	comme	École X
Y	comme	Yves
Z	comme	Zoo

Piste 6

1. Le jardin du Luxembourg
2. La gare du Nord
3. L'opéra Garnier
4. Un wagon de métro

Piste 7

0-1-2-3-4-5-6-7-8-9-10-11-12-13-14-15-16-17-18-19-20

Piste 8

2-4-6-8-10
1-3-5-7-9
12-13-14-15
20-19-18-17-16-15
3-2-1-0

Piste 9

A. Porte Dauphine - Nation
B. Gambetta - Porte des Lilas
C. Charles de Gaulle Étoile - Nation
D. Balard - Pointe du Lac
E. Chatelet - Mairie des Lilas
F. Gare Saint-Lazare - Olympiades

Piste 10

1.
• Allô, Vite Pizza ! Bonsoir.
◦ Bonsoir, je voudrais une pizza margarita, pour quatre personnes, s'il vous plaît.
• Très bien, madame. À quel nom ?
◦ Dinon avec un N.
• Vous pouvez épeler, s'il vous plaît... Il y a du bruit.

◦ Oui, D-I-N-O-N : D de Danièle, I de Irène, N de Nicolas, O de Oscar et N de Nicolas.
• Alors Dinon, sans T à la fin ?
◦ Oui, sans T.
• Votre adresse, s'il vous plaît.
◦ 13 rue Ramey.
• D'accord, je répète : une pizza margarita pour 4 personnes chez madame Dinon, 13 rue Ramey, dans le 18e arrondissement.
◦ Au 13. 13 rue Ramey.
• D'accord, je répète : Madame Dinon, 13 rue de Ramey, dans le 18e arrondissement. Une pizza margarita pour 4 personnes.
◦ C'est ça !
• Merci madame Dinon. Au revoir.
◦ Au revoir.

2.
• Allô, Vite Pizza ! Bonsoir.
◦ Bonsoir, je voudrais deux pizza napolitana pour deux personnes, s'il vous plaît ! Au nom de Perri. Myriam Perri.
• Peri, comme ça se prononce ?
◦ Non, avec 2 R : P E 2 R I.
• Votre adresse, s'il vous plaît ?
◦ 18, boulevard Lenoir. Dans le 11e.
• Ah oui ! Alors 18 boulevard Lenoir, dans le 11e. Madame Martine Perri, c'est ça ?
◦ Heu... non Myriam Perri. M comme Marc, Y comme Yves, R comme Renaud, I comme Iris, A comme Amédé et M comme... Marc.
• Très bien madame, merci. Bonne soirée !
◦ Merci, au revoir !

Piste 11

1.
◦ Lucille, je n'ai pas ton e-mail, tu me le donnes ?
• Bien sûr. C'est lucille.bodet@hotmail.fr. J'épelle : L U C I L L E point B O D E T @hotmail.fr

2.
• Salut Julien, tu me donnes ton e-mail s'il te plaît ?
• Oui, c'est j-martinot@yahoo.com. Ça s'écrit J tiret M A R T I N O T @yahoo.com

3.
• Madame Abdi, je n'ai pas votre e-mail professionnel.
• C'est samia_abdi@gmail.com. Ça s'écrit S A M I A tiret du bas A B D I @ gmail.com

Piste 12

1.
En Belgique, il y a 11 millions d'habitants et trois langues officielles : l'allemand, le français et le néerlandais. Il y a une monnaie : l'euro.

2.
En Suisse, il y a 8 millions d'habitants et 4 langues officielles : l'allemand, le français, l'italien et le romanche. La monnaie est le franc suisse.

3.
Au Canada, il y a 36 millions d'habitants et 2 langues officielles : l'anglais et le français. La monnaie est le dollar canadien.

4.
Au Sénégal, il y a 14 millions d'habitants et une langue officielle : le français. Il y a une monnaie : le franc CFA.

Piste 13

1. J'ai 42 ans, je suis agricultrice.
2. J'ai 25 ans et je suis policier.
3. J'ai 58 ans, je suis pharmacienne.
4. J'ai 31 ans, je suis vendeur.
5. J'ai 22 ans, je suis infirmière.
6. J'ai 51 ans, je suis enseignant.

UNITÉ 2

Piste 14

• Bonjour ! Vous participez à la Zinneke Parade. Vous pouvez vous présenter ?
◦ Oui, je suis étudiant ! Je m'appelle Abdel, je viens du Maroc, mais j'habite à Bruxelles. J'adore la Zinneke !
• Et vous, madame ?
◦ Je m'appelle Diane, j'ai 50 ans. Je viens du Québec. Je suis enseignante à Bruxelles. La Zinneke, c'est vraiment super !
• Et vous, monsieur ?
• Ah moi, je m'appelle Didier. J'habite à Bruxelles et je viens de Bruxelles. J'adore la Zinneke, les costumes, la musique... la fête quoi !

Piste 15

- Tu es prêt ? Question 1 : combien de kilomètres carrés fait la Belgique ? Environ 30 000, environ 500 000 ou environ 1 million ?
- ◦ Heu... environ 30 000 kilomètres carrés !
- Exact, bravo ! Question 2 : quelle est la mer de la Belgique ? La mer Méditerranée, la Manche ou la mer du Nord ?
- ◦ La mer du Nord !
- Génial ! Question 3 : quelles sont les trois langues officielles de la Belgique ?
- ◦ Facile ! Le français, l'allemand et le néerlandais.
- Oui c'est ça ! Question 4 : quand est célébrée la fête nationale belge ?
- ◦ Le 21 juillet.
- Bravo Christian ! Tu connais bien ton pays !

Piste 16

1. Le musée Picasso ? Il est à Paris.
2. Gérard Depardieu ? C'est un acteur français.
3. La Fête de la musique ? C'est le 21 juin.
4. Je vais bien, merci.
5. Ma ville préférée ? C'est Rome.
6. Ce livre ? Il coûte 10 euros.

Piste 17

- Pour toi, Mona, comment sont les Français ?
- ◦ Pour moi, les Français aiment le pain, le vin et le fromage.

- Pour toi aussi, Kalidou ?
- ◦ Ah non, pour moi, ils adorent les croissants, le beurre et la confiture.

- Comment sont les Français, pour toi Olivia ?
- ◦ Pour moi, les français adorent discuter.

- Et vous, Théo et Léa ?
- ◦ Oui, nous sommes d'accord, mais ils n'aiment pas les langues étrangères !

- Et pour toi, Rania, les Français, c'est... ?
- ◦ C'est... Napoléon !

Piste 18

- Je m'appelle Patrick, je suis français. J'aime écouter de la musique traditionnelle marocaine. Par contre, au Maroc, je n'aime pas du tout les musées.

- Moi, c'est Hans. Je suis allemand, je viens de Frankfort. J'aime beaucoup le Maroc : les gens, le thé à la menthe... Mais je déteste le désert !

- Nous venons de Finlande. Nous adorons Tanger et Marrakech. Jurgen aime les médinas, mais, moi, je n'aime pas du tout ! Et je déteste acheter des souvenirs.

- Je m'appelle Élodie, je viens de Suisse. J'aime beaucoup le Maroc ! J'adore l'océan et la cuisine marocaine, mais je n'aime pas du tout le couscous.

Piste 19

- Je n'aime pas me lever tôt.
- J'aime le piment.
- Je n'aime pas la mer.
- Je n'aime pas voyager.
- J'aime le chocolat.
- J'aime le thé à la menthe.
- J'aime Paris.
- Je n'aime pas la montagne.

UNITÉ 3

Piste 20

Aujourd'hui, nous parlons de la famille. Il n'y a pas une mais des familles. D'abord, il y a la famille traditionnelle : un père, une mère, et en moyenne deux enfants. Ensuite, il y a les familles monoparentales, c'est un père ou une mère seule qui vit avec ses enfants. Et enfin, il y a les familles recomposées : par exemple, un homme a des enfants avec une femme, puis il se sépare de cette femme et forme une famille avec une autre personne.

Piste 21

1. Qui est la tante de Jules ?
2. Qui est le grand-père de Clara ?
3. Qui est la belle-mère de Thomas ?
4. Qui est l'oncle de Léo ?
5. Qui est la petite-fille d'André ?
6. Qui est la cousine de Paul ?

Piste 22

• Laetitia, est-ce que tu peux citer une personne drôle de ta famille ?
◦ Ma sœur ! Elle adore raconter des histoires drôles.
• Et une personne bavarde ?
◦ Mon oncle. Il parle, il parle, il parle !
• Et une personne optimiste ?
◦ Ma mère, elle est toujours contente !
• Ah, c'est cool ! Et le contraire, une personne pessimiste ?
◦ Mon grand-père, il n'est jamais content !
• Ah, ah, ah ! Et une personne rêveuse ?
◦ Mon frère aîné.
• Et quelqu'un de timide ?
◦ Ma cousine Lola, elle est super timide !
• Et il y a un colérique dans ta famille ?
◦ Oh oui ! Mon oncle Daniel. Il a un caractère difficile !
• Et une personne gentille ?
◦ Eh bien, moi !

Piste 23

1.
• Qui c'est ?
◦ C'est ma tante.
• Ah d'accord ! Et elle fait quel métier ?
◦ Elle est photographe.
• Ah c'est cool ! Elle a quel âge ?
◦ Elle a 41 ans.

2.
• Mon cousin est pharmacien.
◦ C'est un beau métier. Il a quel âge, ton cousin ?
• Il a 56 ans.

3.
• Qui c'est ?
◦ Elle ? C'est ma demi-sœur, elle est journaliste à Paris.
• Ah bon ? Mais elle est jeune ?
◦ Oui, elle a 25 ans.

4.
• Tu connais mon neveu ?
◦ Ton neveu Thomas ?
• Oui, il est agriculteur, il adore son métier.
◦ Et il a quel âge ?
• Euh... il a... 39 ans.

Piste 24

1.
Je suis belge et mon mari est italien. Il y a beaucoup d'Italiens en Belgique. Mes enfants ont les deux nationalités : belge et italienne.

2.
Je suis marocaine et j'habite à Bruxelles. Mon compagnon aussi est marocain, il étudie en Belgique. Nous voulons nous marier et avoir des enfants.

3.
J'habite à Bruxelles, j'ai la double nationalité : belge et portugaise parce que mes parents sont portugais. Je suis mariée avec Pedro, qui est argentin. Nos deux filles sont belges.

Piste 25

• Bonjour monsieur Touron. Je vais vous poser quelques questions pour compléter votre dossier. Pour commencer, quelle est votre date de naissance ?
◦ Je suis né le 14 avril 1980, j'ai 38 ans.
• D'accord. Et quelle est votre situation de famille ?
◦ Je vis en couple, mais je ne suis pas marié.
• Vous avez des enfants ?
◦ Oui, trois. Ils ont 4, 6 et 10 ans.
• Vous êtes de quelle nationalité ?
◦ Je suis né en Algérie, mais j'ai aussi la nationalité française, je suis donc franco-algérien.
• Et vos enfants ?
◦ Mes enfants sont français, comme ma femme.
• Actuellement, vous travaillez où ?
◦ Je suis enseignant à l'université.
• Parfait, merci monsieur Touron.

UNITÉ 4

Piste 26

• Bonjour, je suis allé sur des campus universitaires en France, en Belgique et en Suisse pour interroger les étudiants étrangers sur leur logement. Voici leurs réponses.

• Bonjour, vous habitez où ?
◦ J'habite à Lille, dans un appartement en centre-ville.
• Il fait combien de mètres carrés ?
◦ Il fait 35 m^2.
• Et combien coûte le loyer ?
◦ Je paie 450 € charges comprises.

• Bonjour, vous habitez où ?
◦ J'habite à Pontivy.
• Dans quel type de logement ?
◦ Dans une maison, nous sommes trois étudiants.
• Ah, et elle est grande cette maison ?
◦ Oui, elle fait environ 100 m^2.
• Vous payez combien de loyer ?
◦ Nous payons 550 euros par mois sans les charges.

• Bonjour, vous habitez dans un appartement ou dans une maison ?
◦ Moi, je vis dans un appartement de 42 m^2 dans le centre-ville de Bruxelles.
• Vous payez combien de loyer ?
◦ Je paie 490 euros de loyer + 35 euros de charges.

• Bonjour, vous habitez où et dans quel type de logement ?
◦ J'habite dans un studio à côté de Genève.
• D'accord, et quelle superficie fait votre studio ?
◦ Il fait 35 m^2.
• Et le loyer ?
◦ Le loyer est de 700 euros + 50 euros de charges par mois.

Piste 27

• Bien, voici l'entrée, elle est très grande. À gauche, vous avez le salon, et au fond du couloir, il y a la cuisine. On commence par le salon ?
◦ D'accord ! allons-y !
• Le salon n'est pas très grand, il fait 16 m^2, mais il est à côté de la salle à manger et de la véranda. C'est une pièce agréable.
▪ Oui, J'aime beaucoup la véranda, il y a une belle vue.
◦ C'est vrai, elle donne sur le jardin. Je peux ouvrir la porte ?
• Oui, oui !
▪ Oh, il est magnifique ce jardin !
• On continue la visite ? Ici nous avons la cuisine.
◦ Elle est très moderne.
• Voilà pour le rez-de-chaussée. On va à l'étage ? En haut, il y a la salle de bains et les chambres.
▪ Et où sont les toilettes ?
• Agent immobilier : Les toilettes ? Elles sont dans la salle de bains. Vous savez les toilettes dans une pièce à part, c'est typiquement français.
▪ Ah bon ? C'est dommage !
• Nous voici à l'étage. À gauche, il y a la salle de bains et la chambre principale. À droite, c'est le dressing, puis il y a deux autres chambres.

Piste 28

1. La cuisine
2. La chambre
3. La salle de bains
4. Le garage
5. Les toilettes

Piste 29

1.
• Qu'est-ce que c'est ? C'est beau !
◦ Ah oui, tu aimes bien ? C'est le sac que j'ai acheté au Mexique.

2.
• Tu as acheté un nouveau tapis ? Mais, tu aimes les tapis, toi ?
◦ Oui, c'est élégant et pratique. Il vient du Maroc.

3.
• C'est quoi ?
◦ C'est un chapeau du Mexique. Tu aimes bien ?
• Euh...non... toutes ces couleurs, c'est laid !

Piste 30

• Se loger à Paris, c'est cher et compliqué. Alors, souvent les étudiants habitent dans des chambres de bonnes. Qui sont-ils ? Comment sont leurs logements ? Nous les avons rencontrés. Écoutez leurs témoignages.

◦ Je m'appelle Clément, je suis étudiant. J'habite dans un studio de 10 m². C'est vraiment petit et il y a beaucoup de bruit, mais ce n'est pas cher. Je paie 450 euros par mois, plus les charges. Par contre, je suis au 5ᵉ étage sans ascenseur...

▪ Moi c'est Maja, je suis suédoise. J'habite dans une chambre de 10 m². Je paye 500 euros de loyer. Je travaille dans une famille, je m'occupe des deux enfants. C'est pratique parce qu'ils habitent au premier étage, et ma chambre, elle, est au 3ᵉ étage avec ascenseur. Je suis contente d'avoir ma chambre pour moi toute seule.

♦ Je m'appelle Thomas, je suis serveur. Je vis dans un studio de 12 m². C'est au 7ᵉ étage et il n'y a pas d'ascenseur ! Mon loyer est de 460 € charges comprises. C'est pratique parce que je suis à côté de mon travail.

UNITÉ 5

Piste 31

1.

Au Québec, le soir, les gens dînent entre 17 et 18 heures. Pour moi, c'est tôt. Je n'aime pas ça ! En France, on dîne à 19 heures 30.

2.

Au Québec, on commence la journée tôt et on termine tôt. Moi, par exemple, je travaille de 8 heures à 17 heures. C'est génial ! Je fais des activités après le travail. En France, on commence vers 9 heures et on termine vers 18 heures.

3.

Ici, le midi, j'ai une heure pour déjeuner. En France, c'est souvent pareil.

4.

Le matin, au Québec, mes amis et mes collègues ne prennent pas le petit déjeuner. Ils boivent un café au bureau et c'est tout ! En France, c'est le contraire. Les Français mangent beaucoup le matin. Le petit déjeuner est un repas important.

Piste 32

• Pierre, tu te lèves à quelle heure ?
• À midi.
• Quoi, à midi ?!
◦ Oui, à midi et je prends mon petit déjeuner à midi et demi.
• Mais tu travailles à quelle heure ?
◦ Je commence à 20 heures.
• C'est tard !
◦ Oui, et je termine à 2 heures du matin.
• Ah bon, mais tu fais quoi ?
◦ Je suis serveur dans un bar.
• Ah d'accord, et l'après-midi tu fais quoi ?
◦ Je suis étudiant, je vais en cours de 15 heures à 19 heures à l'université.
• Dis donc, tu as un rythme de vie intense !

Piste 33

• Bonjour à tous. Aujourd'hui, nous vous proposons des idées pour sortir de votre routine. Nous avons interrogé quelques personnes. Écoutez leurs témoignages.
◦ Moi, pour sortir de la routine, tous les matins à 7 heures, je prends un chemin différent pour aller au travail.
▪ Moi, je déjeune avec une personne différente tous les midis. Ce midi, par exemple, je déjeune avec ma sœur.
♦ Le soir chez moi, je fais des activités différentes : je regarde un film, je lis une BD, je cuisine...

Piste 34

• Aujourd'hui, nous nous intéressons au temps de travail en France, en Belgique et en Suisse. Notre correspondant Mathieu Foullon est allé à Paris, Bruxelles et Genève pour interroger des passants. Écoutez leurs témoignages.

◦ Bonjour madame, je peux vous poser quelques questions sur le temps de travail ?
▪ Oui, bien sûr.
◦ Vous travaillez combien d'heures par semaine ?
▪ Je travaille 38 heures par semaine, mais je fais des heures supplémentaires et je travaille souvent le week-end.
◦ Vous travaillez beaucoup !
▪ Oui. Je travaille trop. J'ai besoin de vacances !
◦ Et vous avez combien de semaines de vacances ?
▪ J'ai 4 semaines par an.

◦ Combien d'heures vous faites par semaine ?
♦ Je fais 35 heures par semaine.
◦ Et vous avez combien de semaines de vacances ?
♦ J'ai 5 semaines de vacances par an.

◦ Vous travaillez combien d'heures par semaine ?
• Je travaille 45 heures par semaine.
◦ C'est beaucoup ?
• Oui, mais j'aime mon travail et j'ai un bon salaire.
◦ Et vous avez beaucoup de vacances ?
• Oui, j'ai 4 semaines, c'est bien.

Piste 35

1.
Au Sénégal, on célèbre le jour de l'Indépendance le 4 avril. Le Sénégal est un pays libre et indépendant depuis 1960. Il y a des défilés et des fêtes dans les écoles.
On célèbre aussi la fête du Travail le 1er mai. Les gens manifestent pour défendre les droits des travailleurs.

2.
Le 24 juin, c'est le jour de la Saint-Jean, c'est la Fête nationale du Québec. Il y a des milliers de personnes qui défilent dans les rues et nous faisons la fête dans tout le Québec.
Le 26 décembre, nous célébrons le Boxing Day, c'est le jour des boîtes en français. Traditionnellement, c'est un jour de charité pour aider les pauvres, mais aujourd'hui c'est une journée de magasinage, euh de shopping !

3.
En France, nous célébrons la fête nationale le 14 juillet. Elle célèbre la fondation de la République il y a 200 ans.
Le 11 novembre est un jour férié. Il célèbre la fin de la Première Guerre mondiale en 1918, il célèbre aussi la mémoire de tous les soldats français morts pendant les guerres.

UNITÉ 6

Piste 36

Essaouira, la ville blanche et bleue, la ville du vent...
Essaouira est une ville dans l'ouest du Maroc, à côté de l'océan. C'est l'une des villes les plus touristiques du pays. Vous partez en vacances à Essaouira ? Voici quelques idées de visites et d'activités.
Découvrez le centre historique de la ville, promenez-vous dans les petites rues et visitez les nombreux marchés, aussi appelés souks.
Pour connaître l'histoire d'Essaouira, allez au musée des Arts et des Traditions populaires, ensuite faites une pause avec un thé à la menthe et des pâtisseries.
Les amoureux de la mer peuvent prendre des cours de planche à voile, de surf ou de kitesurf.
Enfin, Essaouira est célèbre pour son festival de musique gnaoua en juin, et vous pouvez voir des concerts dans de nombreux lieux.

Piste 37

• Alice, tu es toujours sur ton téléphone ou sur ta tablette !
◦ Oui, c'est vrai, je les utilise beaucoup.
• Mais enfin, pour quoi faire ?
◦ D'abord pour m'informer.
• Pour t'informer, il y a le journal à la maison !

◦ Oui, mais sur Internet, je peux lire plusieurs journaux, et gratuitement.
• Hum, bon d'accord, mais tu fais quoi d'autre ?
◦ Eh ben... Je fais des recherches pour mes études, je trouve beaucoup d'informations, c'est vraiment utile. Et puis, je regarde souvent des films.
• Pour voir des films, il y a la télé !
◦ Oui, mais moi je n'aime pas les films qui passent à la télé. Ils sont nuls !
• Tu passes ta vie sur Internet sans parler à personne !
◦ C'est pas vrai ! Je passe beaucoup de temps sur les réseaux sociaux, surtout Facebook et Instagram. Tu sais, j'ai beaucoup d'amis qui habitent à l'étranger, Facebook me permet d'être en contact avec eux.
• Ah bon, d'accord...

Piste 38

• Avec mes amis, on part toujours en vacances ensemble. On est passionnés de montagne, on fait de l'escalade, de la randonnée, du VTT. On va régulièrement à la Réunion, en Corse et dans les Alpes.
◦ Chaque année, je pars avec ma meilleure amie dans une nouvelle région. On adore découvrir la gastronomie locale, manger dans de bons restaurants et partager de bons repas. On achète des souvenirs, souvent du vin et du fromage !

Piste 39

1.
C'est quelqu'un qui va souvent en boîte de nuit, qui adore danser, qui se couche très tard, qui aime vivre la nuit.
2.
C'est quelqu'un qui n'aime pas travailler, qui fait de longues siestes et qui prend son temps.
3.
C'est quelqu'un qui aime rire et qui fait rire les autres. Il est souvent positif et optimiste.
4.
C'est quelqu'un qui aime bien la gastronomie, qui mange beaucoup au petit déjeuner, beaucoup au déjeuner et beaucoup au dîner ! Il aime surtout le chocolat et les gâteaux.
5.
C'est quelqu'un qui aime jouer au football, au tennis, au basket et au rugby.
6. C'est quelqu'un qui n'aime pas partager, qui déteste dépenser de l'argent et qui ne fait pas de cadeaux à ses amis.

Piste 40

1.
Ah oui, bonne idée ! J'ai faim et j'adore les sushis.
2.
Désolé, je n'aime pas la montagne, je préfère la mer.
3.
Avec plaisir ! J'adore les pizzas.
4.
Non, ça ne me dit rien, je n'aime pas la musique.
5.
OK, cool ! On part demain !
6.
Non merci, je n'ai pas envie de voir un film.

UNITÉ 7

Piste 41

1.
• Jean, qu'est-ce qu'il y a à visiter à Toulouse ?
◦ Eh bien, à Toulouse, il y a... le très beau le musée des Augustins.
• Et quoi d'autre ?
◦ Il y a un magnifique jardin des plantes, un marché couvert...
• Un marché couvert ?
◦ Oui, c'est pratique pour faire ses courses.
• Et il y a de jolies places ?
◦ Oui, je te recommande surtout la place du Capitole.

2.
• Dis-moi Caroline, qu'est-ce qu'il y a de sympa à Bordeaux ?
◦ À Bordeaux ? Je connais très bien ! Qu'est-ce que tu veux savoir ?
• Eh bien... Un bon restaurant ?
◦ Je te conseille Le Petit Bordeaux, c'est délicieux !
• Génial, je note ! Et un bar sympa ?
◦ Le bar du marché !
• Cool ! T'as d'autres idées ?
◦ Je te conseille d'aller au grand port maritime, c'est typique !

Piste 42

1.

• Bonjour, madame.
◦ Bonjour. Je peux vous aider ?
• Oui, je cherche la poste.
◦ Alors… Le plus simple, c'est de traverser la place Stanislas en direction de la rue Stanislas. Ensuite, vous continuez tout droit dans cette rue, puis vous tournez à gauche rue Saint-Dizier. La Poste se trouve à 100 mètres au 121 rue Saint-Dizier.
• Merci beaucoup madame !

2.

• Attendez, j'aimerais aussi aller à la porte de la Citadelle. Vous savez comment y aller ?
◦ Ah oui, mais ce n'est pas la même direction. Vous prenez à gauche, vous longez la place Stanislas et vous arrivez rue du Préfet Erignac. Ensuite, vous tournez à droite, rue Claude-Charles, puis vous prenez la première à gauche, rue Saint-Julien, et vous y êtes, c'est là !
• J'y vais tout de suite, merci !

Piste 43

1.

J'aime bien utiliser Kidil pour m'informer sur les promotions dans les commerces de mon quartier, par exemple pour aller boire un verre avec des amis pendant les happy hours des bars. En plus, je n'ai pas beaucoup d'argent.

2.

Il y a un supermarché dans ma rue qui est sur Kidil. Je reçois des promotions tous les jours. Ça coûte moins cher.

3.

Je voyage souvent pour mon travail. J'utilise l'application Around Me, c'est très pratique pour trouver les commerces quand je suis dans une nouvelle ville.

Piste 44

• Bonjour, est-ce que vous avez ce pantalon en bleu ?
◦ Oui, le voici. Vous pouvez l'essayer.

◦ Alors, ce pantalon, ça va ?
• Hum, il est trop petit. Vous avez le même en plus grand ?
◦ Oui, tenez !

◦ Alors ?
• Il me va bien, c'est ma taille. Je le prends !
◦ Vous voulez essayer un tee-shirt pour aller avec ?
• Oui, bonne idée. Un tee-shirt blanc, classique.

UNITÉ 8

Piste 45

• Hum, ça sent bon ! Qu'est-ce que tu fais ? Je peux goûter ?
◦ Oui, bien sûr. J'ai essayé une nouvelle recette, tu aimes bien ?
• Euh… je ne sais pas… c'est bizarre. Qu'est-ce que tu as mis dedans ?
◦ Alors, il y a des pommes de terre, du bacon, du sel et du poivre.
• Oui, mais quoi d'autre ?
◦ Et ben, pour donner plus de goût, j'ai ajouté de la tomate et du lait.
• Quoi ??? Mais c'est bizarre de mélanger tous ces ingrédients !
◦ Pas du tout ! Je vais même ajouter du piment rouge et du fromage.
• Oh là là, beurk !
◦ Mais non, c'est O-RI-GI-NAL ! Allez, je vais mettre du Ketchup !

Piste 46

Pour réaliser mes crêpes préférées, c'est très simple. Voici la recette : mélangez la levure avec un peu d'eau tiède dans une tasse, puis attendez quelques minutes. Pendant ce temps, mélangez la semoule, le sel et la farine. Ensuite, ajoutez de l'eau et mixez tous les ingrédients. Versez la préparation dans un grand bol et laissez reposer environ une demi-heure. Versez une petite quantité dans une poêle et attendez que des trous apparaissent. La crêpe est cuite !

Vous pouvez manger cette crêpe avec du miel, du beurre, de la confiture ou de l'huile d'olive. C'est délicieux !

Piste 47

La pomme de terre vient d'Amérique latine, plus exactement du Pérou. Les Espagnols la découvrent au 16e siècle et la rapportent en Europe. D'abord, elle est considérée comme un médicament, et non comme un aliment. Au 17e siècle, on commence à la manger et à la cuisiner. Elle est de plus en plus cultivée dans toute l'Europe, et aujourd'hui, la pomme de terre est l'un des aliments de base dans le monde entier.

Piste 48

Avec sa belle décoration et ses produits frais, le restaurant *Le Reflet*, au centre-ville de Nantes ressemble à un restaurant traditionnel. Mais il emploie sept personnes handicapées atteintes de trisomie. La propriétaire, Flore Lelièvre, a un grand frère trisomique. C'est pour cela qu'elle a créé ce restaurant. Elle souhaite montrer que les trisomiques peuvent travailler comme tout le monde. En 2014, elle a créé une association, puis en 2015 elle a cherché de l'argent pour créer son restaurant. Elle a eu la chance de rencontrer des personnes qui l'ont encouragée et aidée. Le restaurant a ouvert en décembre 2016 et il a aujourd'hui un grand succès !

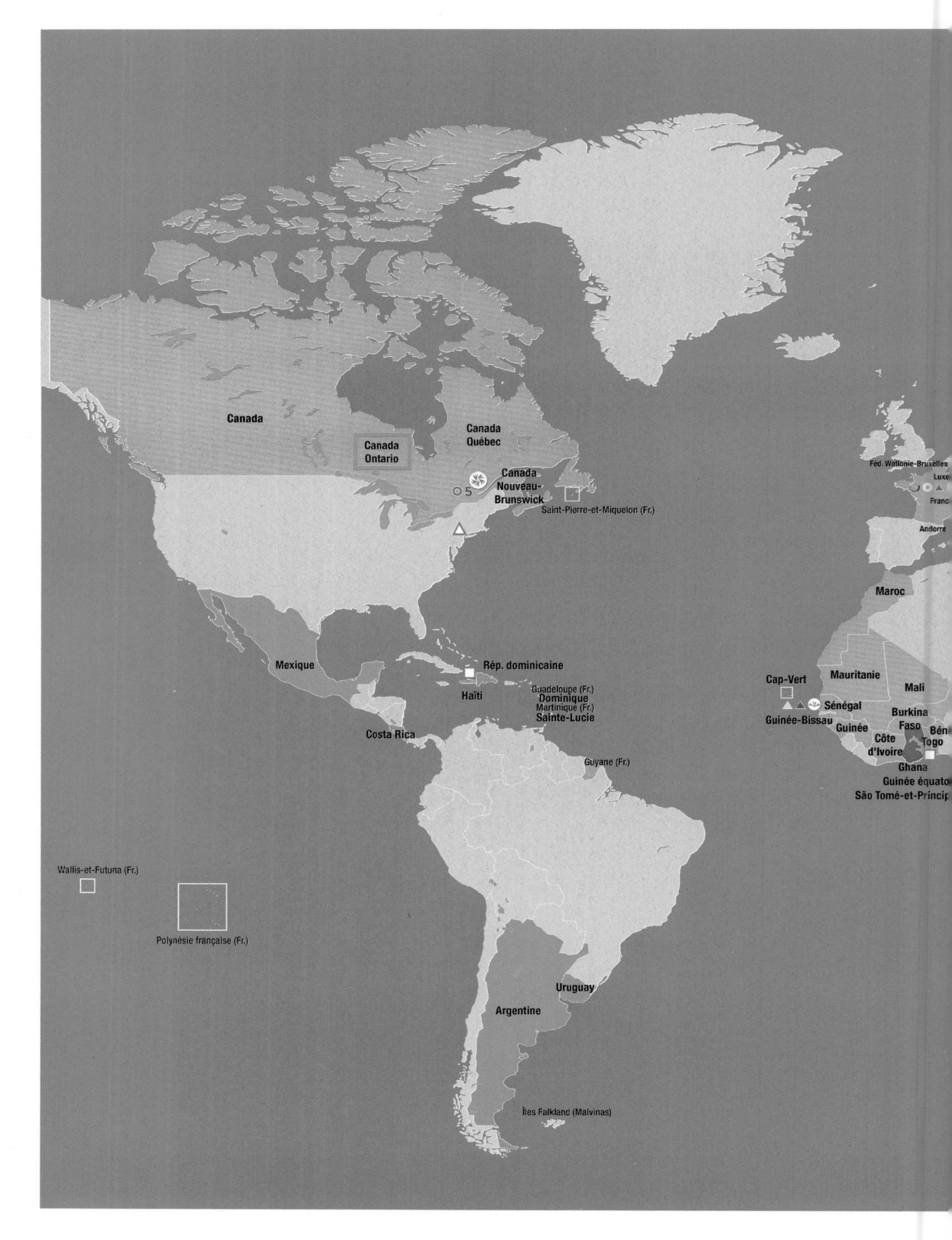

Organisation internationale de la Francophonie (siège, Paris)
- Représentations permanentes (Addis-Abeba, Bruxelles, Genève, New York)
- Bureaux régionaux (Antananarivo, Bucarest, Hanoï, Libreville, Lomé, Port-au-Prince)
- Institut de la Francophonie pour le développement durable (IFDD, Québec)
- Institut de la Francophonie pour l'éducation et la formation (IFEF, Dakar)

54 États et gouvernements membres de l'OIF
4 États et gouvernements membres associés
26 États et gouvernements observateurs

Assemblée parlementaire de la Francophonie (APF, Paris)
Agence universitaire de la Francophonie (AUF)
- Rectorat et siège (Montréal)
- Rectorat et services centraux (Paris)

5 TV5MONDE (Paris) 5 TV5 Québec Canada (Montréal)
Université Senghor (Alexandrie)
Association internationale des maires francophones (AIMF, Paris)
Conférence des ministres de l'Éducation de la Francophonie (Confémen, Dakar)
Conférence des ministres de la Jeunesse et des Sports de la Francophonie (Conféjes, Dakar)

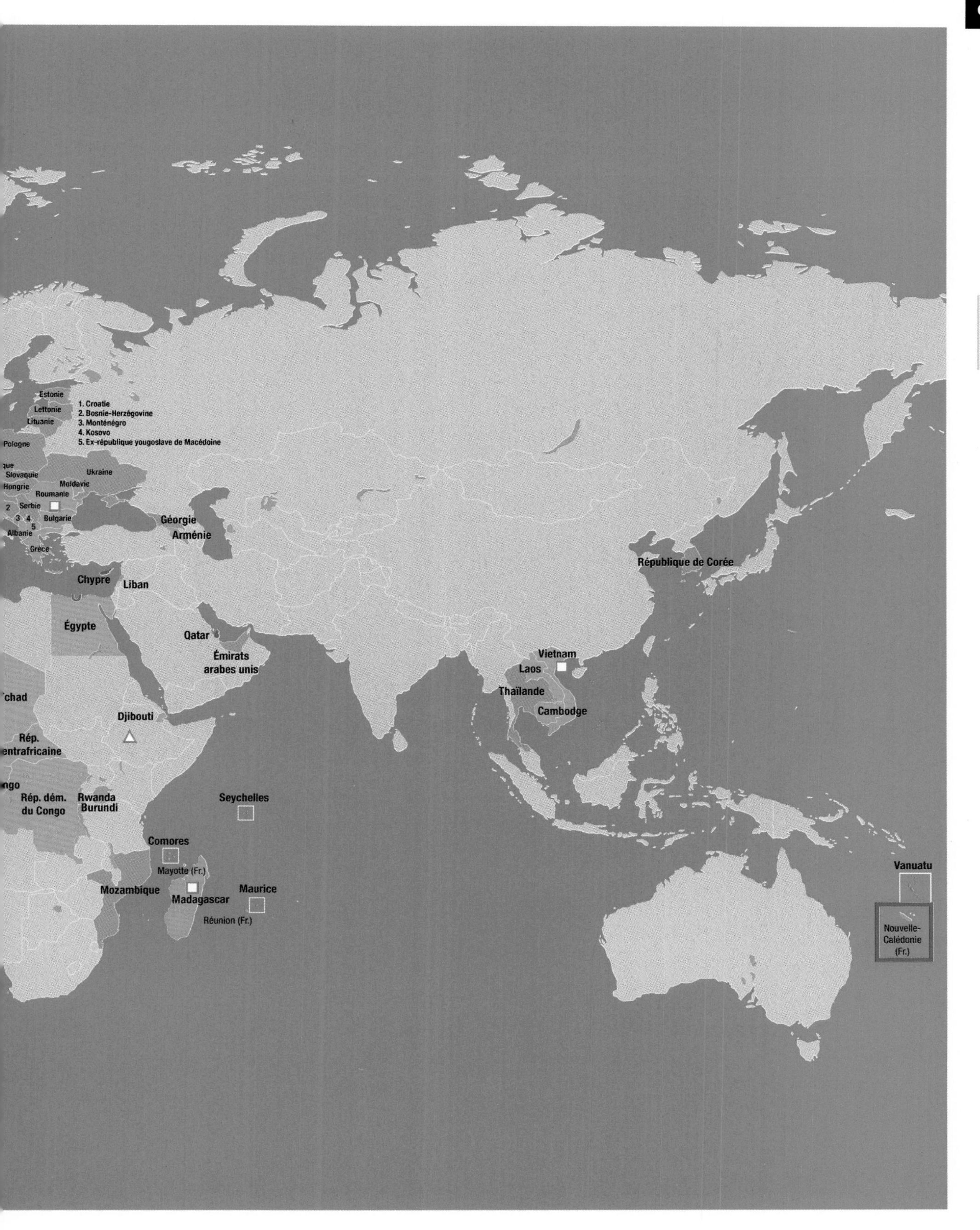

…indiqués sur cette carte n'impliquent pas reconnaissance ou acceptation officielle par l'OIF.

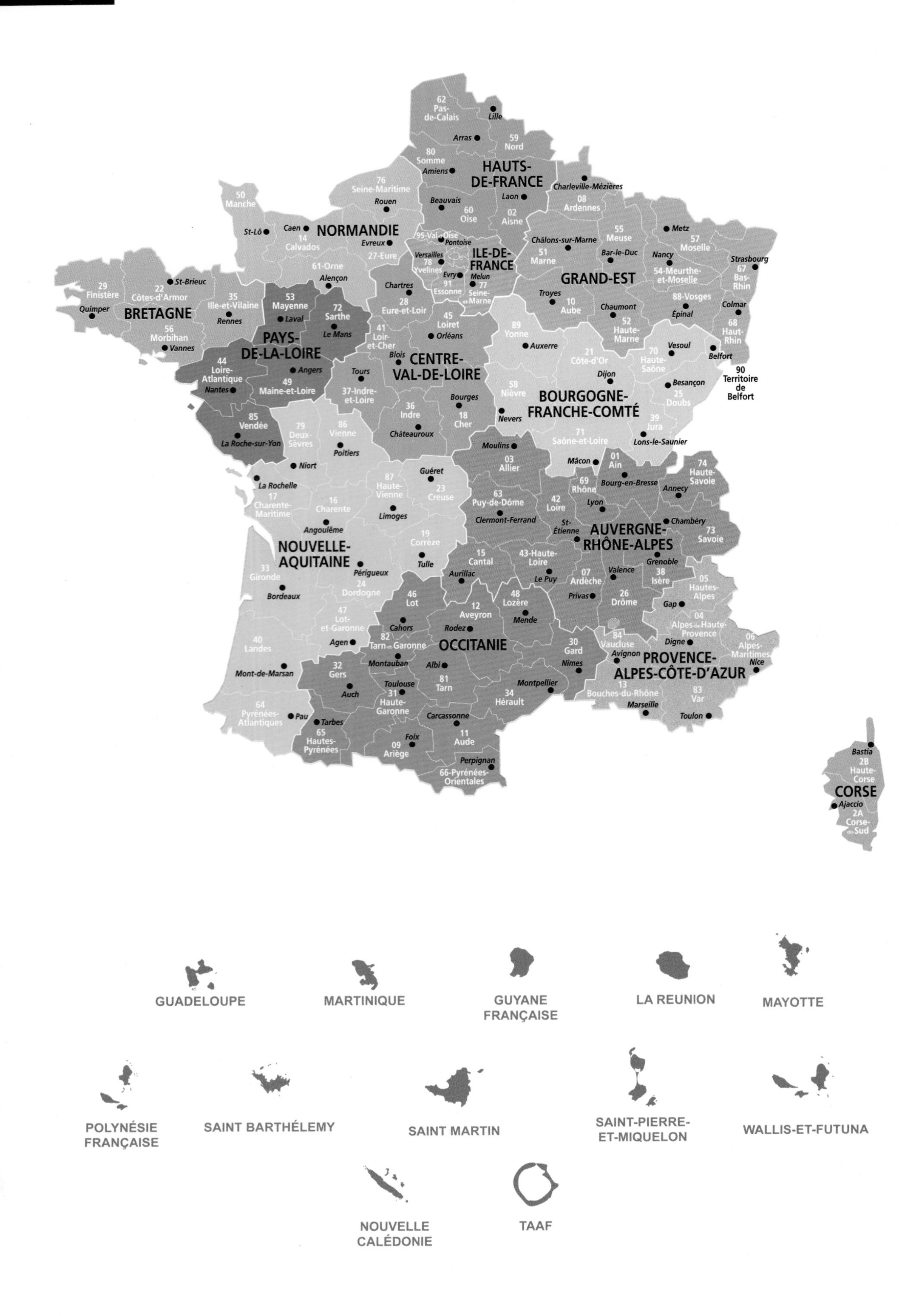
62
Pas-de-Calais
Lille
Arras
59
Nord
80
Somme
Amiens
HAUTS-DE-FRANCE
Charleville-Mézières
Laon
08
Ardennes
76
Seine-Maritime
Rouen
Beauvais
60
Oise
02
Aisne
50
Manche
St-Lô
Caen
14
Calvados
NORMANDIE
Evreux
27-Eure
95-Val-d'Oise
Pontoise
ILE-DE-FRANCE
Versailles
78
Yvelines
Evry
91
Essonne
Melun
77
Seine-et-Marne
Châlons-sur-Marne
51
Marne
55
Meuse
Bar-le-Duc
Metz
57
Moselle
Nancy
54-Meurthe-et-Moselle
Strasbourg
67
Bas-Rhin
GRAND-EST
Troyes
10
Aube
Chaumont
52
Haute-Marne
88-Vosges
Epinal
Colmar
68
Haut-Rhin
61-Orne
Alençon
29
Finistère
Quimper
St-Brieuc
22
Côtes-d'Armor
BRETAGNE
35
Ille-et-Vilaine
Rennes
56
Morbihan
Vannes
53
Mayenne
Laval
72
Sarthe
Le Mans
Chartres
28
Eure-et-Loir
45
Loiret
Orléans
PAYS-DE-LA-LOIRE
44
Loire-Atlantique
Nantes
Angers
49
Maine-et-Loire
41
Loir-et-Cher
Blois
CENTRE-VAL-DE-LOIRE
Tours
37-Indre-et-Loire
89
Yonne
Auxerre
21
Côte-d'Or
Dijon
70
Haute-Saône
Vesoul
Belfort
90
Territoire de Belfort
Besançon
25
Doubs
58
Nièvre
Nevers
BOURGOGNE-FRANCHE-COMTÉ
Bourges
18
Cher
36
Indre
Châteauroux
85
Vendée
La Roche-sur-Yon
79
Deux-Sèvres
86
Vienne
Poitiers
Niort
39
Jura
Lons-le-Saunier
71
Saône-et-Loire
Mâcon
Moulins
03
Allier
01
Ain
Bourg-en-Bresse
74
Haute-Savoie
Annecy
La Rochelle
17
Charente-Maritime
16
Charente
Angoulême
87
Haute-Vienne
Limoges
Guéret
23
Creuse
63
Puy-de-Dôme
Clermont-Ferrand
69
Rhône
Lyon
42
Loire
St-Étienne
Chambéry
73
Savoie
AUVERGNE-RHÔNE-ALPES
NOUVELLE-AQUITAINE
19
Corrèze
Tulle
Périgueux
24
Dordogne
33
Gironde
Bordeaux
15
Cantal
Aurillac
43-Haute-Loire
Le Puy
07
Ardèche
Valence
Grenoble
38
Isère
05
Hautes-Alpes
Privas
26
Drôme
Gap
46
Lot
Cahors
48
Lozère
Mende
12
Aveyron
Rodez
47
Lot-et-Garonne
Agen
82
Tarn-et-Garonne
Montauban
OCCITANIE
30
Gard
Nîmes
84
Vaucluse
Avignon
04
Alpes-de-Haute-Provence
Digne
06
Alpes-Maritimes
Nice
PROVENCE-ALPES-CÔTE-D'AZUR
40
Landes
Mont-de-Marsan
32
Gers
Auch
Albi
81
Tarn
Toulouse
31
Haute-Garonne
Montpellier
34
Hérault
13
Bouches-du-Rhône
Marseille
83
Var
Toulon
64
Pyrénées-Atlantiques
Pau
Tarbes
65
Hautes-Pyrénées
Carcassonne
11
Aude
Foix
09
Ariège
Perpignan
66-Pyrénées-Orientales
Bastia
2B
Haute-Corse
CORSE
Ajaccio
2A
Corse-du-Sud
GUADELOUPE
MARTINIQUE
GUYANE FRANÇAISE
LA REUNION
MAYOTTE
POLYNÉSIE FRANÇAISE
SAINT BARTHÉLEMY
SAINT MARTIN
SAINT-PIERRE-ET-MIQUELON
WALLIS-ET-FUTUNA
NOUVELLE CALÉDONIE
TAAF

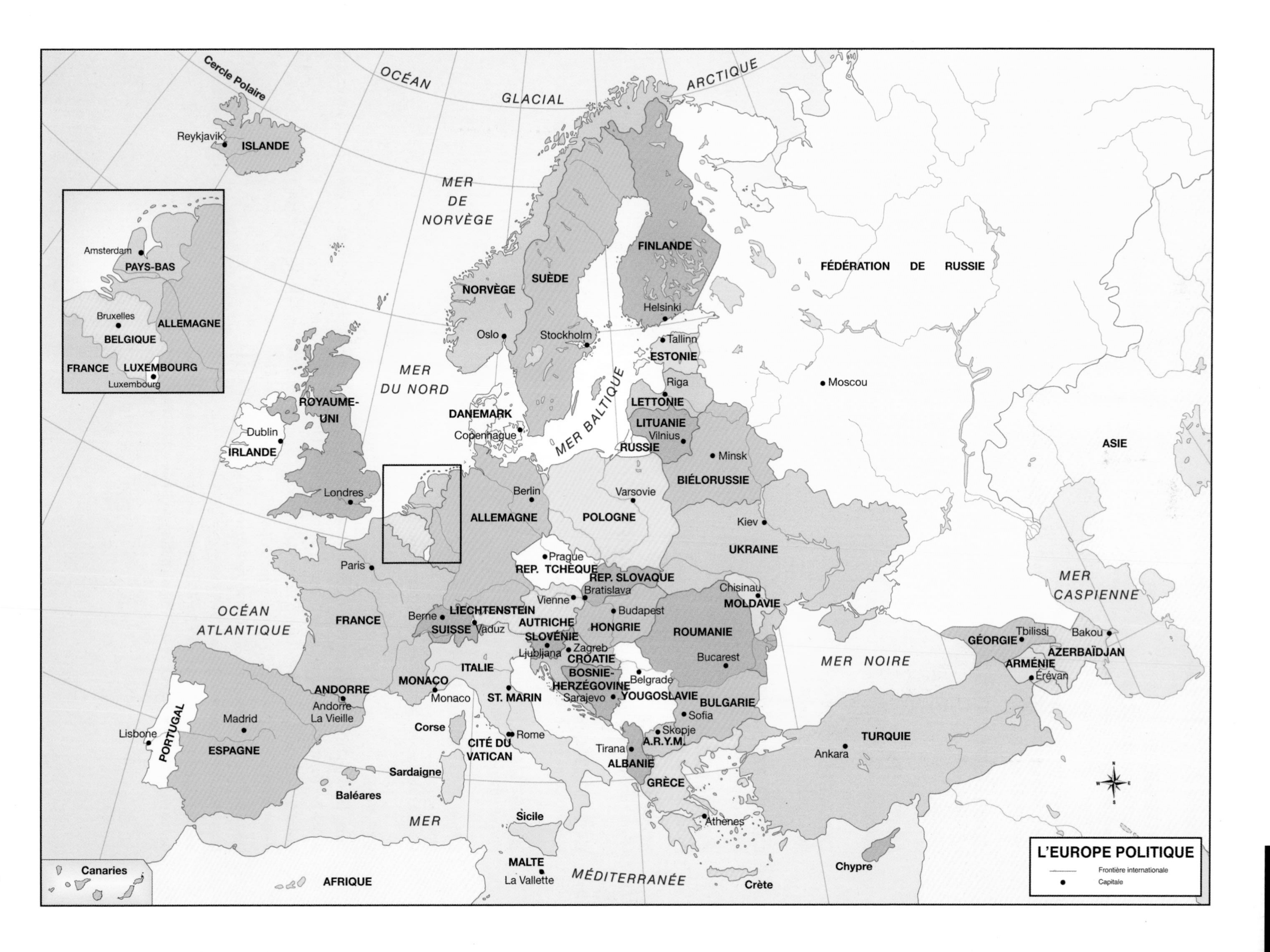
L'EUROPE POLITIQUE
Frontière internationale
Capitale
Cercle Polaire
OCÉAN GLACIAL ARCTIQUE
MER DE NORVÈGE
MER DU NORD
MER BALTIQUE
OCÉAN ATLANTIQUE
MER MÉDITERRANÉE
MER NOIRE
MER CASPIENNE
ASIE
AFRIQUE
ISLANDE
Reykjavik
IRLANDE
Dublin
ROYAUME-UNI
Londres
NORVÈGE
Oslo
SUÈDE
Stockholm
FINLANDE
Helsinki
DANEMARK
Copenhague
ESTONIE
Tallinn
LETTONIE
Riga
LITUANIE
Vilnius
RUSSIE
FÉDÉRATION DE RUSSIE
Moscou
BIÉLORUSSIE
Minsk
UKRAINE
Kiev
MOLDAVIE
Chisinau
POLOGNE
Varsovie
ALLEMAGNE
Berlin
REP. TCHÈQUE
Prague
REP. SLOVAQUE
Bratislava
AUTRICHE
Vienne
HONGRIE
Budapest
ROUMANIE
Bucarest
SLOVÉNIE
Ljubljana
CROATIE
Zagreb
BOSNIE-HERZÉGOVINE
Sarajevo
YOUGOSLAVIE
Belgrade
BULGARIE
Sofia
A.R.Y.M.
Skopje
ALBANIE
Tirana
GRÈCE
Athènes
Crète
TURQUIE
Ankara
Chypre
GÉORGIE
Tbilissi
ARMÉNIE
Érévan
AZERBAÏDJAN
Bakou
LIECHTENSTEIN
Vaduz
SUISSE
Berne
ITALIE
Rome
ST. MARIN
CITÉ DU VATICAN
MONACO
Monaco
Corse
Sardaigne
Sicile
MALTE
La Vallette
FRANCE
Paris
ANDORRE
Andorre La Vieille
Baléares
ESPAGNE
Madrid
PORTUGAL
Lisbone
Canaries
PAYS-BAS
Amsterdam
BELGIQUE
Bruxelles
LUXEMBOURG
Luxembourg
ALLEMAGNE
FRANCE

DÉFI 1 - MÉTHODE DE FRANÇAIS
Livre de l'élève + CD - Niveau A1

AUTEURES
Fatiha Chahi *(unités 3, 5, 6 et 8)*
Monique Denyer *(unités 1, 2, 3 et 5)*
Audrey Gloanec *(unités 3, 4, 5 et 7)*

Geneviève Briet *(capsules de phonétique)*
Valérie Collige-Neuenschwander *(capsules de phonétique)*
Raphaële Fouillet *(précis de grammaire)*

CONSEIL PÉDAGOGIQUE ET RÉVISION
Agustin Garmendia
Christian Ollivier

ÉDITION
Audrey Avanzi, Estelle Foullon, Lætitia Riou

DOCUMENTATION
Aurélie Buatois, Simon Malesan

CONCEPTION GRAPHIQUE
Miguel Gonçalves

COUVERTURE
Pablo Garrido, Luis Luján

MISE EN PAGE
Miguel Gonçalves, Laurianne Lopez, Antídot Gràfic

CORRECTION
Martine Chen, Laure Dupont, Sarah Billecocq, Diane Carron, Lætitia Riou

ILLUSTRATIONS
Daniel Jiménez, Pénélope Paicheler *(p. 78)*

ENREGISTREMENTS
Blind Records
Merci à nos « voix », disponibles et sympathiques.

VIDÉOS
Unité 1 : *Portrait d'une femme dans un métier d'homme.* Histoires de Vies pour la SNCF, reproduite avec leur aimable autorisation.
Unité 2 : *Les français sont polis.* Avec l'aimable autorisation de Matthieu Amphoux, 2016.
Unité 3 : *Rhapsodie pour un Pot-au-feu.* Charlotte Cambon, Soizic Mouton, Stéphanie Mercier et Marion Roussel, 2012.
Unité 4: *Chambres de bonne.* TF1, 20 heures, 2005, INA.
Unité 5 : *Pour ou contre le travail le dimanche ?* 28 minutes, ARTE, 2014, KM SAS.
Unité 6 : *Les Français et la Musique.* BVA / Presse Régionale / Foncia en 2017, reproduite avec leur aimable autorisation.
Unité 7 : *BlaBlaCar : mode d'emploi.* Reproduite avec leur aimable autorisation.
Unité 8 : *La semaine du goût.* 19-20, Édition nationale, France Télévisions (FTS), 2016, INA.